D1248542

LE MANUSCRIT DE PORT-ÉBÈNE

DU MÊME AUTEUR

LES HEURES VOLÉES, *roman*. Mercure de France, 1981.

ARGENTINA, *roman*. Mercure de France, 1984.

ROMAIN GARY, *biographie*. Mercure de France, 1987. (Grand Prix de la biographie de l'Académie française.)

LES YEUX NOIRS OU LES VIES EXTRAORDINAIRES DES SŒURS HEREDIA, *biographie*. J.-C. Lattès, 1990. (Prix de la Femme, prix des Poètes français.)

MALIKA, *roman*. Mercure de France, 1992. (Prix Interallié.)

GALA, *biographie*. Flammarion, 1995.

STEFAN ZWEIG, L'AMI BLESSÉ, *biographie*. Plon, 1996.

DOMINIQUE BONA

LE MANUSCRIT DE PORT-ÉBÈNE

roman

BERNARD GRASSET
PARIS

à Patricia et à Jean-Jacques,
à Lily, à Antoine.

Saint-Domingue avait alors deux capitales : le Cap Français, au nord, la plus prestigieuse, où résidait le gouverneur du Roi et, au sud, le Port au Prince, humblement administrative, placée sous l'autorité de l'intendant, où je débarquai au mois de janvier 1784. J'avais voyagé à bord du *Belle-Isle*, depuis Nantes, et fêté Noël en mer, au cours de cinq longues semaines de navigation qui nous menèrent sans escale, en droiture, à quelques encablures du quai.

Dans la nuit noire, l'horizon n'avait plus de relief, plus de perspective, l'horizon n'avait plus d'horizon. Le ciel, la mer et le pont du navire semblaient pris dans la même épaisseur lugubre. Les silhouettes proches des matelots s'y noyaient, absorbées dans cette brume d'encre, d'où seules leurs voix nous parvenaient. Le capitaine nous annonça qu'il avait jeté l'ancre dans la rade, et qu'il attendrait l'aube pour nous conduire à terre ; entourée de récifs, la baie du Port au Prince passait pour une des plus dangereuses des Antilles. Je ne pouvais rien apercevoir : ni l'île, que l'on m'avait décrite comme un paradis ; ni les fameux récifs qui protégeaient Saint-Domingue au sud de la Gonave. Impatiente de la découvrir, je redoutais la lumière du jour, le moment d'affronter mon rêve.

J'avais voyagé seule, dans une cabine qui ressemblait à une cellule et me faisait penser aux chambres austères du couvent où je fus élevée. Ma famille m'en avait sortie pour me marier, sans dot, à un riche planteur que leur avait recommandé un de leurs amis, parent de l'intendant du Roi. Dernière-née de six enfants, je dois à cet intendant – un certain monsieur de Bongars, prédécesseur de François Barbé de Marbois, que l'avenir devait rendre célèbre – d'avoir échappé à un destin de religieuse, pour lequel je ne sentais aucune vocation. Ma mère me donna pour trousseau tout ce qu'elle put et qui, selon notre coutume, formait à peine l'indispensable : des robes, des jupons, des corsages, des bas et des bonnets, mais aussi des draps en toile de lin, des nappes brodées aux initiales de notre nom, et quelques plats en argent, gravés d'un blason que le temps avait déjà presque effacé, au sautoir de gueules cantonné de quatre merlettes de sable. Elle avait joint à ces présents un Ancien et un Nouveau Testament, et attaché à mon cou, au moment du départ, la médaille d'or de mon baptême – mon seul bijou.

Le *Belle-Isle* n'avait guère l'allure des vaisseaux dont je rêvais enfant en écoutant au coin du feu, pendant les soirées d'hiver, les récits des aventures que contait mon père. Gentilhomme campagnard, qui n'avait jamais connu l'océan que depuis ses terres vendéennes, il était par une de ces inexplicables bizarreries de la nature si féru de marine et de grandes expéditions, qu'il s'inventait des parentés fabuleuses, auxquelles nous finissions par croire, avec Abraham Duquesne, avec Jean

Bart ou Cassard, avec Forbin, avec Tourville, dont il arrangeait à sa guise les batailles, et même avec Guillaume Picquet de La Motte, qui fut, il y a moins de temps, de la prise de la Martinique. Par comparaison avec le *Héros*, le *Vengeur*, l'*Invincible*, ou le *Formidable*, sur lesquels il me faisait naviguer avec d'improbables oncles corsaires, ce modeste bateau de commerce où mon père, près de moi, la voix vibrante, m'invitait à distinguer beaupré, misaine et perroquet, m'apparaissait bien misérable. J'espérais que Saint-Domingue se montrerait plus digne de l'enthousiasme paternel. Les marins qui s'en revenaient surnommaient cette île la Perle des Antilles : la plus belle colonie du roi de France. Combien de fois, regardant vers l'océan, mon père m'avait-il répété que Louis XV avait jadis sacrifié pour elle les fameux arpents de neige du Canada ?

Ma mère n'avait pas désavoué cette décision d'un lointain mariage. Quelle que pût être son inquiétude, elle avait accepté de me laisser partir, si jeune encore, vers ce pays de cocagne que l'imagination du chef de famille nous avait peint aux couleurs de sa fantaisie. Elle me serra contre elle. La dernière image que j'emportai fut celle d'un homme et d'une femme vêtus de noir, que je ne devais jamais revoir. Agitant leurs mouchoirs, ils m'envoyaient à un mari dont ils avaient surtout considéré les rentes, mais qu'ils connaissaient en vérité aussi peu, malgré les recommandations, que l'île dont ils me vantaient la légende.

Le *Belle-Isle* transportait des vins et de la farine, du bœuf et du poisson séchés, des armes, des ardoises, des toiles et des fils, des articles de chaudronnerie, tout ce dont la colonie manquait et qu'elle réclamait, et même, à fond de cale, des pavés de Barsac, qui fournissaient le lest nécessaire à l'équilibrage du bateau et serviraient à combler des rues sableuses et poussiéreuses. Le pont était tellement encombré qu'on pouvait à peine y faire quelques pas. Saint-Domingue manquait-elle à ce point de tout, elle qui avait la réputation d'être si riche ? La seule marchandise dont elle n'eût aucun besoin, c'était le sucre. Depuis que Christophe Colomb avait apporté aux Antilles le premier plant de canne, elle avait fait la fortune de la colonie. Du moins celle de la colonie française. C'est ce que m'expliquait mon père lorsque, suivant du doigt le dessin de l'île jadis nommée *Hispaniola* sur une mappemonde, il me montrait la frontière entre les deux royaumes. Le sucre, l'or de la France. Un or que les Espagnols, lui préférant les trésors péruviens ou incas, avaient négligé sur leur territoire et dont les Français, établis à l'ouest, sur l'autre versant de la Montagne Noire, faisaient leur manne.

Hors moi-même, se trouvaient à bord du *Belle-Isle* trois autres passagers. Un couple de Nantais, nouvellement mariés, François et Marie Guibert, allait prendre possession de terres que le jeune homme avait héritées d'un lointain cousin, bienfaiteur par testament. Ne possédant pas d'autre fortune, et plutôt que de confier à un étranger l'ensemble de ses biens, il serait son propre gérant, son propre procureur. Mais, en dépit de ses avantages, son exil lui coûtait, et sitôt que le navire appareilla, il ne cessa plus de se plaindre ; il voguait vers le Nouveau Monde, tout entier nostalgique de l'Ancien. Pâle et étroit d'épaules, toujours poudré, tiré à quatre épingles, figure même du citadin qui craint de souiller ses bas à la boue des chemins, il avait une allure étriquée et manquait d'entrain. Mal à l'aise sur le *Belle-Isle* qui n'offrait en effet qu'un piètre confort, souffrant du mal de mer, il donnait l'impression de tanguer et rouler même par mer calme, entre sa cabine et celle du capitaine qui était à deux pas, où nous nous serrions pour prendre nos repas et dont il ressortait chaque jour plus jaune, plus triste ; l'éloignement l'accablait. Son épouse, près de lui, souriait à la mer, au vent, aux vagues ; loin de partager ses inquiétudes, elle savourait le départ et tentait, en vain, de lui communiquer un peu de sa belle humeur. Enceinte de quelques mois, dans un état supposé donner tant de malaises et de soucis aux femmes, elle irradiait l'insouciance et comme nous avions presque le même âge, elle était pour moi une compagne réconfortante. Lorsque son mari voulait bien la laisser quitter la cabine où elle le soignait, le consolait, et essayait de lui faire partager les visions enchantées qu'elle avait de leur existence future, nous nous asseyions sur des cordages, au grand air. Nous regardions la mer et nous tentions d'y déchiffrer l'avenir.

L'autre passager, âgé d'une quarantaine d'années, plutôt bougon et fumant du matin jusqu'au soir un tabac corsé, dont l'odeur brûlée me faisait agréablement oublier celle de la mauvaise cuisine du bord, pratiquait autrefois la médecine dans les armées du Roi. Antoine Delaventure – François Guibert prétendait qu'il avait falsifié son nom – préférait à notre compagnie celle du capitaine avec lequel il jouait quelquefois aux échecs. Il aimait aussi veiller, tandis que nous dormions, et prendre le quart. On le disait – mais qui pouvait bien être ce « on », capable, sur un bateau si peu peuplé, à l'atmosphère de vase clos, de faire et défaire les réputations de chacun –, on le disait médecin marron dans le langage des îles, comme un esclave qui fuit est dit « marron », ou comme un cheval qui a rallié les troupeaux sauvages. Sans doute pour une histoire de femmes, un acte prohibé par la médecine du Roi, fuyait-il son pays sous un faux nom, muni de faux papiers, de fausses recommandations à Saint-Domingue ? Il affirmait venir à la demande d'un planteur qui avait besoin d'établir sur sa propriété un homme de science, pour soigner à la fois ses chevaux, lui-même, sa femme, ses enfants mulâtres et ses esclaves, dans l'ordre et selon la hiérarchie qu'il lui avait indiqués par lettre, d'une plume ferme. Durant ces cinq semaines où nous fûmes côte à côte, compagnons sur le même quatre-mâts, je ne le vis aimable qu'une seule fois. Quand Marie, souffrant par exception d'une crampe et s'en inquiétant, il passa doucement sa main brunie, aux ongles blancs, coupés carrés, sur son ventre, rassurant la mère et l'enfant d'un simple geste.

Nous ne connûmes pas de tempête. Mais nous eûmes à affronter, loin des terres, à des milles de Nantes, loin de l'air vif et cinglant de nos hivers tempérés, plusieurs jours sans vent. D'un calme plat au silence étouffant. La chaleur pesait et tandis que François Guibert ne quittait plus sa cabine, et que l'équipage somnolait sous le pont, nous nous efforcions, Marie et moi, de nous distraire, à bord de ce vieux navire, pris au piège de l'immobilité, en découpant des silhouettes dans les pages d'un almanach que nous avions trop lu, et sacrifié pour l'occasion. Le capitaine et le médecin, figés dans une partie d'échecs qui semblait ne devoir jamais finir, ressemblaient à des personnages de cire ; sans la fumée du tabac qui s'échappait de la cabine, dont la porte restait ouverte, nous aurions pu les croire morts. Les heures avaient une lenteur et presque une épaisseur qui nous serraient dans un étau. Nous n'avions plus le goût de parler, ni de bouger, à peine celui de nous nourrir. Nous redoutions de manquer d'eau, si l'attente se prolongeait, et peut-être de vivres. L'angoisse planait sur le *Belle-Isle* endormi. Fuyant le soleil qui cuisait, dormant le jour, cherchant un peu de fraîcheur la nuit, suspendus au bon vouloir du ciel, nous guettions une brise, une risée.

Favorisés par de bonnes conditions atmosphériques et suivant en droite ligne notre route vers l'Amérique, nous aurions pu gagner Saint-Domingue en trente jours, il en fallut dix de plus, où nous fûmes encalminés. Cette enclave de temps immobile, si inattendue, si particulière à vivre, nous laissa tous languides et impatients de débarquer. L'approche des Caraïbes fut saluée de cris enthousiastes, nous devinions autour de nous la douceur des tropiques. L'air avait une légèreté nouvelle, qui me transporta. J'attendais avec impatience que se découvrît, dévoilant les charmes qu'on m'avait tant promis, l'île enchanteresse. J'en percevais la première caresse. Aussi notre arrivée par une nuit sans étoiles me prit-elle au dépourvu. J'avais imaginé Saint-Domingue comme une apparition, soudaine et lumineuse. La nuit était si complètement privée de lumière que je distinguais à peine la silhouette de mes compagnons de route à côté de moi et que la fumée du tabac du médecin du Roi flottait dans l'ombre, sortie de nulle part.

Sur le pont, je guettais le jour. Quelque chose me gênait dont je ne percevais pas l'origine. Je pris peu à peu conscience d'un parfum chaud, fort, comme une haleine. Je cherchais à identifier ce qui composait ce souffle : je n'en avais jamais senti de pareil. Il provoquait en moi un trouble. Mêlé à cet air presque impalpable, il inspirait à ma peau un frisson inconnu. Le jour vint lentement, transformant le noir en un bleu sombre qui s'éclaircissait d'heure en heure, laissant apercevoir au loin, dans la direction de cette terre que seul un instrument de navigation aurait pu d'abord préciser, des montagnes violettes, si hautes qu'elles fermaient la rade en arc de cercle. Soudain les oiseaux se mirent à chanter, on entendit le froissement de leurs ailes. Le soleil en émergeant, révéla le relief, puis les couleurs. La mer prit une transparence de turquoise. La rade se dessina avec ses promontoires. Trois tours de pierre pointaient sur nous les canons destinés aux pirates. Avant que le crépuscule s'efface, et qu'éclate enfin le carnaval des tropiques, le ciel qui perdait son encre fut traversé de centaines d'oiseaux blancs, aux becs orange. Une nuée de papillons, aux ailes empanachées, telle que je n'en vis jamais dans les landes vendéennes, envahit le *Belle-Isle*.

Au loin, la rade s'animait. Dans une débauche de tons vifs où le rouge dominait, le spectacle du port m'assaillit. Aucune scène de théâtre ou d'opéra ne pourra en rendre la palette ni l'animation. Des bruits montaient : les cris et les jurons des matelots, le cliquetis des haubans, les trompes et les sifflets des navires ne parvenaient pas à couvrir une rumeur profonde, sourde et vibrante, le vacarme d'un riche port des tropiques qui s'éveille. Des barques s'entrechoquaient, on se hélait d'un bateau à l'autre ; on offrait des services. Une dizaine de goélettes sous pavillon de France étaient à l'ancre autour de nous. De frêles embarcations, véritables boutiques ambulantes, débordant de fruits, s'approchaient à la rame et manœuvraient pour décharger leurs vivres. De nouvelles odeurs surgissaient : plus fortes, plus opiacées, mais toujours indistinctes. Sur le quai, des silhouettes, encore lointaines, s'affairaient, couraient, soulevaient des ballots, roulaient des tonneaux, tiraient des paquets de cordages. Je distinguais quelques chevaux, des attelages qui, après de longues semaines de mer, me parurent aussi exotiques que les moutons, les poules qu'on débarquait. A cette heure matinale, la vie battait son plein à terre. Le capitaine nous fit descendre avec une partie de nos bagages dans une barque, et conduire vers le rivage.

Je vis des Noirs. Cette vision me saisit. Les religieuses qui m'ont élevée décrivaient les hommes à peau noire comme des diables; elles les peignaient d'après les récits souvent cruels et effrayants qu'elles avaient lus, ceux des conquérants et des explorateurs des continents barbares. Pour moi qui les découvrais, dans cette barque où ils tenaient, torse nu, la place des rameurs, j'étais fascinée. La couleur de leur peau et leur quasi-nudité me troublaient. Tandis que je les dévisageais avec avidité, ils gardaient les yeux baissés. Arrivés au port, un rameur qui, à mon étonnement, m'apparut d'une extrême beauté, les muscles longs et saillants, le buste large, tout brillant de sueur, lâcha l'aviron. Il bondit sur le quai avec une souplesse de chat pour arrimer l'embarcation, puis il tourna vers moi des yeux dont l'éclat sombre me traversa. L'odeur âcre et voluptueuse qui se dégageait de lui, cette odeur de tropiques avec laquelle je faisais connaissance, me pénétra; j'en oubliai un instant le spectacle du port, et qu'on m'y attendait. Il me tendit la main. Je l'aurais saisie dans un élan qui me surprit moi-même, si une autre main, blanche celle-là, ne m'en avait empêchée, me prenant par le bras et me hissant à terre.

Mon mariage ayant été célébré par procuration, à la suite d'un échange de lettres qui avait permis de conclure entre les deux parties un accord aussi rapide que le transport du courrier le permettait, Julien Nayrac était déjà mon mari. La main qui m'agrippait solidement m'inspira une confiance immédiate, instinctive; bien que Julien ne ressemblât en rien au portrait à la gouache qu'il m'avait envoyé aux Essarts, il me fut aussitôt familier. D'une taille moyenne, bien campé sur ses jambes, vêtu d'une veste et d'une culotte en toile rustique, chaussé de bottes, il ne s'était à l'évidence pas apprêté pour me recevoir. Mais son allure, son naturel me plurent. Malgré la mode, il ne portait pas de perruque, ses cheveux, déjà gris, étaient simplement ramenés en arrière et attachés sur la nuque en catogan. Le visage hâlé, séché par le soleil, marqué de rides, indiquait la quarantaine mais il s'éclairait d'un regard où je pouvais lire de la bonté, dans une lueur d'amusement.

« C'est vous. Et c'est mieux que vous », dit-il d'une voix chaleureuse qui me rassura.

Sans doute ne ressemblais-je pas moi-même au portrait que mes parents avaient fait peindre par un artiste de La Roche-sur-Yon, pour lequel j'avais posé de longs après-midi d'été, au jardin, tandis que ma mère achevait de broder des initiales sur mon trousseau. J'étais plus jeune encore que sur cette image académique, plus maigre, depuis mon voyage, et pas aussi pâle qu'il aurait convenu. Je portais une robe blanche, avec une ceinture et un châle de couleur framboise comme les rubans qui nouaient mes gants, et je me demandais si la traversée de la rade et l'excitation de débarquer n'avaient pas trop bouleversé ma toilette. Ma coiffure se défaisait. Jeune mariée insolite, sur ce quai d'un port de commerce, je me souviens aujourd'hui de la voix, égale et sereine, de celui qui m'accueillait sur cette île comme si elle était mienne. Julien Nayrac me l'offrait en cadeau de noces. Au lieu de prononcer la phrase que j'avais préparée depuis le départ de Nantes et plusieurs fois répétée devant le miroir de ma chambre – « Monsieur, je suis votre servante et j'en suis heureuse » –, cette phrase subitement me manqua, et je lui dis : « N'avez-vous pas vu la valise jaune ? »

Je pensais à celle que François Guibert croyait avoir perdue. Je me mordis les lèvres aussitôt de cette sottise qui, je le vis, le dépita. Mais, à ma grande confusion, je ne trouvai rien d'autre à lui dire. Un homme de loi, reconnaissable à son habit sombre et à la serviette de cuir qu'il tenait sous le bras, attendait François et Marie Guibert et formait avec eux un pôle d'attraction. Les innombrables malles et paquets que François tâchait fiévreusement de regrouper attiraient l'attention autant que leur élégance ; le justaucorps brodé de François, ses souliers à boucles d'argent, la luxueuse robe à paniers de Marie faisaient sensation. Antoine Delaventure partit vers la ville, avec son unique bagage et sa trousse de médecin du Roi. Il se dirigea vers des maisons peintes aux couleurs de l'arc-en-ciel ; de minuscules ruelles, encombrées de gens, de mulets, de charrettes, conduisaient vers le cœur de cette capitale, qui ressemblait à un village. Aucun monument digne de ce nom, pas même un clocher d'église, ne se détachait de cet ensemble chaotique, qu'on venait tout juste de reconstruire après le tremblement de terre qui l'avait détruit, comme Léogane et le Petit Goâve, les précédents chefs-lieux de la province. Le capitaine nous ayant conté cette catastrophe, je me demandais si mon père en avait eu vent ou si, pour protéger son rêve, il avait choisi de l'ignorer ; les cataclysmes font partie de la vie aux Antilles. Je n'eus pas plus le loisir de réfléchir à cette vérité que de suivre des yeux la silhouette de Delaventure. A peine les présentations et les promesses de se revoir échangées sur le quai, et quelques larmes que je versai dans les bras de Marie, Julien m'entraîna vers un attelage que tirait un cheval alezan. J'admirai sa longue et vigoureuse encolure, son modèle harmonieux. Mon père, pourtant amateur de chevaux, n'en montait pas d'aussi beaux. Je sus plus tard qu'il était issu d'un croisement de races espagnoles avec des étalons d'Amérique du Nord et qu'il venait de l'autre côté de l'île, où les Espagnols, distraits de l'agriculture, consacrent leurs soins à élever ces magnifiques bâtards anglais. Leur courage, leur rapidité devaient un jour me sauver la vie.

Tandis que deux jeunes esclaves, âgés au plus d'une dizaine d'années, vêtus d'un caleçon et d'une chemise, un chapeau de paille enfoncé jusqu'aux yeux, chargeaient la malle à l'arrière et se hissaient au-dessus, Julien m'installa à son côté et prit les rênes, menant son chargement vers l'ouest. Les montagnes qui, à l'aube, m'avaient paru violettes, étaient maintenant d'un bleu insolite. A mesure que nous nous éloignions du port, et quand les dernières constructions disparurent derrière nous, la végétation de l'île déploya autour de nous son faste tapageur. Je ne connaissais aucune des espèces d'arbres et de fleurs qui bordaient la route, large comme une avenue, aussi la vision des palmiers, des arbres à pain, des jacks, des manguiers avait-elle pour moi quelque chose d'irréel. Je découvrais une autre planète. Mais ce plaisir n'était pas complet. Je restais sous l'effet de la gêne de m'être montrée avec si peu de manières et de cœur. Je cherchais en vain une occasion de me rattraper. Julien me fit les honneurs des premiers champs de cannes à sucre, qui allaient se succéder sans fin, bordés d'impeccables rangs de bananiers. Des haies taillées séparaient les lots qu'on appelle ici des pièces ou des jardins, et permettaient de voir aussi loin que possible vers la campagne. Discipliné, tracé au cordeau, le paysage, si exotique fût-il, était beaucoup moins sauvage que mon pays vendéen. J'avais imaginé un délire tropical, et je me trouvais aux Champs Elysées. Un ordre classique présidait à la flamboyance de cette nature.

« C'est ici l'ancien royaume indien de Xaragua », me dit Julien.

Rien n'évoquait ces temps anciens. J'apercevais des maisons de bois, où menaient des allées, et de loin en loin des villages, aux rues aussi droites que les haies des jardins. D'épaisses fumées blanches s'élevaient au-dessus des cultures. Une odeur âcre, un peu écœurante, l'emportait par endroits sur le parfum des fleurs, de la terre et de l'air. Elle provenait des chaudières où cuisait le sucre, et il y en avait des centaines sur cette partie de la colonie, la plus propice à l'élevage de la canne, et par là la plus exploitée. Nous traversâmes un bourg, désert à cette heure du jour, où jouaient tout nus de jeunes enfants. A quelques trois ou quatre lieues du Port au Prince, la route se rétrécit et, au carrefour de la Croix-des-Bouquets, nous suivîmes un chemin aux dimensions des roues de l'attelage. La robe de l'alezan luisait de sueur.

« Notre nom est celui de notre terre... »

Ainsi Julien me présentait-il son domaine, l'habitation Nayrac. Nous franchissions un gué, sur un des bras de la Grande Rivière, et descendions vers le sud, où les plantations sont plus espacées, et coupées de larges étendues de terres herbeuses. A une halte, à l'ombre, je goûtai pour la première fois au fruit du sapotillier, dont l'écorce est rouge, la chair translucide, le jus tiède et sucré. La savane s'en allait à des kilomètres de là vers les mornes bleus. Une haie de citronniers, longue d'une centaine de mètres, marquait l'entrée de la propriété. J'aperçus d'abord, assez loin de l'allée que nous remontions au pas, d'un côté, des cahutes aux toits couverts de palmes. De l'autre, un ensemble de bâtiments à cheminées qui crachaient leur fumée, des granges et un moulin où tournaient des mulets. Un aqueduc y amenait l'eau de la rivière. Puis la perspective s'ouvrait, les citronniers laissaient place à une prairie flanquée de palmiers et de buissons de fleurs rouges. A mi-chemin des collines, isolée en bordure de savane, construite sur une hauteur du terrain, la Grand-Case – ainsi nommions-nous notre demeure – ressemblait aux autres maisons de bois ; peinte comme elles de couleur blanche, entourée d'une galerie extérieure et couverte d'ardoises, elle n'avait pas d'étage. De plain-pied avec l'herbe, plus semblable à une remise qu'à un manoir, elle me parut fragile, prête à s'envoler au moindre souffle d'air.

Je me vis entourée soudain d'une nuée de bambins, curieux et rieurs, qui dansaient et piaillaient autour de l'attelage et venaient toucher ma robe et mes souliers à nœuds. Une vieille négresse, habillée comme une servante française, en bonnet et en tablier, mais pieds nus, se tenait sur le seuil, et les houspillait dans le langage de l'île. Un serviteur, en gilet et culotte, les pieds également nus, s'approcha des chevaux. Julien lui tendit les rênes. D'une voix sévère, qui ramena le calme, il intima l'ordre à la servante d'aller préparer du café et aux jeunes garçons qui nous accompagnaient de porter la malle à l'intérieur. Puis, se tournant vers moi, comme si j'étais un autre bagage, il me souleva par la taille. « Bienvenue en pays créole ! » me dit-il en me posant à terre. Alors seulement, je pus lui répondre ma phrase tant de fois ciselée :

« Monsieur, je suis votre servante, et j'en suis heureuse. »

Si les tropiques font rêver de farniente et d'oisiveté, je fus la seule à échapper au rituel immuable qui, à Nayrac, organisait la vie de chacun. A cinq heures, dès le lever du jour, impérial aux Antilles, une cloche sonnait le réveil. Les esclaves dévolus aux champs montaient de leur village pour se rassembler devant la Grand-Case. A cinq heures et demie, j'entendais le régisseur les compter un à un.

« Achille ! Cupidon ! Bacchus ! Junon ! Ulysse ! Circé !... »

La liste ne comprenait presque aucun nom chrétien. La voix appelait des héros, des déesses, des demi-dieux. Plus modestes, certains, baptisés d'après leur caractère ou leurs mœurs, s'appelaient Alerte, Sans-Souci ou Bon. D'autres portaient des sobriquets qui pastichaient leur cruelle histoire, comme Lafortune ou Lespérance. Cette litanie remplaçait pour moi la prière du matin.

Conduits par un des leurs que nous appelions le commandeur, qui se distinguait par sa redingote et par son fouet, ils s'organisaient en colonne et partaient vers les pièces où ils allaient selon la saison sarcler, labourer, couper. J'entendais leurs chansons, et les premiers ordres que leur donnait le régisseur, qui les escortait à cheval.

La maison s'emplissait de l'odeur du café qu'Aurore – la vieille servante – faisait griller. Elle m'apportait au lit une tasse d'un sirop noir et brûlant, si sucré qu'une cuiller y tenait debout. Puis elle filait s'occuper de son maître. Levé avec la cloche, et présent à l'appel, Julien passait les premières heures du matin dans son cabinet, où il consultait des livres et commençait de vérifier des états de comptes. Aurore préparait le repas qu'il prenait chaque jour dans la salle à vivre de notre case, à sept heures, avec ses « lieutenants » – ainsi appelait-il Ipestéguy, le régisseur basque, mais aussi Cadet, le Gascon, et Markus, le Flamand. Les trois hommes habitaient chacun une maison de bois, en contrebas de la nôtre, en avant de celles qui abritaient les domestiques de la maison et les quelques affranchis du domaine. Ipestéguy était sans doute le plus gradé, puisqu'il dirigeait l'ensemble des activités de l'habitation. Cadet avait la charge du bétail, à la fois de la hatte, où l'on parquait les bovins, et du corral, pour les chevaux. Expert en soins vétérinaires, cet homme jovial et rubicond, aussi bon vivant qu'Ipestéguy était ombrageux et sec, devait aussi veiller sur les malades les plus gravement atteints, qu'il soignait dans l'hôpital – un bâtiment construit à quelques centaines de mètres, sous le vent, pour éviter les risques de contagion. J'aimais bien l'entendre parler de ses patients, hommes et animaux, avec un enthousiasme qui transformait l'atmosphère, et je m'habituais à ses plaisanteries qui d'abord m'avaient fait rougir. Markus, lui, parlait français avec l'accent d'Anvers, où il avait appris la science du raffinage. Jusqu'à son arrivée à l'habitation, cinq ans avant la mienne, Nayrac produisait un sucre d'une médiocre qualité ; mal écumé, mal blanchi, il perdait un tiers de son poids au cours du transport : ne parvenaient en France que des barriques dévaluées. Markus faisait appliquer la méthode de la quadruple chauffe et, dès la première saison, sa précieuse expérience porta ses fruits : le sucre de Nayrac devint plus dense et plus clair, et des pains qu'il obtint ne s'écoula plus qu'une toute petite part de mélasse. Ce géant, silencieux, farouche, se montrait capable de violences quand il buvait trop. Grand amateur de tafia, l'alcool de sucre que boivent les nègres, il restait sobre pendant la semaine mais le dimanche, il s'abrutissait d'alcool et ne sortait plus de sa case. Julien, qui admirait le savoir-faire de ses trois acolytes et se félicitait d'orchestrer leurs talents, supportait leur caractère comme des preuves de leur autorité et de leur compétence ; il ne négligeait aucun de leurs avis. Je l'entendais s'informer autant que diriger. En homme qui sait écouter même des gens moins instruits, il nc décidait jamais rien sur un coup de tête, sans avoir auparavant pris conseil. Il croyait aux vertus du dialogue, et sans doute aussi, cela je le compris plus tard, à une fraternité virile ; une société idéale devrait un jour offrir échanges et partages. Ce discours, à rebours de mon éducation traditionnelle, compta parmi mes premiers étonnements – je n'avais jamais entendu parler de la sorte.

Après le déjeuner, Julien parcourait l'habitation. Avec Markus, suivi des maîtres chauffeurs, qui sont les esclaves chargés d'entretenir le feu, des sucriers, responsables de la cuisson des sucres, et des guildiviers, ceux de la fabrication des sirops, il inspectait la fabrique, vérifiait l'état des chaudières, puis la distillerie. Il rejoignait Ipestéguy au moulin, où il contrôlait l'état des eaux, et poursuivait jusqu'à l'aqueduc ; puis, il visitait les ateliers. Il connaissait tous les hommes : le maréchal-ferrant, le chaudronnier, le maçon, le menuisier, le machoquet, qui s'occupe des outils de fer, les deux charrons qui font office de tonneliers, les cabrouetiers qui conduisent les charrettes à mulets, et même les enfants gardiens de moutons et de volailles. Il s'entretenait avec chacun ; il savait les âges et les origines : la plupart appartenaient à l'ethnie des Aradas et des Congos, mais il y avait aussi des Bambaras et quelques Haoussas. Parmi ces esclaves compétents, formés à des tâches techniques, et qu'on n'envoyait jamais aux jardins de cannes, la plantation comptait de nombreux mulâtres.

Le tour se poursuivait, avec Cadet, aux parcs à bestiaux, tandis qu'Ipestéguy, que Julien accompagnait parfois, allait contrôler le travail aux champs. Il gardait pour l'après-midi la visite de l'hôpital et celle du village, où les vieux esclaves et les plus jeunes enfants assuraient de moindres services, comme fabriquer des brouettes, nourrir les poules, ou distribuer de l'eau. A l'heure précise où le soleil indiquait le milieu du jour, les trois hommes me retrouvaient pour dîner à la Grand-Case. Aurore nous servait du poisson ou de la volaille qui avaient mijoté dans des légumes et pris le goût des épices qu'elle y ajoutait. A la cuisine, construite à quelques pas pour éviter les incendies, elle officiait avec l'aide de deux fillettes – Thalie et Clio. Agées de six ou sept ans à mon arrivée, elles venaient faire le ménage dans la maison et luttaient avec des grâces de muses contre la poussière qui, à la saison sèche, envahissait la case, ouverte aux quatre vents et qu'aucune vitre, aucun rideau ne protégeaient de l'air. A l'heure du repas, elles se tenaient de part et d'autre de la table et agitaient en cadence de grands éventails en palmes, qui bruissaient doucement, pour éloigner les insectes des plats sucrés et poivrés qu'apportait Aurore. Au dîner, qui se prenait à l'heure la plus brûlante, la conversation était lente et les hommes pressés de regagner leur case pour y dormir une courte sieste, avant de retourner aux champs, au moulin, aux ateliers ou à la fabrique. Leur silence m'intimidait. Julien s'enfermait dans son cabinet où il travaillait jusqu'à la tombée du jour, à cinq heures. Alors les esclaves rentraient, la machette ou la houe sur l'épaule, chargés de petit bois pour le feu, ou d'herbe pour les bêtes. Les femmes préparaient un repas, cultivaient leurs jardins à vivres, retrouvaient leurs enfants.

Des *cases à nègres* – ainsi appelions-nous leur village –, montaient bientôt des chants mélancoliques. J'aimais cette fin du jour. Les Noirs se mettaient à jouer d'instruments tendus de peaux de bœuf ou de mouton, qu'on appelle des *radas* dans leurs tribus. Interdite sur d'autres habitations, hostiles aux cultes et aux traditions des esclaves, la musique congo ou arada régnait à Nayrac où tous les soirs ramenaient vers nous, avec leur nostalgie poignante, les mêmes chants, les mêmes rythmes pleins de mystère. On aurait dit qu'ils appelaient l'Afrique.

Aurore allumait sur la terrasse des feux de cardasse dont la fumée éloignait les moustiques. Nous soupions tôt, en tête-à-tête, Julien et moi, à la lueur de ces feux, de pain, de confitures et de vin de Bordeaux. Dans la chambre, les fenêtres s'ouvraient sur une nuit que la lune ou les étoiles pouvaient rendre soudain plus claire que le jour. Des milliers d'insectes y tournoyaient en crissant des ailes. Le battement des tambours s'amplifiait et s'accélérait, tout près de nous, à toucher la musique. Un voile de mousseline enveloppait le lit, où Julien m'apprenait l'amour.

Des profondeurs légères du hamac, je n'eus d'abord d'autre activité que de regarder le temps passer. Le monde autour de moi ressemblait à une immense ruche ; pas un homme, pas une femme, pas un enfant ne demeurait inactif, chacun avait à accomplir de multiples travaux qui l'occupaient de l'aube jusqu'au soir. Le dimanche, le repos servait encore à tirer de la terre des ressources supplémentaires. Ce jour-là, les esclaves cultivaient leurs parcelles, ou allaient vendre leurs légumes au bourg le plus proche, à la Croix-des-Bouquets. Au petit matin, Julien partait à la chasse avec ses compagnons, en direction des mornes. Ils emmenaient avec eux de jeunes esclaves, dressés comme des chiens courants. Markus restait sur l'habitation mais, dès l'inspection des sucres, il s'enfermait chez lui et je demeurais seule avec les domestiques. A la Grand-Case, la vie semblait faire une halte les dimanches, au cœur d'un paysage rendu au calme et à un silence entrecoupé de cris d'enfants et d'animaux.

L'organisation présidait, à Nayrac, à l'existence de chacun. J'arrivais dans un cadre rigide où les gens avaient leur place, leur fonction et, depuis longtemps, leurs habitudes. A côté d'eux, inemployée, je menais une existence sans poids, comme irréelle. Après l'étonnement, l'excitation des premiers jours, un cocon très doux se refermait sur moi. Les tropiques me mettaient à l'épreuve. La chaleur, l'humidité du climat m'affaiblirent. Je me levais tard, sans forces ; après ma toilette, aidée de Clio et de Thalie, qui me coiffaient, me chaussaient et attachaient ma robe, je m'étendais inerte dans mon hamac. J'aimais la galerie ouverte qui bordait la Grand-Case au nord, vers la savane. L'air y était doux et parfumé des embruns de la mer. On y avait vue sur les hautes collines, encore sauvages, où la légende veut que se soient réfugiés les derniers Indiens de Saint-Domingue, chassés par les conquistadors, et où survivaient des esclaves marrons, condamnés à mort pour délit de fuite.

Je lisais sans passion des romans que Julien, grand

amateur de livres, choisissait pour moi dans sa bibliothèque, mais le plus souvent, suspendue entre ciel et terre, incapable du moindre effort, je rêvais. Je rêvais surtout à la Vendée, à son climat, à ses couleurs, à la campagne et aux landes, aux soirs d'hiver, près du feu. Les jeunes filles, mes amies perdues du couvent, me manquaient. Ici, livrée à moi-même, sans personne de mon sexe, de mon âge, avec qui partager mes impressions, je faisais l'expérience de la solitude. Entourée de serviteurs qui parlaient entre eux créole, vivant au milieu d'hommes qui avaient d'autres préoccupations que les miennes et peu de temps à consacrer à ma personne, je souffrais de l'isolement. A Nayrac, j'étais livrée à la paresse.

J'aurais aimé transformer la maison austère où j'étais arrivée, lui inventer un décor plus attrayant, semblable à celui que j'avais imaginé. Dans ma tête, pour m'occuper, je refis mille fois les plans de la Grand-Case, j'y apportais des tapisseries, des porcelaines, je brodais au petit point des coussins pour les chaises. Le château de mon enfance était également pauvre, dénué de luxe superflu, mais contenait au moins quelques souvenirs d'une ancienne splendeur. La Grand-Case n'abritait que le strict nécessaire ct n'avait pas d'histoire. Un secrétaire en acajou, flambant neuf, fabriqué sur l'île comme tout l'ameublement, ne réussissait qu'à souligner l'aspect fruste de l'ensemble. J'étais moi-même un bibelot, une espèce d'objet inutile. Lorsque Julien rentrait, il me trouvait à ma place, je n'avais pas bougé. J'attendais des ordres, des conseils. La maison était organisée sans moi, je n'y avais aucun emploi, fors l'amour. Mon mari me traitait, la nuit, en femme, mais le jour, il m'oubliait. Et je restais sur la terrasse, suspendue à ne rien faire entre terre et ciel.

Je tombai malade. Cadet, consulté, me prescrivit un sirop à base de quinquina, le même qu'il donnait aux *bossales,* les esclaves nouvellement acquis, rescapés du voyage depuis l'Afrique qui tombaient immanquablement en langueur. Cadet les mettait au repos plusieurs semaines, dans une case à l'écart, et leur faisait préparer une nourriture spéciale, pour les acclimater et les garder vivants. C'était une lutte qu'il menait sans merci et qui lui tenait à cœur. Dès le moment où je fus moi aussi victime de ces symptômes auxquels nul n'échappe en arrivant sur l'île, la fatigue extrême, la paralysie de la volonté et l'envie de dormir, il s'intéressa à moi. Je dois à sa science autant qu'à ma volonté de guérir, d'être encore en vie aujourd'hui. Ma santé se ressentait surtout de mon oisiveté. Alors qu'en Vendée, mon existence était solidement guidée et encadrée, je devais ici m'inventer un but et des activités, et organiser le temps si libre, si lent, où je m'enlisais. Dans ses lettres, ma mère m'invitait à secouer ma torpeur, à me trouver de saines occupations, et me recommandait la couture, le dessin, et la prière. Ses conseils me parvenaient assourdis, avec la distance. Je n'en suivais aucun.

Je m'étais attachée à Clio et à Thalie. Elles passaient leurs journées avec moi, installées mollement sur des coussins et, d'une main paresseuse, elles agitaient leurs éventails. J'aimais leur présence enfantine, leur voix aigrelette qui chantait en créole et leur goût inné et inventif pour arranger mes rubans. Mon seul caprice fut d'ordonner à Aurore, qui maugréait, de leur coudre une robe blanche comme les miennes, avec des manches à la française et un petit tablier dont la reine Marie-Antoinette avait lancé la mode pour jouer à la bergère et agacer la cour. Je n'avais jamais mis les pieds à Versailles ; j'ignorais les voluptés et les décadences du petit Trianon, mais j'étais si désœuvrée à Nayrac que j'aurais pu, comme la reine exilée en France, y mourir d'ennui. Je ne dus finalement mon salut qu'à moi-même, à un sursaut de ma jeunesse, à mon goût de la vie. Beaucoup de gens, noirs ou blancs de peau, mouraient en arrivant aux tropiques, des fièvres ou de consomption. Tous les autres s'endurcissaient. Pour moi, après une longue acclimatation, j'émergeai un jour des profondeurs de mon hamac, comme d'une chrysalide.

J'apprivoisai l'île. Ma léthargie passée, dès que je pus sortir de la Grand-Case et passer les frontières de l'habitation, je la découvris avec une fièvre d'exploratrice. J'abandonnai Clio et Thalie à leurs jeux d'enfants sur la terrasse. L'esclave chargé des chevaux, Arès, m'accompagnait : le plus austère des compagnons. Il ne parlait que si je l'interrogeais et se contentait souvent de répondre d'un hochement de tête. Mais sa connaissance du territoire et de la nature me fut précieuse et ce fut lui qui m'éduqua, me montrant comment traverser un bois-debout sans se déchirer aux branches et aux épines, comment trouver un gué dans un cours d'eau, comment y mener un cheval sur les pierres moussues, comment repérer les sables mouvants autour des lagunes et les caïmans qui y pullulent. La plaine du Cul-de-Sac, l'une des plus cultivées et des plus habitées de Saint-Domingue, dans la boucle de la Grande Rivière, n'offre guère d'étendues suffisantes pour galoper à perdre haleine. Aussi je m'en éloignais, préférant explorer des coins plus sauvages, vers le Fonds du Diable, à l'est, ou bien vers l'Arcahaye au nord, dans les parages du mont Pensez-y-Bien.

Bientôt le relief n'eut plus de secrets pour moi ; je pus aisément me reconnaître, sans carte d'état-major, dans l'imbroglio des champs, des étangs et des maquis. J'aimais surtout longer la mer, que l'on ne peut apercevoir de Nayrac mais qui étend son parfum et ses embruns jusqu'à nos terres. L'île de la Gonave, avec ses falaises rouges, est au centre de la baie, dont je finis par circonscrire chaque crique, chaque anse et au loin chaque îlet, de Léogane à la pointe Saint-Marc. Je crois qu'Arès s'était habitué à ces balades où j'en appelais à son instinct de chasseur et de pisteur pour nous guider vers des zones toujours plus éloignées et plus mystérieuses. Cavalière peu émérite en arrivant sur l'île, je finis par maîtriser assez bien, je crois, ces chevaux vifs et nerveux, rebelles au dressage, que l'on me confia d'abord avec inquiétude, et qui s'habituèrent à ma main. Comme pour les esclaves, on leur avait trouvé des noms de fantaisie ; ils s'appelaient Duc, Comte, Vicomte ou Marquis, parfois La Rochelle ou Bordeaux : l'écurie comptait une vingtaine de titres et de villes de France. Pour ces excursions à cheval, je portais de longs pantalons d'homme sous ma jupe. Armée de bottes et de gants, le visage enveloppé dans un voile, je devais me protéger des maringouins et des innombrables espèces d'insectes, qui attaquaient en nuées et ne nous laissaient aucun répit tout le long de la route.

Selon la coutume locale qui accorde à certains esclaves le droit de porter une arme, Arès avait un fusil et s'en servait dans la limite qui lui était prescrite : de la poudre et du plomb pour un seul coup. D'une habileté stupéfiante, il ne manquait jamais sa cible, et s'en revenait chaque jour avec un oiseau – le gibier qu'il préférait. Je ne le vis jamais tirer un agouti ou un cabrit, il choisissait un ramier ou une tourterelle ou je ne sais quelle espèce de perdrix ou de grive, qu'il visait en plein vol, sans attendre comme font si souvent de piètres chasseurs, que les oiseaux se posent pour tirer. Il allait lui-même ramasser sa proie à la nage, si d'aventure elle tombait dans un point d'eau, sans craindre les caïmans, qui sont pourtant ici une menace perpétuelle. Julien m'avait expliqué que les esclaves redoutent davantage les grenouilles, que nous jugeons inoffensives, et qui leur inspirent une répugnance invincible.

Entourée de chasseurs, j'appris à me servir d'un fusil et m'entraînai sur des cibles qu'Arès disposait pour moi sur des sites qu'il choisissait. J'étais devenue experte dans cet art mais refusais de tirer sur une bête, insensible au plaisir que procure la vue ensanglantée d'une poule à joli ou d'un cocot-zin, espèces dont Arès était particulièrement friand et dont Aurore faisait des daubes succulentes. Julien ne put réussir à me convertir à cette passion, dont il assurait qu'elle fonde la survie de l'homme, et qu'il pratiquait lui-même avec autant de science que de conviction, ne tarissant pas de détails au retour pour décrire ses guets, ses affûts, ses approches. J'aimais l'entendre raconter ses parties de chasse, parfois même je l'y accompagnais, goûtant la promenade, et les émotions qu'elle procure. Bien que je susse manier un fusil, je répugnais à tuer. J'aimais la vie de toutes les espèces et ne comprenais pas pourquoi la subsistance de l'une d'entre elles, jugée plus précieuse ou plus nécessaire, dût entraîner le sacrifice des autres. De longues conversations nous tenaient éveillés le soir, car Julien, pourtant maître de son domaine, et muni des pleins pouvoirs sur tous, acceptait non seulement la controverse mais la recherchait, aimant débattre autant que possible du pour et du contre. Il disait ce que peu de gens croient, que l'échange des vues est indispensable à la connaissance et la première source du progrès humain.

Cette liberté qu'il me laissait d'organiser mes journées à ma guise était pour moi si neuve, si inhabituelle, qu'elle me donnait des ailes. J'épuisais mon cheval dans des courses continuelles à travers l'île, et je n'avais de cesse d'ouvrir chaque jour l'horizon. Je connaissais maintenant les bornes de notre domaine, et par leur nom les champs de cannes, les Vieux Jardins, le Canal Nord, le Canal Sud, le Voisinage, le Bois-Neuf ou la pièce des Roches, où les esclaves portaient leurs efforts, coupant, ramassant ou labourant – à Nayrac, la charrue avait depuis peu remplacé le travail à la houe. Je savais où commençaient et où s'achevaient les terres de nos voisins les plus proches, à Bellevue et à Morinière, et j'avais fixé sans peine dans ma mémoire les frontières des autres habitations du Cul-de-Sac, limitrophes ou plus lointaines, selon les aqueducs qui les alimentent depuis la Grande Rivière. Je repérais les chemins étroits et souvent escarpés qui conduisent aux caféières, établies dans les collines, où elles ont pris la place des bois-debout. Les caféiers achetaient ces terres impropres à la culture de la canne, trop ventées, impossibles à irriguer, et que les anciens colons méprisaient. Les Américains – ainsi appelions-nous les caféiers – étaient les plus laborieux et les plus opiniâtres parmi les Blancs de Saint-Domingue.

Désormais familière des paysages du sud de l'île, je pouvais reconnaître et nommer les plantes qui y poussent, du coton au tabac, et de l'indigo à l'ananas. Il y a peu, elles m'étaient encore inconnues, mais si j'en avais eu la patience, j'aurais pu en constituer un herbier. Grâce à Arès qui les identifiait en créole, grâce à Julien et surtout à Cadet, savant en botanique, qui me les traduisaient en français ou en latin, je les répertoriais. Mais j'avais trop à découvrir, trop à vivre, pour m'absorber dans l'étude, et je préférais respirer les fleurs et les herbes, m'enivrer de leurs couleurs, de leurs parfums, plutôt que de les laisser sécher dans un album. Je revois encore aujourd'hui, avec une précision qui n'a pas terni, les lis, les orchidées, les violettes de ruisseau, les becs-de-perroquet, qui habitaient l'île. Et je pourrais vous décrire, intacte dans mon souvenir, la vision de ces collines en feu, où fleurit, entre janvier et mai, la tulipe africaine. Elle orne le sommet de grands arbres, apportés d'Afrique, qu'on appelle « Flammes de la forêt » aux tropiques, parce qu'ils illuminent les bois. Leur faîte est couronné, à quarante ou cinquante pieds du sol, de bouquets rouge et or qui font croire à un gigantesque incendie.

Ipestéguy était célibataire. Mais Markus et Cadet possédaient chacun leur femme et, je crois vous l'avoir déjà dit, ils vivaient avec leur progéniture, dans des cases à proximité de la nôtre. Dans l'absence d'intimité qu'offrait la vie à Nayrac, car les cloisons très minces et l'absence de vitres aux fenêtres laissaient passer jusqu'aux soupirs, je les entendais vivre, rire ou se disputer au milieu des cris d'enfants, fanfare ordinaire de l'habitation. Ces femmes étaient des Congos, anciennement esclaves, que Markus et Cadet avaient rachetées à mon mari, leur propriétaire, qui les avait affranchies à leur demande. Leurs enfants, nés libres, jouissaient d'un statut particulier. Ils n'avaient pas à travailler aux jardins et, dès leur jeune âge, apprenaient un métier, qu'ils pourraient un jour exercer sur la plantation. Je ne sais plus très bien quel était leur nombre, mais une ribambelle, entre deux et quinze ans, animait l'espace autour de nous. Mon mari instruisait les aînés. J'admirais sa patience, et ne le vis jamais pour une quelconque raison annuler la séance qui les réunissait une fois par semaine dans son cabinet. A l'époque dont je vous parle, il avait largement dépassé l'alphabet et les premières dictées, et leur faisait lire à haute voix les tragédies de Racine. L'accent créole donnait aux alexandrins un rythme chatoyant, très amusant, et je n'aurais pour rien au monde manqué le rendez-vous avec la classe de ces nouveaux sujets. Ainsi les appelait Julien.

Pour les femmes, je ne sais quel interdit les frappait; elles ne paraissaient pas devant moi. Je ne les voyais que de loin, avec leurs longs jupons de couleur, et leurs turbans de cotonnade; elles vivaient à part. D'une vie qui ne croisait jamais la mienne, pas plus que celle des autres Noirs, esclaves de Nayrac. Elles n'étaient d'aucune caste. Leurs enfants portaient le même nom d'emprunt qu'elle. Aucun ne s'appelait Cadet ou Markus, comme le père. Nés d'une femme noire, pourvue à son arrivée sur l'île d'un patronyme inventé par le transporteur-négrier ou par l'acheteur aux Antilles, leur état civil ne portait pas plus trace de leur neuve liberté que de leur ascendance africaine. Certains d'entre eux avaient la peau claire et des traits qui n'auraient étonné personne en Béarn ou en Flandre, mais à Saint-Domingue une moitié de sang noir dans l'hérédité est vite repérable, les gens connaissent sur l'île l'histoire de chacun. Ces mulâtres, ainsi que nous les appelions, étaient en nombre croissant : quarterons, griffes, mameloucks, marabous, sacatras, nous les distinguions selon l'origine et le degré du croisement. Entre Noirs et Blancs, ils formaient un groupe un peu vague, qui ne connaissait ni les devoirs si lourds des uns, ni les droits exorbitants des autres. Peu de gens de France emmenaient leur famille d'origine à Saint-Domingue. La plupart, quoique souvent mariés sur le continent, prenaient pour compagne une négresse et fondaient un autre foyer, qui, s'il ne faisait pas oublier le premier, le remplaçait avantageusement. Des liens solides unissaient Cadet et Markus à leurs femmes d'Afrique et à leurs enfants. Sans doute ne pensaient-ils pas, comme beaucoup d'artisans ou de manœuvres émigrés sur contrat, retourner, une fois enrichis, dans leur région natale. Ils avaient désormais leurs racines ici, à Saint-Domingue, et l'avenir y était écrit pour eux dans les yeux de leurs enfants mulâtres.

Les complexités, les ambiguïtés de la naissance, en pays créole, passionnaient en moi la jeune fille d'aristocratique ascendance, plongée dans un monde neuf, ignorante de ses lois, de ses usages. Avant notre mariage, Julien vivait avec une concubine, une Arada nommée Vénus, comme la déesse de la beauté et de l'amour. Lorsqu'il me fit venir à Saint-Domingue, il l'éloigna de la plantation et l'installa au Port au Prince. D'une union avec un esclave, Vénus avait eu trois filles, qui étaient déjà en ménage et travaillaient en ville comme domestiques chez des colons. De Julien Nayrac, elle avait deux garçons qui devaient avoir à peu de chose près le même âge que moi. Leur père leur versait une pension. Tous les mois, il se rendait chez eux, dans une maison proche de la place Vallière, qu'il avait achetée pour y loger ses fils et sa maîtresse et à laquelle, malgré ma curiosité brûlante de les y découvrir, je ne devais accéder que bien plus tard – et bien malgré moi –, dans des circonstances tragiques. Julien ne m'avait pas caché sa liaison. Dès mon arrivée, il m'expliqua avec flegme les us et les coutumes de l'île, et m'incita à ne pas nourrir de rancune à l'égard de cette inconnue, qui, m'affirmait-il, n'était pas une rivale, mais « une fidélité ancienne ». Une jolie expression pour définir la sorte d'attachement qui le liait à Vénus, à son corps qui avait été beau, à son cœur, qui était bon, et à ses deux fils, dont il était fier et se préoccupait. Ils se nommaient Pierre et Jean, comme des *libres* – ainsi désignions-nous à Saint-Domingue les gens de couleur affranchis. Je n'osai ni me plaindre ni répliquer. A quoi bon, dans ce pays lointain, dont le climat et les usages m'étaient un étonnement perpétuel, invoquer un autre ciel et d'autres traditions ?

Si Julien n'avait plus à m'apprendre les gestes ni les mots qui occupaient nos nuits, je manquais pourtant de flamme. Appliquée mais timide, nourrie de bonnes intentions mais dénuée de sentiments profonds, je demeurais à la surface de l'amour. Mes baisers ignoraient la passion. Ceux qu'on me donnait me laissaient rêveuse, dans l'attente du paradis promis. Sans doute ne trouvait-il pas près de moi la plénitude des sensations que savait faire naître Vénus. Etait-il sincère lorsqu'il me fit un jour ce compliment : je n'étais plus une oie blanche, agréable et docile à caresser, mais un volatile, d'après lui, impétueux et savoureux, de cette espèce qui traverse le ciel de l'île pendant les pluies, et qu'il est difficile de chasser et presque impossible d'apprivoiser ? Ou bien me reprochait-il, de manière élégante, de ne pas céder au plaisir ?

La déesse noire avait régné avant moi, je redoutais son empire. Comment, dans les bras de Julien, oublier qu'il aimait une autre femme et entretenait avec elle une liaison fidèle ? Avec l'impétuosité de la jeunesse, et une certaine dose d'insouciance, je savourais, le jour, sous un soleil trompeur, la vie à Saint-Domingue. La nature, si belle autour de moi, me communiquait je ne sais quel optimisme radieux. Personne ne pouvant me consoler, j'essayais de me rassurer moi-même. Mon mari se partageait entre deux foyers, comme entre ville et campagne ? Je tâchais de me persuader de la banalité de cette situation sur l'île. Puisque la société et même l'Eglise la toléraient, il m'eût paru prétentieux d'en faire un drame. J'étais jeune, presque encore une enfant : l'autorité d'un homme me paraissait alors aussi indiscutable qu'un énoncé des Tables de la Loi. Mais le double ménage de mon mari me tourmentait. Je le trouvais aussi cruel que les mœurs générales de Saint-Domingue où régnait la plus grande indifférence au malheur. Lorsque Julien quittait l'habitation pour gagner le Port au Prince, je nc le voyais jamais partir sans souffrir. Je m'appliquais à ne pas penser à la solitude où il me laissait et à cette famille si officiellement adultérine. Plus ancienne que moi, elle avait depuis longtemps marqué son territoire, institué ses rites et ses habitudes. Mon éducation chrétienne commandait la fidélité, qualité première du lien qui unit l'épouse et le mari ; elle m'avait mal préparée à accepter l'union double que m'imposait Julien. Elle aurait dû m'enseigner aussi un certain fatalisme. On ne se rebelle pas contre les épreuves que Dieu vous envoie, disaient les sœurs de mon couvent. Ces pieux conseils ne soulageaient pas ma blessure, la première et non la moins implacable de celles que l'île m'infligea. Ils ne m'empêchaient nullement de ressentir des sentiments honteux, que les religieuses auraient sans nul doute condamnés : avec la rancune et la jalousie, la volonté d'évincer ma rivale.

Je partageai longtemps les jeux d'enfants de Clio et Thalie. Je me rappelle que nous fabriquions des poupées en paille et les habillions avec des mouchoirs. Je lisais, je montais à cheval, j'essayais de ne pas songer à la maison de la place Vallière, aux fêtes qu'on y célébrait. Mais le soir, les tam-tams africains m'enveloppaient de leur musique et Vénus, royale, plus vraie qu'un fantôme, pénétrait dans ma chambre. J'avais lu autrefois des histoires de démons qui viennent, la nuit, visiter leurs victimes et les torturer. Vénus était cette sorte de cauchemar. Immense, son corps d'ébène, entre le sommeil et moi, m'empêchait de trouver le repos. J'imaginais ses cuisses fuselées, qui retenaient Julien, ses énormes seins aux tétins bruns, sa cambrure, ses mouvements lascifs. Chaque nuit, seule dans le lit trop grand, tandis que les rythmes se rapprochaient, lancinants, et m'emportaient avec eux, je l'entendais me dire avec l'accent créole : « Cet homme est à moi. » Je la repoussais, je voulais arracher Julien à ses caresses. Et je me réveillais, tenaillée par le désir de vengeance.

Editeur établi dans le Languedoc, Jean Camus était connu dans sa région comme un spécialiste des romans « couleur locale », qui peignent la vie, les mœurs et les coutumes des pays d'oc. Montpellier, Toulouse, Pau, les Cévennes et même la Catalogne ; son domaine, assez vaste, n'avait encore jamais compris la Vendée, et il avait encore moins bourlingué au-delà des mers ; les Antilles, elles, sortaient franchement de sa spécialité. Quand on édite des livres, il faut être sûr de son public. A Paris, on peut se permettre toutes les fantaisies, mais à Maguelonne – bourgade au sud de Montpellier –, bien qu'on soit sous la protection de la Vierge noire, on se doit d'être modeste. Et de publier des livres qui seront lus. Son public, c'est-à-dire celui de ses auteurs, Jean Camus le connaissait bien : il aimait qu'on lui parle de son Sud, Sud-Est ou Sud-Ouest, il ne s'en lassait pas ; il mettait, à se ravitailler en livres où il pouvait reconnaître son village ou les racines de sa famille, la passion, la ferveur dont les Méridionaux sont capables. Cette fidélité au terroir, que de mauvaises langues taxeront de chauvinisme, d'étroitesse de vues, émouvait en Camus l'homme errant, sans racines. Il n'allait pas se mettre à conter sa vie d'avant, sa vie de nomade, il lisait trop de romans pour avoir envie d'en écrire. Il avait choisi sa patrie : le Languedoc. Il aimait ses habitants. S'ils les avaient adoptés, lui et sa maison d'édition, s'ils venaient puiser dans ses publications, c'était – il le croyait volontiers – parce que son âme d'itinérant, nostalgique des ports d'attache, le faisait se donner à fond à l'exploration d'une région. Les livres qu'il publiait l'ancraient avec eux dans l'Occitanie.

Les Antilles le dépaysaient. Une autre civilisation, un autre ciel, sans tramontane, sans garrigue, sans châteaux cathares ni abbayes romanes, et sans l'accent rocailleux du grand pays d'oc. Elles n'incarnaient pas vraiment le Nord, il en convenait, mais enfin... même la Corse n'était pas à son catalogue. L'Occitanie pourrait-elle s'étendre aux îles ?

Un des auteurs qu'il publiait, qui n'avait pas le talent de Pierre Loti mais en possédait dans la vie les grâces et les mystères, et s'était construit comme lui une maison-mosquée-harem-souk à l'ombre des cerisiers de Céret (Pyrénées-Orientales), lui avait confié ces mémoires en espérant, lui avait-il dit, qu'« ils retiendraient son attention », formule assez banale qui prouvait surtout qu'il ne les avait pas lus. Il les tenait lui-même d'un des arrière-petits-fils de la fille ou de la petite-fille de la dame qui racontait son histoire ; pour la simple raison qu'ils avaient dîné ensemble chez un ami commun – l'itinéraire d'un manuscrit est parfois long et tortueux avant son arrivée au port. Celui-là, dactylographié sur un papier ordinaire, comptait quelque deux cents pages. Il portait en tête, ajoutés à la main, un nom qui ne lui disait rien, et un numéro de téléphone. Nulle trace de l'écriture d'origine ni de la plume d'oie qui avait dû, en grinçant, tracer ces premières lignes à l'encre sur un beau parchemin. Malgré ses efforts pour remonter le temps, la généalogie plongeait encore l'éditeur dans le brouillard. Mais depuis qu'il cultivait ses propres racines, l'esprit de famille le stimulait et il avait accepté de rencontrer, quand il aurait achevé la lecture de l'ouvrage, l'héritier de la dame de Saint-Domingue.

Mémoires écrits en France pour servir à l'histoire de Saint-Domingue. Quel titre pompeux ! Sans doute posthume, inventé par la famille, Jean Camus se demandait s'il convenait à ce qui ressemblait plutôt à une confession.

La dame du temps jadis écrivait-elle seulement pour raconter sa vie aux Antilles ? On la sentait soucieuse de planter un décor d'un autre âge. Elle s'adressait à sa postérité, sans doute, sinon à la postérité en général, mais Camus avait l'impression qu'elle écrivait au moins autant pour elle-même. Son souci du pittoresque, sa manie du détail lui apparaissaient comme une défense. Une manière de ne pas entrer dès le début dans le vif du sujet. Elle souhaitait à l'évidence qu'on fasse l'effort de la suivre, dans son époque et sur son île. Qu'on veuille bien oublier le présent pour partir avec elle vers un double exotisme : dans l'espace et dans le temps.

Pour Jean Camus, Saint-Domingue était avant tout un paradis pour les vacances. Destination Caraïbes. Il y était allé il y a quelques années, en touriste, en compagnie d'une amie blonde qui était dans sa vie d'avant le Languedoc. Ils avaient abandonné le village de vacances de Boca Chica où ils avaient réservé, côté espagnol, avec ses constructions de béton, son tapage et ses casinos, pour un petit hôtel de montagne, à Jarabacoa, où ils furent heureux comme des Robinsons. L'endroit évoquait, la foule en moins, un Zermatt des tropiques, et donnait assez bien l'idée de la variété et de la profusion des paysages de l'île. L'amie blonde était revenue couverte de colliers d'ambre, et les bretelles du maillot tatouées dans le dos. Camus avait également visité l'autre côté, le côté ouest, c'est-à-dire Haïti, où se déroulait l'histoire. Il s'y était trouvé seul cette fois, abandonné à Roissy par sa compagne, sujette aux sautes d'humeur, et il avait soigné son spleen en traquant le chef-d'œuvre dans les rues de Port-au-Prince – on ne disait plus aujourd'hui « le Port au Prince », comme dans ce manuscrit d'autrefois. Les Haïtiens sont des maîtres de la peinture naïve. On rencontrait dans cette ville misérable, dont le niveau de vie doit approcher celui de Bombay, des artistes géniaux, anonymes, qui, en trois coups de pinceau, vous peignaient avec une sûreté et un esprit admirables, un marché, une scène de vaudou, leur cousin Jean-Baptiste ou la copulation de tout un village, un jour de fête en plein soleil.

Camus se souvenait encore avec précision des toiles de Philomé Obin qu'un couple d'Américains s'offrait pour une déjà grosse poignée de dollars – depuis, la cote de ce peintre n'avait pas cessé d'augmenter – et notamment celle figurant un corps nu de femme blanche, sur un fond tropical. Il avait acheté deux toiles, qu'il possédait toujours dans son mas de Maguelonne. Il n'avait qu'à lever les yeux de sa lecture pour les contempler, comme un miroir de ces anciens mémoires. L'une, œuvre d'un dénommé Gourgue, représentait une scène de vaudou. On y voyait un cou de poulet tranché, un couteau et du sang dans une coupe. Cette scène macabre, qui convenait à son humeur du moment – il aurait bien vu alors la jolie tête de son amie blonde dans cette messe noire –, lui plaisait toujours autant, pour son équilibre et son mystère, et la très curieuse sensation de paix et presque de sérénité qui, paradoxalement, s'en échappait.

Le second tableau, signé Antoine Obin, un neveu du fameux Philomé, représentait une scène militaire : trois officiers noirs – d'origine africaine –, en uniformes d'Empire, se tenaient debout, sur une véranda ouverte sur la savane. Antimilitariste, et peu enclin au culte napoléonien, Camus l'avait acheté pour son humour, sans même savoir qu'il illustrait un épisode cruel de l'histoire de cette partie de l'île : la rébellion des esclaves contre leurs anciens maîtres et leur guerre pour les droits de l'homme.

Qu'est-ce qu'Haïti et Santo Domingo, républiques indépendantes, pouvaient avoir en commun avec les souvenirs anciens de cette aristocrate française ? L'Histoire avait effacé la trace d'un destin dont ne subsistaient que ces pages qu'il lisait d'un œil critique – l'œil circonspect de l'éditeur.

A son corps défendant il était pris par l'atmosphère. Il avait déjà un pied et la moitié du corps à l'habitation Nayrac. A cela, il voyait une autre explication que le soleil ; si l'attrait du Sud agissait chaque fois sur lui comme un charme ; s'il se plaisait, sans frontières, au-dessous d'une ligne imaginaire qui coupait le monde entre le chaud et le froid, il adorait les femmes. Il croyait même avoir d'elles une certaine intuition, ciselée par l'expérience. Amateur de textes érotiques – quoiqu'il n'en publiât pas –, il goûtait de surcroît les raffinements et les libertés du XVIIIe siècle, et il se demandait si avec un peu de chance il n'allait pas tomber sur un récit polisson... Convaincu qu'une main experte, désireuse d'effacer les dix-huitiémismes, avait revu et corrigé le manuscrit original, l'éditeur jugea que l'écriture en était intemporelle – ni tout à fait ancienne, ni résolument moderne. Un lecteur d'aujourd'hui, friand de méthode et de technique historiques, y chercherait sans doute, pour éclairer sa route, un supplément d'informations sous forme d'un « appareil critique » – ainsi le jargon de sa profession nommait-il les notes en bas de page. Il les signerait des initiales N.d.E. (note de l'éditeur), pour bien montrer que les éditions de Maguelonne se préoccupaient du confort de leurs lecteurs et leur facilitaient la tâche en leur évitant le recours fastidieux au dictionnaire. Par exemple, à la première apparition du nom de « Saint-Domingue », Jean Camus songeait qu'il pourrait, dans un souci de clarification, renvoyer à un petit 1 : « Ancien nom d'Haïti, du temps où cette partie de l'île Hispaniola était une colonie française (jusqu'en 1804). (N.d.E.) » Lorsque le mot « mulâtre » surgirait sous la plume de la dame, ne serait-il pas bon de préciser dans un petit 2 discret, pourquoi pas en italique : « Au féminin, mulâtresse. Nom tombé en désuétude. » Et de poursuivre joliment, en copiant le Larousse : « Provient de " mulet ", hybride d'âne et de jument. Désignait à l'époque, spécifiquement, l'enfant d'un Blanc et d'une Noire, ou – plus rare – d'un Noir et d'une Blanche. Il est plus précis que " métis ", terme générique (de *mixtus*, mélangé), qui désigne un individu " issu du croisement de sujets de races différentes ", sans en spécifier le degré. » Enfin, dès que le texte ferait entrer en scène les épithètes « africain » ou « noir », il lui faudrait efficacement réagir. Ces épithètes, nombreuses du fait du contexte, ne pouvaient être celles d'origine. Elles avaient évincé l'ancien mot devenu tabou, mais ne manqueraient pas de susciter la méfiance d'un public habitué à chercher des euphémismes pour désigner tout ce qui le gêne et risque de jeter une ombre sur son rêve d'universalité. Aujourd'hui, l'anglicisme « black » prévalait. En petit 3 ou 4, Jean Camus imaginait déjà d'ajouter ceci, en N.d.E. : « Remplace dans le manuscrit, dans la plupart des cas, partout où l'éditeur a trouvé préférable de les effacer, les anciens " nègre, négresse, négrillon, négritte ", communément employés au XVIIIe siècle et que nous avons depuis chassés de notre vocabulaire. Simplement descriptifs à l'origine (du latin *niger*, noir), ces mots ont d'abord désigné les esclaves (d'où l'expression " travailler comme un nègre ") avant de prendre universellement un sens odieux, une valeur d'injure. Sauf pour " négritude ", qui demeure d'usage, et auquel des romanciers et des poètes, parmi lesquels le grand Aimé Césaire, ont donné des lettres de noblesse. »

Il y avait un style que l'éditeur de Maguelonne aimait bien. C'était ce ton privé, cet air de confidence qui animaient certains récits et l'amenaient à y voir une vérité – vérité individuelle, relative certes, mais témoignage d'une expérience réelle. Seule la vie comptait à ses yeux. Rien ne l'intéressait qui ne fût « authentique », écrit dans la chair, trempé dans l'encre d'une existence. Il détestait les romans, qui prennent tout à la légère et vous racontent des fictions avec un zèle trompeur, lyrique ou faussement convivial, où il décelait aussitôt le mensonge, la pose, le théâtre. Il n'avait aucune sympathie pour le style proprement dit et se méfiait en général des artistes. A des exploits d'écriture, à de belles architectures littéraires, à des exercices de professionnels, il préférait des récits plus simples, voire malhabiles. Des défauts de plume sont le signe d'un auteur naïf, encore innocent, que le métier d'écrire n'a pas transformé en pisseur de copie ou en trafiquant d'histoires. Tout faiseur de livres – si bon maçon fût-il – lui inspirait un recul instinctif. On l'aura compris : cet éditeur-là n'appréciait que la sincérité.

Quitte à ne publier que des inconnus, des sans-grade, il suivait sa voie, sacrifiant les tirages et s'appuyant sur des lecteurs fidèles, confiants dans ses choix et, comme lui, amateurs de vérités et ayant horreur de la littérature. Il traquait donc les témoignages et sélectionnait les récits les plus humbles, les plus probes. Parce qu'ils ne trichaient pas, parce qu'ils contaient simplement, avec la force que donne la franchise, des vies anonymes. Les phares de la renommée n'ont pas encore gâché la grâce de ces gens qui n'écrivent en quelque sorte que pour eux-mêmes. Pour enchanter leur vieillesse avec des souvenirs évanouis. Ou – ceux-là étaient assurément aux yeux de Jean Camus les plus intéressants – pour se débarrasser d'un fardeau. Se libérer du poids trop lourd d'une faute.

Jean Camus publiait des vignerons, des artisans, des médecins, des notaires, hommes ou femmes qui racontaient les joies et les peines de leur métier, en y mêlant un zeste de leur vie privée, et il se montrait particulièrement sensible, dans un manuscrit, à la description des lieux – campagne, village ou cité – qui formaient la toile de fond de ces existences ordinaires et fondaient sa collection. Il avait l'habitude de classer ses ouvrages, non par époques, ou par activités, mais par sites. Ainsi trouvait-on côte à côte dans sa bibliothèque personnelle, comme sur son catalogue à l'enseigne de « Maison d'Oc », *La Vigne et les Murailles,* écrit par un historien, fils de vignerons, maire d'un village à l'ombre d'un château fort, *Semelles de corde,* d'un fabricant d'espadrilles d'une usine de Cerdagne, ou *La Pêche au lamparo,* d'un vieux pêcheur de Collioure, rassemblés parce qu'ils étaient écrits sous le même ciel catalan.

Or, avec ces mémoires, l'éditeur était servi au-delà de ses espérances ! La dame de Saint-Domingue décrivait son île avec la précision d'un miniaturiste ; elle ne laissait rien dans le flou ; elle peignait le décor en détail, jusque dans ses moindres nuances. Avec elle, on était vraiment dans le tableau. Si Jean Camus décidait de publier cet ouvrage, il ne serait pas frustré d'anecdotes ou comme il arrivait souvent chez les mémorialistes improvisés, en manque de pittoresque. Il se sentait à son affaire. Rien ne l'alléchait comme la découverte. Quitter sa propre vie pour entrer dans une autre, vivre d'une autre expérience dans un autre décor, avec d'autres gens, voilà qui l'intéressait : il croyait aux échanges, aux bénéfices que chacun peut en tirer. Nul besoin de recourir pour cela aux gens célèbres, ni aux « grands hommes ». Son métier lui prouvait chaque jour que toute vie est exemplaire – source de réflexion, d'élan, ou de consolation. Sortir un individu de l'ombre l'excitait toujours. Non seulement parce qu'il avait l'impression de réparer une injustice – un anonymat immérité –, mais parce qu'il pensait aussi se rendre utile : en le publiant, il faisait de cette existence inconnue, obscure, un phare. Certes, un phare modeste, moins qu'un phare peut-être – il n'était pas méridional pour rien –, un signal, une luciole. Mais il participait quand même à la naissance d'une lumière. Et cette lumière, il la proposait aux lecteurs de ses collections diverses, comme lui amateurs de vies, si humbles fussent-elles. Elle les aiderait peut-être, qui sait?, à affronter des épreuves personnelles. Voilà ce qui dopait Jean Camus, ce qui lui donnait le nerf d'exister. Sa passion d'éditeur, quoique tardive, le résumait tout entier.

La dame de Saint-Domingue serait-elle un de ses auteurs? Il y avait dans le récit, écrit avec un mélange d'application et d'insolence, une personnalité qu'il devinait irréductible : qui m'aime me suive, et tant pis pour les autres, semblait-elle penser, toute à l'urgence et à la nécessité de reprendre le fil de sa vie; on la sentait concentrée, sourcils froncés, tentant de se remémorer à la fois un paysage, des visages et des chansons qu'elle avait non seulement aimés mais qui faisaient partie d'elle. Intrinsèquement, comme on dit aujourd'hui. Une espèce d'orgueil d'être soi perçait sous l'apparente douceur, qui irritait et charmait à la fois l'éditeur. Il ne savait encore sur quel pied danser. S'il poursuivrait sa lecture ou s'il l'abandonnerait. La personnalité de l'auteur le retenait déjà : il aimait assez ces caractères de femme, de fer sous le velours. De toute façon, s'il publiait ce manuscrit, Jean Camus ne manquerait pas, comme il le faisait toujours, de mettre la main à la pâte du futur livre. Sans transformer le fond, sans porter atteinte à l'intégrité de la narration, il contribuerait comme à son habitude au texte : là commençait le dialogue, là s'amorçait l'échange.

S'il l'éditait, où le classerait-il ? Cette question le stimulait. Par une agréable manie, il constituait des rubriques – il appelait cela « ouvrir des tiroirs ». La dame de Saint-Domingue serait seule dans le sien, jusqu'à ce qu'il lui adjoigne par la suite, fidèle à sa sélection par sites, quelques auteurs antillais. La Guadeloupe et la Martinique, Saint-Martin figureraient alors à son catalogue, puis il y ferait entrer des traductions en anglais des îles Vierges, de Trinidad, de Sainte-Lucie, de la Barbade, enfin des auteurs flamands – l'autre côté de Saint-Martin, Curaçao ou l'île de la Marguerite –, l'horizon s'élargissait. Son œuvre d'éditeur, si spécialisée aujourd'hui, confinée du sud des pays de la Loire jusqu'à la Corse exclue, prenait soudain dans son imagination une dimension magnifique. En traversant l'Atlantique, en étendant sa notion un peu étriquée, si métropolitaine du Sud, aux Caraïbes puis à l'Amérique centrale, au Brésil, aux chutes d'Iguaçu, à la pampa argentine, jusqu'aux confins d'Ushuaia au sud du sud de l'autre hémisphère, son ambition galopait, fouettée par la belle Haïtienne. Jean Camus rêvait... Il se voyait à la tête d'un empire de papier, entouré d'auteurs des deux sexes, qu'il rassemblait sous un soleil universel.

Il soupira, ramené à une réalité plus mesquine. Au moins réviserait-il ses principes. Dès demain il songerait à assouplir les catégories trop brutales – régionales ou régionalistes – où il rangeait ses ouvrages. Il se préparerait à s'ouvrir à d'autres schémas. La variété tout à coup l'inspirait. Pourquoi ne pas créer par exemple, au sein de sa Maison d'Oc, une collection d'histoire ? Il s'attarda sur la question. Mais une accumulation de titres, classés par siècles ou par civilisations, ne lui disait rien qui vaille. Là n'était pas sa vocation. Jean Camus ne croyait en effet qu'aux vies privées. L'Histoire, avec son engrenage de guerres, de complots, de massacres, et ses héros de granit, de marbre, de béton, trop peu humains, trop méprisants de la foule anonyme, le révulsait. Il avait trop pâti lui-même de la folie des grands hommes, pour envisager sereinement de les faire entrer dans des livres. Une autre perspective le tentait davantage, il en caressait l'idée... Dans ce manuscrit, il sentait l'amour affleurer par touches. La vision des tropiques parfumés l'invitait au voyage. Elle lui suggérait des images profanes, très loin des récits solides et concrets où jusqu'alors il se plaisait. Un nom lui traversa l'esprit, qui n'existait dans aucun atlas mais s'empara soudain de son imagination : Port-Ebène.

A cinquante ans, après une enfance malmenée et une jeunesse désordonnée, Jean Camus qui avait pourtant connu des aventures et des maîtresses, aspirait à la sérénité. Sa maison d'édition le comblait. Il menait une vie tranquille, sans histoires, sans risques, retranché derrière ses textes. La paix enfin trouvée, seul à Maguelonne, il envisageait un bonheur zen. Ce jour-là, parvenu à la page 20 ou 30 de ces mémoires au féminin, il enleva ses lunettes, posa l'ouvrage sur ses genoux, et appuya la tête contre le dossier de son fauteuil en cuir. Tout à coup, dans le vieux mas familier, auquel un feu de ceps de vigne communiquait une odeur rassurante et rustique, il lui sembla distinguer quelque chose d'insolite. Quelque chose d'inhabituel. Tout était silencieux, parfaitement calme autour de lui. Sa solitude lui paraissait pourtant habitée. Comme si quelqu'un se cachait dans l'ombre.

Créole... Le mot l'obsédait. De l'espagnol *criollo*, selon le dictionnaire, il désigne « les personnes de race blanche nées dans les territoires d'outre-mer ». Mais la mémorialiste l'employait, aux débuts de la colonisation, dans un sens plus large, pour définir toutes gens nées sur l'île, sans conditions de race, une population qui était alors en pleine expansion. Par opposition en quelque sorte à celle venue d'ailleurs, de France, d'Afrique ou d'Amérique, importée comme la canne à sucre d'un monde différent. Créole : natif de l'île, écrirait-il en bas de page. Ne définit qu'ensuite le langage – accent et vocabulaire – qui y fleurit.

Synonyme ? Camus ne l'ajouterait pas, mais il le pensait : « Pied-noir ». Et il pourrait préciser : « Qui n'est ni tout à fait d'ici ni tout à fait d'ailleurs ». Qui cherche sa source.

Des émotions, des sensations que Jean Camus croyait non pas perdues, mais maîtrisées, ou mieux encore, assagies, lui remontaient au cœur et à la tête. Il essaya de se raisonner. Il n'était pas créole. Vieux célibataire endurci, ours des Pyrénées, il vivait seul, ne croyait pas aux fantômes et de surcroît, n'avait pas encore bu une seule goutte de son whisky préféré, single malt. Il devinait cependant tout près de lui une présence. Elle le troublait comme un parfum de femme.

« Après le beau temps viennent les orages... »

La voix, agréable et posée, qui prononçait cet oracle appartenait à un planteur, notre voisin. Jacques Arnaudeau, issu d'une famille protestante de La Rochelle, gérait l'habitation Fleuriau, à Bellevue. Les Fleuriau, auxquels il était apparenté, habitaient la France où, fortune faite, ils se faisaient appeler Fleuriau de Bellevue. Je ne les vis jamais à Saint-Domingue, où ils furent absents durant deux générations. Sur l'île, nous continuions de les nommer, bourgeoisement, Fleuriau. Arnaudeau, désargenté à la naissance, avait trouvé à Bellevue une issue à son impécuniosité. Il dirigeait cette belle propriété dont les jardins jouxtaient les nôtres et dont nous apercevions de notre case les fumées de la sucrière, comme s'il en était le maître, avec la passion du propriétaire. L'éloignement rendait possible une telle illusion.

Le visage émacié, la silhouette sèche, il portait des bottes de chasse, un gilet sur sa chemise. Comme Julien, hobereau sans prétention au faste, il ne cultivait pas les manières sophistiquées des colons d'autres provinces ; à Saint-Domingue, en particulier au sud, les planteurs étaient pour la plupart gens simples et solides, gens de la terre. L'existence campagnarde qu'ils menaient leur laissait peu de loisirs ; leur allure, leur entretien se ressentaient de la rudesse de leur vie de labeur. Arnaudeau venait souvent, en fin de journée, se détendre en notre compagnie et partager avec nous les quelques heures précédant la nuit ; son amitié transformait l'atmosphère. La maison, où nous demeurions seuls d'ordinaire après souper, s'animait. Quoique d'apparence austère, Arnaudeau, comme tous ceux qui habitaient l'île depuis une décennie, escamotait les r à la créole, ce qui donnait de la douceur à ses paroles les plus graves. Il savourait le vin de Bordeaux que Julien lui servait, et commentait la politique du roi de France aux colonies en usant de formules qui empruntaient au climat, au soleil ou à la pluie, leurs images.

« ... L'île a connu ses beaux jours. »

Parce qu'il avait été heureux autrefois, Arnaudeau aurait voulu que les choses durent éternellement. Le moindre changement, dans les lois ou les mœurs, l'inquiétait. Sa conversation comme son allure reflétaient son attachement à sa province d'adoption : implanté au sud, il en partageait les rudesses et ne cédait que de loin en loin à l'orgueil, à la complaisance des grands propriétaires. Il affichait l'inquiétude plus souvent que l'arrogance. Bien que commandant une habitation prospère – plus vaste et plus riche que la nôtre de plusieurs carreaux de cannes –, on le sentait sur ses gardes, soucieux de maintenir l'ordre instauré par nos rois. Il vivait à l'affût des dangers que son tempérament ombrageux voyait immanquablement nous prendre au piège. Alors, je le trouvais triste, trop enclin au noir. Je me moquais à part moi de cette propension à prédire le mauvais temps.

« La vie est un perpétuel orage... »

Sa personnalité conservatrice, tournée vers le passé, imbue de ses acquis et de ses héritages, mais craintive et méfiante, s'opposait à celle de mon mari, plus généreuse. Le progrès, que Julien entendait défendre, provoquait entre eux de vives altercations ; j'assistais à ces joutes, silencieuse, comme à un spectacle de théâtre. Leurs regards se posaient sur moi comme par distraction ; tels deux acteurs absorbés par leurs répliques, ils en oubliaient le public. J'étais à peine une présence. Il m'arrivait pourtant de croire que les belles phrases qu'ils échangeaient s'adressaient à moi. Le tabac que fumaient les deux hommes parfumait agréablement la pièce tandis que les moustiques dansaient au-dehors, autour des feux sur la terrasse. J'agitais mon éventail, je me balançais sur ma chaise longue. Julien se levait pour servir du vin, et souvent il demeurait debout, appuyé à la bibliothèque où je le vois encore, pris par la passion du débat.

Nos soirées se déroulaient ici, au milieu des livres, dans cette pièce contiguë à celle que nous appelions la salle à vivre, où nous prenions nos repas et où il m'arrivait de m'endormir, seule au milieu des livres, quand Julien quittait Nayrac. Sur le bureau, une vaste planche en bois rouge de Cuba, s'empilaient les archives et les documents en cours de l'habitation. Riche surtout en volumes scientifiques qui traitaient de la culture de la canne et des moyens d'en extraire le sucre, de l'usage de la charrue, des ensemencements et des engrais, ou de l'irrigation, comme les *Conseils d'un vieux planteur aux jeunes agriculteurs des colonies,* de Poyen de Sainte-Marie, ou l'*Essai sur l'art de cultiver la canne* du marquis de Cazaux, que j'avais feuilletés d'une main lasse, sans savoir qu'ils se perdraient un jour comme tant d'autres choses dans la tourmente, la bibliothèque de Julien comptait de nombreux ouvrages d'histoire, de l'Antiquité à nos jours. Aux conseils agricoles et aux tableaux de civilisations, aux portraits des grands hommes, je préférais les récits de voyage et c'étaient, à l'heure de la sieste, les mémoires du baron de Lahontan aux Amériques que j'empruntais le plus souvent. Pour Julien, qui consultait à tout propos les Anciens, Plutarque et Virgile, un ouvrage moderne, acquisition des plus récentes, lui tenait également à cœur : l'*Histoire philosophique des établissements européens dans les deux Indes*, de l'abbé Raynal. Quand il en citait des passages, Arnaudeau se fâchait. « Ah non ! disait-il. Vous n'allez pas encore chercher des arguments chez ce jésuite excommunié ! » Emoustillé malgré lui par cette prose clandestine, il écoutait comme moi les analyses de l'abbé, si scandaleuses à ses oreilles. L'ouvrage recensait en effet les perversions du système colonial.

Je remarquais que Julien s'appliquait à étudier le point de vue adverse du sien. Il mettait autant d'ardeur à tenter de comprendre autrui qu'à défendre ses propres idées. La situation des hommes de couleur le préoccupait et il s'interrogeait sur leurs droits. Il faisait remarquer à Arnaudeau que le métissage des habitants de l'île s'accroissait et qu'il faudrait un jour compter avec cette catégorie de population. Libres mais interdits de participer au gouvernement de la colonie, aux assemblées provinciales, tenus à l'écart des décisions importantes et donc frappés d'exclusion, ils formaient déjà, dans les années soixante-quinze ou quatre-vingt, des groupes protestataires. La rumeur montait de leur mécontentement et de leurs ambitions.

Julien comparait les états, les statuts, les chances des libres et des Blancs. Il évaluait en des termes d'égalité et de justice – mots que je n'avais guère entendu employer dans mon enfance – les acquis des uns et le dénuement des autres. Des esclaves, il n'était pas question. Je ne me souviens pas que Julien – et encore moins Jacques – aient abordé devant moi l'injustice pourtant flagrante de l'esclavage. Ils ne se tourmentaient que du sort des gens dans les veines desquels coulait, à des degrés divers, un peu de sang blanc. Pour sa part, Julien aurait voulu que les libres soient considérés comme des membres du tiers état et qu'ils puissent comme lui exprimer leurs opinions d'hommes. Pour ses fils, il s'inquiétait moins de leur bâtardise que du métissage, qui compromettait leur avenir.

Dans une vision généreuse, il peignait à l'échelle du macrocosme le modèle de la société idéale – « éclairée », disait-il ; il l'imaginait avec la plus grande précision et la voyait fondée sur la paix et l'harmonie. Il affirmait que l'Histoire, seule coupable des hiérarchies et des rapports de forces, devait corriger sa trajectoire et tâcher de l'améliorer : c'est ce qu'il appelait le progrès. Tandis qu'Arnaudeau haussait les épaules mais se prenait à rêver malgré lui de la même utopie, les radas commençaient à jouer et la soirée s'animait des chants des esclaves. A ces moments où les jugements du sulfureux abbé Raynal venaient se poser sur la musique d'Afrique, les yeux de Julien brillaient d'un éclat singulier. Je pressentais qu'il avait accès à des sphères divines, à un paradis supraterrestre qui valait peut-être qu'on se batte pour lui. La passion l'habitait, quand il parlait du progrès. Mais il n'en parlait jamais mieux qu'en écho aux tam-tams, à leur plainte captive.

Arnaudeau se ressaisissait le premier. « Vous êtes de ces gens qui scient la branche confortable sur laquelle ils sont assis, disait-il, en lissant pensivement les manches de sa chemise. Le malheur veut que vous n'y soyez pas seul. D'autres, beaucoup d'autres tomberont avec vous. »

Cette scène imaginaire d'un groupe d'hommes assis sur des branches m'amusait et je dus sourire car il poursuivit d'un ton grave :

« Je ne plaisante pas. La colonie est notre œuvre. Le travail de deux ou trois générations. Pourquoi la rendre à la nature, à un équilibre remontant à la Genèse ? »

Julien défendait les lois naturelles, rendait hommage aux siècles naïfs, au génie des premiers hommes, et soutenait contre Arnaudeau que, sans revenir à ces temps anciens, notre monarque devrait s'en inspirer pour mieux orienter sa politique et transformer son royaume, si vieux, si lourd, en un pays de lumières où chacun aurait des raisons d'espérer. Il parlait, je crois, du règne de la raison. Jacques s'échauffait :

« Nayrac, vous avez de mauvaises lectures et vous fréquentez les gazettes. Tout cela n'est que chimères et vous embue l'esprit. »

Quand il repartait pour Bellevue, assez tard dans la nuit, précédé d'un esclave pour lui éclairer la route, la conversation demeurait en suspens. Elle reprendrait, d'autres soirs pareils à celui-là, et ne s'achèverait jamais tant que nous serions là. Elle faisait partie de notre existence, elle y ouvrait une brèche par où s'engouffrait un air vif, né pourtant sur le vieux continent.

Jacques ne se trompait pas, Julien lisait les journaux. Il les lisait au Port au Prince, à son cercle – le Vaux-Hall – où il passait s'enquérir des nouvelles, venues par le dernier bateau, et il était abonné à un certain nombre de revues qu'il rapportait à l'habitation. Quoique avec un décalage de quelques semaines ou de quelques mois, il vivait au rythme des jeunes idées qui s'épanouissaient en France, malgré la censure royale. Et il ne manquait jamais de me les faire partager. Ainsi tous ces débats qui n'avaient jamais pénétré ma province vendéenne, et dont j'ignorais l'existence en arrivant ici, me devenaient-ils familiers ; ils élargissaient les frontières étriquées de mon petit monde. Les philosophes mettaient un peu d'aventure dans le cadre ordinaire de nos vies. Nos familles croyaient-elles que, de notre belle colonie, nous oubliions la France ? Nous étions au contraire, si loin d'elle pourtant, à l'affût de ses moindres caprices, de ses moindres frémissements. Vue de Saint-Domingue, que la métropole désignait comme un eldorado américain, la France était le centre de l'univers. Notre étoile du berger.

Louis Desmarets était notre voisin à l'est. Sa personnalité originale égayait nos soirées d'autres marottes que la politique, sujet de prédilection de notre fidèle ami de Bellevue. Né à Boiste, près de Pithiviers, il avait abandonné à vingt-trois ans sa jeune épouse et sa famille sur l'Œuf, branche de l'Essonne, pour venir diriger l'habitation Morinière, propriété de sa femme. Il y avait accompli, le premier parmi la plaine du Cul-de-Sac, quelques prodiges techniques comme le remplacement de la houe par la charrue et l'invention de formes plus adéquates pour mouler le sucre, accroissant ainsi le rendement de Morinière. Le talent de Louis Desmarets, dans le domaine scientifique, lui valait l'admiration des planteurs et il partageait volontiers ses connaissances avec ceux qui lui demandaient conseil. Mon mari recourut plus d'une fois à ses avis, qui étaient toujours judicieux et permettaient de résoudre les problèmes agricoles qui se posaient fréquemment à nous. Louis Desmarets vivait de la manière la plus austère, dans une case dénuée d'agrément, au milieu de ses collections : des animaux empaillés, des insectes épinglés sous verre et de nombreux volumes d'herbiers. Je le soupçonnais de n'être venu à Saint-Domingue que pour satisfaire à cette passion de la faune et de la flore, si abondantes aux tropiques. Sa région natale ne lui apportant que des observations banales d'alouettes ou d'étourneaux, il avait ici sous la main, toutes sortes d'espèces et personne pour lui reprocher de n'être ni un mari, ni un père, mais un naturaliste, consacré corps et âme à l'étude des oiseaux, des mammifères, des coléoptères, archiptères ou orthoptères, lécheurs, suceurs, piqueurs, broyeurs ou simples buveurs d'air, et, à ses heures perdues, comme par récréation, à celle des herbes ou des fleurs.

Il ne voyait l'île qu'à travers ses tout premiers habitants, et ne s'intéressait à la société humaine que comme à un miroir de l'essentiel, cette vie végétale et animale qui grouillait et palpitait autour de nous. Il accomplissait chaque jour, depuis des années, un travail immense pour en répertorier les variétés et leur trouvait autant de caractère et de complexité, sinon davantage, qu'à l'espèce humaine, pour lui simple reflet, pâle copie d'un microcosme. Aucune maîtresse ne pouvait rivaliser avec le monde obscur dont il était amoureux. Lorsqu'il venait à Nayrac, ses habits apportaient avec eux un peu de l'odeur du formol qu'il utilisait pour naturaliser ses proies et je me demandais s'il n'y avait pas dans son activité prétendument scientifique un goût sacrilège. Je voyais Aurore, et dans son ombre Thalie et Clio, s'écarter de son passage, éviter même de le croiser lorsqu'il se rendait à la bibliothèque. Elles envoyaient Arès qui se cantonnait habituellement aux écuries, apporter le plateau du vin, et il ne le déposait qu'avec prudence, aussi loin que possible de ce personnage qui avait l'aura d'un sorcier. Ses dons de taxidermiste effrayaient. La rumeur courait qu'il aurait jadis empaillé une femme noire, dont il gardait le corps au secret de sa collection.

Lors de nos visites, assez rares il est vrai, à Morinière, j'avais l'impression étrange et un peu inquiétante de m'asseoir parmi une ménagerie de momies et de n'y être moi-même qu'un futur échantillon de vie. La tourterelle et le lézard cornu, la tortue de l'Ester, le perroquet à tête blanche, le cochon des mangles et le caïman, son compagnon de festins, silhouettes immobiles mais qu'on pouvait croire prêtes à s'envoler, à ramper, à courir, à plonger, formaient une famille. Je détestais leurs regards : Desmarets, qui fabriquait les yeux, savait reproduire dans le verre la nuance exacte de l'iris, plus ou moins bleutée, jaunie ou rouge, ainsi que la fixité de la prunelle. Jamais aucun esclave n'avait voulu pénétrer dans cet antre, que notre hôte dépoussiérait lui-même et où il nous servait des vins délicieux, en nous contant l'histoire des mammifères et des oiseaux.

La science de Desmarets m'impressionnait moins qu'elle ne me faisait rêver. Physiquement, malgré cette odeur de laboratoire qui l'enveloppait, je trouvais l'homme séduisant. Grand et large d'épaules, le cou presque aussi développé que celui du bœuf marron, il passait sa vie au grand air, comme nous tous, mais s'intéressait désormais davantage aux sites sauvages de l'île qu'à son habitation. Je l'écoutais avec attention évoquer ses découvertes ; comme j'aurais voulu en être ! La chasse, la pêche entretenaient ses conversations avec Julien. Quand ils ne se souciaient pas d'agriculture, ils comparaient leurs expéditions, leurs trophées. Julien choisissait le gibier, qui composait à Nayrac l'essentiel de nos menus, pour ses qualités comestibles, en vantait la chair et le goût, tandis que Desmarets, qu'habitait la fièvre du collectionneur, poursuivait le spécimen, et traquait plutôt les formes et les couleurs. Je trouvais cruel, pour tout dire inutile, sa manie d'empailler les bêtes et, selon sa propre cynique formule, de les faire mourir pour les rendre immortelles. Mais en même temps cette habitude me fascinait et je cherchais des yeux, dans l'arche de Noé, l'emplacement de la femme esclave, victime de sa folie.

Les mondanités n'avaient pas cours dans notre province. Les fêtes qui ont fait la réputation de Saint-Domingue se tenaient au nord, autour du Cap Français, notre capitale, et des aristocratiques plantations qui s'y trouvaient. Les nuits chaudes du Cap n'étaient pas une légende ; elles attiraient sur l'île toutes sortes d'aventuriers, des libertins. J'en entendais parler, dans notre Sud laborieux et sage, comme de bacchanales, où des filles couleur de café tournoyaient demi-nues sous des lustres de Venise, dans des palais allumés de mille feux. Ce rêve lointain, non pas inaccessible, nombre des amis de Julien, et Julien lui-même, s'animaient lorsqu'ils l'évoquaient. Il n'en soulignait que mieux l'austérité de nos vies, toujours pareilles, où seule la fréquentation des voisins mettait un peu de distraction.

Au Port au Prince, de moins folles nuits, appelées « redoutes », réunissaient les planteurs autour de brunes matrones, aux séductions notoires. On dansait dans leurs maisons, dignes de patriciennes ; on y servait du rhum jusqu'à plus soif. Les orchestres noirs chauffaient les sangs presque autant que l'alcool, et l'aube, disait-on, se levait sur des couples enlacés. Tous les hommes étaient friands de ces redoutes dont la réputation parvenue jusqu'à moi aiguisait ma jalousie – Vénus au cœur de la ronde ? Julien ne boudait pas le plaisir de s'y rendre, lorsque l'une ou l'autre de ces dames peu convenables lançait l'invitation. N'y étant pas conviée, il ne serait pas venu à l'idée de mon mari de proposer de m'y emmener. Aucune épouse de planteur n'aurait osé fréquenter une redoute, même la moins décadente parmi les fêtes de l'île. De sorte que pour moi, les visites données ou reçues dans notre campagne constituaient toute ma vie sociale.

Au-delà de Bellevue, dans la direction du Grand

Goâve, à trois heures de cheval, se trouvait l'habitation Guibert – les jeunes époux qui avaient voyagé avec moi depuis Nantes y occupaient la place laissée vacante par feu l'oncle fondateur. On m'avait rapporté que François avait eu de la peine à s'acclimater, et qu'il avait été malade, plus longtemps et plus gravement que moi, ce qui nous avait privés de leur compagnie. Puis Marie, déjà grosse, s'était à son tour alitée, et elle avait un fils, que je ne connaissais pas. Je ne sais si la cause en fut la distance qui séparait nos domaines, ou le peu d'attirance que nos maris, d'un style trop différent, éprouvaient l'un pour l'autre, mais nous demeurâmes des mois avant de nous revoir. Les habitations Pierrefonds, Baroche, Chantérac, Delamer nous entouraient, entre l'étang Saumâtre et les monts de la Selle, et nous y fûmes quelquefois priés à dîner. Pierrefonds était une propriété en bordure de mer; les cannes à sucre s'arrêtaient au sable blanc de ses plages. Gérée par un mulâtre, fils du propriétaire par la main gauche, lequel était originaire de la Loire et décédé depuis plusieurs années, elle me parut toujours à part des autres : par sa position océane, la douceur de son décor et l'étrangeté de ce phénomène – un mulâtre en était le maître. Amédée – le mulâtre – avait une trentaine d'années, de la prestance, et des yeux qui me brûlaient quand ils se posaient sur moi. Je crois qu'il recherchait notre compagnie; selon mon mari, il avait envie d'entrer dans le cercle – le cercle fermé des planteurs blancs. Julien le jugeait intelligent, bon maître et bon cultivateur. Il l'estimait et ne semblait pas remarquer les œillades de velours qu'il me lançait.

Je dois avouer que j'aimais cette caresse indiscrète, suspendue dans l'atmosphère, dont je devinais qu'elle aurait pu, en une occasion, au gré d'un hasard, d'une sortie inopinée de Julien ou d'une promenade au jardin, quitter le monde des simples promesses. Elle me poursuivait, cette caresse des yeux d'Amédée, et il m'arrivait de m'arrêter net, le feu aux joues, quand je l'évoquais. Elle me donnait une étrange assurance, l'impression délicieuse d'exister pour moi-même.

A Delamer, autre décor de la Plaine, Adrien Jouve nous recevait, avec sa belle-mère, une très vieille dame au regard de bleuet, qui arborait encore des robes du temps de la Fronde. J'avais l'âge de la petite fille qu'elle avait perdue. Adrien Jouve dirigeait l'habitation Delamer avec ses deux fils. Après la mort de sa fille, sa femme, qui serait morte de consomption à Saint-Domingue, avait préféré retourner sur leurs terres, près d'Angoulême. Corpulent, de type sanguin, parlant haut, et peu dans la nuance, ce bretteur m'apparaissait trop sûr de ses droits et de sa force pour que je lui voue la moindre sympathie. Mon mari le rangeait parmi les irréductibles que nulle parole ne saurait convaincre et qui s'en tiennent une fois pour toutes à leurs convictions. Les siennes étaient simples : ordonner, régenter et défendre le domaine, sa famille et ses gens. De ce féodal, qui cultivait avec arrogance aux tropiques un style et des traditions de la plus vieille France, la principale qualité était pour moi d'avoir deux fils au même regard de bleuet que leur grand-mère. Je leur trouvais de la séduction et j'essayais par toutes sortes de jeux d'attirer sur moi leurs prunelles. Mais était-ce leur couleur sans chaleur, ou leur expression sans rêve, elles ne me donnaient pas le même frisson que les yeux noirs d'Amédée, leur beau velours et leur ardente promesse.

Passé Delamer, on trouvait Baroche, puis Chantérac, qui appartenaient à deux veuves. On meurt tôt à Saint-Domingue, où le climat est peu favorable aux êtres nés dans les pays tempérés, et ces deux femmes, d'une nature plus solide que leurs époux, gouvernaient chacune leur plantation avec maestria. Madame veuve Baroche que Julien appelait Joséphine, et madame veuve de Chantérac qui répondait au prénom d'Hélène, mais que j'appelais l'une et l'autre Madame, n'ignoraient plus rien du travail de la canne, de la fabrication et du commerce du sucre, mais ce que j'admirais le plus c'était leur pouvoir de commander aux hommes, à l'ensemble des artisans, à l'économe, au chimiste, au chirurgien, au milieu desquels elles vivaient, comme des reines régentes. Il arrivait souvent à mon mari de me vanter leurs qualités d'organisatrices, leur autorité, leur zèle. Elles n'avaient guère de considération pour moi et me traitaient, sans doute à juste titre, en enfant. Elles adoraient Julien, auquel je les soupçonnais de faire leur cour. Quand l'une ou l'autre nous recevait, elle ne m'adressait la parole que pour me demander des nouvelles de ma famille – les Baroche avaient leur hôtel à La Roche-sur-Yon, quant aux Chantérac, quoique originaires de Pau, ils avaient aussi des parents vendéens. Je respectais leur courage et, en dépit du mépris ou de l'indifférence où elles me tenaient, je leur dois d'avoir eu sous les yeux l'exemple de leur réussite de femmes. De telles réussites, point exceptionnelles aux Antilles, l'auraient été en France ; j'entends d'ici mon père, de toute sa morgue de hobereau, venir leur reprocher de contrarier l'équilibre naturel des deux sexes. Grâce à elles, et à l'admiration que leur portait Julien, je compris qu'une femme pouvait avoir d'autres vocations que celles de mère ou de compagne. Mais je ne me sentis jamais à la hauteur de telles ambitions. Je n'attendais rien de la vie que le bonheur d'aimer.

En vérité, je me sentais en marge. La société des planteurs du Cul-de-Sac et de l'Arcahaye était entièrement consacrée à son travail de la terre, et les épouses y avaient tantôt le double de mon âge et d'écrasantes responsabilités, tantôt une couleur de peau qui m'interdisait de les avoir pour amies. Mon mari avait fixé ses repères, et construit des liens solides de voisinage et d'amitié sur son île. Il devait avoir le sentiment de me les faire partager, pour la plupart. Silencieuse moitié, passive et dans l'expectative, je mourais d'envie de prendre ma part de la vie. Je voulais passionnément exister.

A Saint-Domingue, rares étaient les plantations dotées de ces noms poétiques qui ont fait la légende d'autres colonies, comme les Douze Chênes, la Rivière enchantée ou la Croix du Sud. Presque toutes arboraient ceux des familles qui les avaient fondées. Même si elles n'y habitaient plus depuis longtemps, même si elles dirigeaient leurs domaines depuis la France par l'intermédiaire des livres de comptes ou des cahiers de charges que leur transmettaient leurs gérants, leurs intendants, la terre portait leur nom. Je pouvais être fière du mien : Nayrac, du moins le croyais-je, avait ici ses racines. Un soir, mon mari avait dessiné son blason – dans une main ouverte, le soleil, un bouquet de cannes à sucre et un visage noir. Moi, dans un coin du tableau, j'aurais bien rajouté un tam-tam et, pour moi seule, un cœur à prendre.

Né au Carla, dans le comté de Foix, fils d'un pasteur, ayant étudié un temps à l'Académie protestante de Puylaurens, mon mari avait abandonné la foi de son clan. Il se disait athée, un mot qui m'horrifia d'abord avant que j'en vienne tout doucement à prendre en considération sa conception d'une vie sans Dieu. En France, les terres qui portaient le nom de Nayrac appartenaient à un seigneur du Couserans, près de la petite ville où habitait la famille de Julien. Mon mari vouait toujours à ce lointain descendant de Gaston Phébus, une des figures les plus pittoresques de l'Ariège, une admiration que l'âge n'avait pas entamée. Il en parlait toujours comme de l'homme qui avait éclairé et orienté son destin. Lorsqu'il se trouvait devant un choix, à un carrefour de décisions à prendre, c'est à lui qu'il songeait comme à un professeur de sagesse dont l'éducation perdurait.

Grand croqueur de femmes, mais amoureux d'abord de son pays austère et rude, au pied des Pyrénées, il lui avait fait découvrir une manière de vivre qu'il aimait, et de penser, qu'il avait adoptée. En complète rupture avec les siens – un père trop exigeant, tourné vers les affaires spirituelles, et une mère contrite, délaissée au profit d'une ascèse –, d'incessantes querelles et une incompréhension de chaque instant avaient poussé Julien à fuir son foyer d'origine et à trouver une autre voie que celle que souhaitaient pour lui les siens. Celle-là lui semblait trop étroite et tracée d'avance – un chemin étriqué vers le ciel. Julien avait un peu erré, commis quelques foucades avant de s'employer à Nayrac comme métayer. Il y avait trouvé un père, en la personne de ce célibataire, indulgent à sa jeunesse. Comme il avait déjà bien vécu, heureux dans sa province, le seigneur de Nayrac ne souhaitait qu'une chose : léguer son château, des bois, des herbages et quelques vignes à un héritier capable aussi d'honorer sa mémoire.

C'était pour moi une étrange histoire d'entendre Julien me raconter ces années ariégeoises, quand, jeune homme incertain, son nom ne lui appartenait pas encore. A Nayrac, mon mari avait contracté un goût profond pour l'agriculture, qui ne le quitterait jamais et lui donnerait, jusqu'au drame de notre existence, ses plus grandes joies. Alors que le pasteur enseignait le détachement des biens de ce monde, Julien se sentait lié, de tout son être, à ce qu'il y a de plus matériel, mais aussi de plus éternel au monde, la terre. Près du personnage de ce seigneur jouisseur et généreux, qui avait foi en la vie, et ne croyait en rien d'autre, il avait aussi découvert les délices de la liberté. Cette liberté, il en fit l'apprentissage par l'exemple, voyant son maître commander à tous et n'obéir à personne, pas même à ce Dieu qui avait tant pesé sur sa propre enfance. Nayrac exerçait son autorité sans tyrannie, mais avec extravagance. Se levant tantôt à l'aube, tantôt à midi, courant les bois à cheval ou s'enfermant pendant des heures dans son cabinet, se partageant entre les livres et les filles, ordonnant à son valet de lui retirer ses bottes, mais les cirant jalousement lui-même, il traversait l'existence avec bonne humeur, et – Julien calquerait sur lui son propre comportement – il consultait volontiers son entourage et ne dédaignait pas d'entendre les voix les plus humbles. Tenu par les autres aristocrates du Couserans comme un original, il ne fréquentait guère ses parents et préférait la compagnie de quelques paysans – chasseurs émérites ou vignerons avisés comme lui-même – ou celle de ce fils de pasteur, si totalement acquis à ses idées et doué comme lui d'un désir de vivre en toute indépendance, et d'éprouver ses chances. N'ayant pas d'enfant reconnu parmi les nombreux bâtards de ses maîtresses, et arrivé à un âge que la vieillesse menace, il aurait sans doute adopté Julien s'il en avait eu le temps. C'est du moins ce que mon mari m'affirmait. Un accident de cheval et la mort qui s'ensuivit le surprirent avant qu'il ait pu rédiger son testament, et céder Nayrac à ce jeune homme modeste, dont il dirigeait l'énergie et appréciait l'ambition. Le sang n'est rien, disait Julien, quand parle le cœur. « J'étais plus sûrement le fils de cet homme que le fils de mon père ; il m'a fait. Je lui dois d'être ici ce que je suis aujourd'hui. »

La propriété échue à un héritier légitime qui l'ajouta à ses biens, Julien plia bagage. Apprenant que la colonie cherchait des hommes pour travailler une terre qui s'annonçait prodigue, il quitta sans hésiter la France pour les tropiques. En route, il changea de nom, substituant au sien celui du seigneur de la région de Foix. Puis, trouvant en lui les forces nécessaires, il fonda à Saint-Domingue un autre Nayrac, sans que les tenants du nom y trouvassent à redire : l'écho de sa fortune ne dut point parvenir jusqu'à leurs montagnes. Quant à moi, qui vivais en Vendée, aussi loin de l'Ariège que des Antilles, il me choisit pour mon sang bleu et, je le crois, pour ma naissance aux confins d'un océan qui était moins à ses yeux une barrière qu'un pont entre notre île et la métropole. Il expédiait à Nantes le sucre qu'il produisait. A Saint-Domingue, les expatriés s'organisaient en communautés diverses correspondant à leur origine, aux affinités sélectives, qui se fondaient cependant dans une identité plus vaste que nous avions en commun et dont découlaient nos mentalités : nous étions des insulaires. Les Vendéens, les Girondins, les Basques ou les Béarnais se regroupaient volontiers. Mon mari, répugnant je crois à reconstruire ici le décor d'une enfance douloureuse et curieux d'élargir sa connaissance des hommes, décida de s'entourer de gens de diverses provinces. Je fis partie, au même titre que ses artisans, de cet échantillonnage.

Son désir de fonder une famille lui vint à la veille de ses quarante ans. Il voulait transmettre ce qu'il avait créé avec tant d'enthousiasme et d'acharnement. Non pas à la branche mulâtre, à laquelle il fournirait largement de quoi s'installer et vivre, et à laquelle il achèterait bientôt un commerce au Port au Prince, mais à un descendant qui porterait son nom. Ce nom, qu'il avait fait sien et qu'il avait désanobli, en retirant la particule et les titres, était pour lui une source d'orgueil : il en était fier comme s'il remontait aux croisades. Et il y remontait en effet, par le seigneur éponyme. Mais pour Julien, il signifiait une autre conquête, œuvre non moins honorable : celle d'une terre et d'une liberté nouvelles. Notre mariage conclu, notre union consommée, il attendait un fils.

Avec le recul que donnent les années, je vois mieux les contradictions qui tissaient la personnalité complexe de mon mari. Lorsque je partageais sa vie, sa maturité, ses prises de position passionnées, l'égalité de son caractère m'en imposaient. Aujourd'hui, alors que je suis si vieille et que seul le souvenir me fait vivre, il m'apparaît tel qu'il était alors : généreux, enthousiaste, mais tellement idéaliste ! Et, à cause de ses rêves utopiques, si souvent déchiré entre ses actes et ses intentions ! Si souvent en claire opposition avec lui-même ! A Nayrac, il prêchait la liberté, mais il avait des esclaves. Il voulait croire aux échanges et au dialogue, mais il devait commander, exercer cette autorité du maître sans laquelle aucun colon ne peut accomplir sa tâche et régner sur son habitation. Il respectait les coutumes des nègres, leur musique, leur médecine, leurs superstitions. Il avait interdit sur place l'enseignement religieux et repoussé les missionnaires qui tentaient de convertir les populations d'Afrique à notre Dieu, mais, bien pareil au seigneur auprès duquel il avait acquis sa morale, il exerçait sans vergogne son droit de cuissage sur une femme noire. Il refusait son nom à ses enfants. Finalement, il était à la fois, par son goût de l'ordre et le choix de la société dans laquelle il vivait, un homme de traditions. Et par son aspiration à une société plus juste et plus large, qui prenne en compte les différences de chacun, par sa curiosité, son goût pour les idées nouvelles, une espèce de rebelle. Julien échappait aux définitions. Autoritaire mais tolérant, impérial et libre-penseur, ami des peuples et tyran domestique, tel était sans que je l'aie choisi mon compagnon pour la vie.

Ses rapports avec moi, je le comprends aujourd'hui, étaient placés sous le même signe de la contradiction. D'un côté, il me tenait sous tutelle, comme une enfant. De l'autre, il me laissait une relative indépendance. Il avait pour moi beaucoup d'affection et d'indulgence. Je crois même qu'il m'aimait. Je pouvais inventer mes journées, les organiser à ma guise, aller, venir, sans qu'il me fasse suivre ou cherche à savoir comment je passais mon temps. Il exerçait cependant sur moi un réel ascendant. Tout ce qu'il disait avait force de loi. Près de lui soumise et sage, loin de lui folle de ma liberté et enragée de vivre, je m'étais habituée à cette double image de moi-même. A ce double tempo de ma vie. Je crois qu'il était la source d'un équilibre et, si immoral cela soit-il, le secret d'un bonheur fragile, que je croyais éternel.

La fécondité de l'île était un phénomène général. Les plantes se reproduisaient inlassablement, avec une prodigalité étonnante. Les bois-debout, avant d'être défrichés par les propriétaires caféiers, dressaient sur nos routes des obstacles impénétrables; les arbres y emmêlaient leurs branches et leurs feuillages; les buissons, les herbes, les ronces à profusion s'enlaçaient, inextricables. La machette d'Arès taillait difficilement un chemin. A peine coupée, la végétation repoussait aussitôt avec une vigueur accrue. Tout ce que l'homme tentait pour ordonner la nature – et il y parvenait à merveille dans les plaines alluviales – se heurtait à l'extraordinaire fertilité de l'île. Il devait mener une lutte incessante pour imposer sa discipline et empêcher l'excès de prolifération des autres espèces vivantes.

J'ai déjà parlé des insectes qui nous entouraient en

permanence, le jour comme la nuit. Ils sont l'exemple le plus frappant du grouillement de vie que nous sentions palpiter et bruire sans relâche autour de nous. Leurs bourdonnements incessants accompagnaient nos activités, même nos rêves. Il y en avait de toutes sortes, depuis les inoffensifs maringouins jusqu'aux araignées-crabes dont le venin est mortel, en passant par les scorpions, les scolopendres. Ils attaquaient en bataillons de sorte que nos pièges pour les exterminer n'en ramenaient que davantage, le jour, la nuit ; leur énergie semblait concentrée sur ce but : la prolifération. Ainsi pour les plantes. Louis Desmarets m'expliqua, avec une précision scientifique dont je n'ai retenu que le principal message, que le pollen très abondant de certaines fleurs était une manne exceptionnelle. A certaines saisons – car il existe bel et bien des saisons aux tropiques –, il s'envolait au-dessus de Saint-Domingue comme un nuage d'invisibles poussières. L'île tout entière en bénéficiait. C'était un climat doux et caressant, pareil aux effets d'un ensorcellement, qui se répandait dans la nature, dix ou cent fois plus propice aux amours qu'un printemps français.

De l'autre côté de l'île, le bétail que les Espagnols avaient apporté avec eux lors de la Conquête et qu'ils avaient abandonné sur place avant de s'installer sur d'autres colonies, ce bétail, redevenu sauvage, se reproduisait avec ardeur. Il y avait là-bas, disait-on, des milliers de bêtes à cornes, bœufs ou cochons marrons, et des chevaux, des chèvres, des bouquetins, en nombre incalculable, qui résistaient aux chasseurs venus les braconner. De mon temps, ces bêtes espagnoles, jadis domestiques, dont la chair avait pris un goût puissant de venaison, offraient un gibier recherché des gourmets. Des Français descendus sur le versant oriental de la Montagne Noire, rapportaient leur étonnement devant ces troupeaux des plaines de Santo Domingo, d'une abondance qu'on ne vit jamais nulle part au monde. Dans notre province, un riche répertoire d'histoires de chasse illustrait ces prodiges. J'entendis un jour Julien se vanter, devant un auditoire moins crédule ou moins naïf que moi, d'avoir d'un seul coup de fusil abattu trente-huit canards, sur une des rives de la Petite Rivière !

Sur nos habitations, nous avions d'autres sujets d'admiration : la canne à sucre, mais aussi le maïs, le millet, les patates douces..., les cultures s'épanouissaient à l'envi. Il fallait forcer la terre au repos, arracher les cannes prolifères, les transplanter sur d'autres pièces, avant de les replanter là même où elles se plaisaient, instituant un cycle d'alternance. La plaine du Cul-de-Sac, de même que celles de l'Aracahaye, de Léogane, du Mirebalais, de l'Artibonite, ou de la Gonave, était un jardin d'abondance ; les nuées de papillons, les essaims d'abeilles et de coccinelles qui y circulaient à foison offraient un signe supplémentaire de la merveilleuse fertilité de Saint-Domingue.

En dépit des maladies et du rythme épuisant du travail qu'ils fournissaient, les esclaves eux-mêmes engendraient avec la même extravagance. Les femmes grosses formaient plus de la moitié du village et, malgré des naissances difficiles, malgré des morts d'enfants en série, malgré son déracinement, la population noire s'accroissait. Moins par les importations d'Afrique, fort ralenties lorsque j'arrivai de France, que par la natalité. La consomption, le *tian*, et le mal de mâchoire pour ne citer que quelques-unes des maladies mortelles, qui frappaient principalement les populations indigènes, ne pouvaient rien contre la logique de l'île : les espèces survivaient et même proliféraient, comme si le pollen de l'air et l'engrais naturel du sol jouaient pour tous, plantes, animaux et humains, un rôle bénéfique aux amours.

Les négresses enceintes, mises au repos pendant un mois, n'apparaissaient pas comme une main-d'œuvre inutile, ou parasite, elles garantissaient au contraire la prospérité future de la plantation. Elles travaillaient pour sa pérennité. Avec le cheptel, avec les cultures, les esclaves constituaient alors un patrimoine. Julien Nayrac veillait sur son troupeau d'hommes, de femmes, d'enfants, et chaque naissance était pour lui une aubaine ; à chaque bébé noir qui venait au monde, sa fortune grandissait. Aussi s'inquiétait-il en particulier des accouchements. Les Aradas ayant parfois des comportements cruels, et se donnant volontiers la mort pour échapper à leurs chaînes, il interdisait aux négresses de s'accoucher entre elles. Certaines en effet préféraient tuer leur enfant au premier souffle, entre leurs jambes, plutôt que de le voir grandir esclave. Julien faisait venir du Port au Prince une sage-femme, une créole blanche, Jeanne Blaise, qui prenait soin des parturientes sur l'habitation. Dans certains cas difficiles, il envoya les futures mères passer quelques semaines en pension chez Jeanne. Elle mettait l'enfant au monde et le renvoyait sain et sauf à Nayrac avec la mère. C'est ainsi que, pour notre plus grand profit, le nombre de nos esclaves ne cessait d'augmenter.

Au milieu de toute cette fertilité, j'étais une exception. Les mois passaient, je n'avais pas d'enfant. Cadet, consulté pour ses connaissances médicales, avoua son inexpérience. Comment, par quels remèdes soigner la stérilité ? Il ne fut jamais avant moi confronté à un tel problème. L'île lui donnait en effet chaque jour, à chaque instant, l'exemple du contraire : on y engendrait allègrement. Il argua de ma jeunesse, du climat, enfin de ma bonne santé reconquise, pour me rassurer. Nul doute que je ne tarderais pas à être mère à mon tour. Il me répétait pour mieux m'en convaincre qu'il n'avait jamais éprouvé ici que des potions à effet inverse, pour pallier la trop grande fécondité des femmes. Aurore se préoccupait de mon cas. Elle me préparait des tisanes pour combattre, disait-elle, le sort qu'on m'avait jeté. Sa sollicitude, dans laquelle je devinais une manœuvre hypocrite, cachait mal à mes yeux une évidente hostilité à mon égard. Son visage fermé à mon arrivée, ses silences appuyés, les ordres revêches qu'elle donnait à Clio et à Thalie pour me faire sentir son autorité et me rappeler qu'elle occupait ici, bien avant moi, une position dominante, tout juste après le maître, ne parlaient pas en sa faveur. Je la craignais. Mais Julien lui vouait une telle confiance que je me forçais à combattre mon antipathie. Entièrement dévouée à sa personne, je crois qu'elle se serait fait tuer pour lui, alors qu'elle m'aurait sans doute poussée au-devant de la balle mortelle. C'était du moins ce que je ressentais. Comme je me plaignais un jour à mon mari de sa froideur, de son mutisme, de la dureté de son regard, il me reprocha mon ingratitude. Aurore était la fidélité même, affirma-t-il. Sa première esclave, acquise au Port au Prince avant tous les autres, avant qu'il n'achète le domaine ; elle le servait avec un zèle qu'il n'avait jamais pris en défaut. Comme elle avait désormais l'âge d'une grand-mère, il m'invitait à la considérer avec affection, ce dont je me sentais incapable.

J'évitais de faire appel à la gouvernante. Elle n'avait d'ailleurs nul besoin de moi : lorsque j'entrai à Nayrac, la maison lui appartenait pour ainsi dire. Elle ne m'avait pas attendue pour ordonner, régir à sa guise, et elle ne changea rien à ses habitudes. Elle ne me consultait pas même pour composer les menus ; lorsqu'un problème surgissait, elle s'adressait à Julien. Je me contentais de boire son café brûlant le matin et, le soir, ses tisanes au goût de fleurs – les seules attentions qu'elle eût pour moi. Les deux fillettes que mon mari m'avait données et le fidèle Arès assuraient mon service.

A chaque naissance mâle sur l'habitation, je voyais mon mari se rembrunir. Il ne me fit jamais aucun reproche et n'afficha contre moi aucune mauvaise humeur. Mais il prit l'habitude de passer plus de jours et de nuits à la ville sous des prétextes divers qu'il se souciait peu de rendre clairs. Sans doute se consolait-il auprès de Vénus, ou tentait-il d'effacer l'amertume que lui donnait le spectacle d'une jeune femme dont la taille refusait obstinément d'épaissir. Chacun de ses départs me bouleversait. De le savoir place Vallière, au cœur d'une famille, me devint insupportable, bien que je m'efforçasse de n'en rien laisser paraître. Ma stérilité m'emplissait de honte, et aussi de chagrin. Mais plus que tout, je dois l'avouer, mon amour-propre était blessé. Je craignais qu'on ne me renvoie en France, telle une marchandise avariée. L'île me captivait : j'aurais voulu y être solidement ancrée, au plus sûr de Nayrac. Lorsque mon mari revenait, comme si de rien n'était, de son autre foyer, obstiné à me faire un enfant, une gêne s'installait dans nos rapports. Au lieu de nous unir davantage, son désir de progéniture mettait un obstacle entre nous. Je me mis à vivre chaque union comme une contrition.

Je me souviens de la fête que nous avions donnée, un an ou deux peut-être après mon arrivée à Saint-Domingue. Elle rassemblait nos amis, nos connaissances, et même des gens que je n'avais encore jamais rencontrés, venus de plusieurs lieues à la ronde. Il nous aurait été impossible d'accueillir tous ces invités dans la Grand-Case, aussi Julien avait-il fait construire des bâtiments d'appoint, rudimentaires mais pourvus du confort nécessaire. Les mauvaises routes de l'île, qui rendaient difficile toute communication par voie de terre entre le Nord et le Sud, ne permettaient en effet de rejoindre notre plaine, à partir de Jérémie ou des Cayes, qu'au prix d'un long et harassant voyage, de l'aube au coucher du soleil. Nous n'avions pas d'autre choix que d'offrir le gîte pour la nuit, si nous tenions à honorer la province. En fin d'après-midi, une agitation inhabituelle régnait à Nayrac où les équipages se succédaient, guidés vers la Grand-Case par des esclaves plantés sur la route, qui indiquaient l'allée de citronniers. Plus tard, des torches enflammées permettraient aux retardataires d'en repérer l'entrée et les conduiraient jusqu'à la maison, parée de tous ses feux. Nous recevions dehors, autour de la véranda où jouait un orchestre du Port au Prince, accoutumé à animer les plus célèbres redoutes de la ville. Six musiciens mulâtres, munis d'instruments à cordes et à vent, interprétaient des airs de menuet, des rigaudons et des pavanes ; ce répertoire désuet et néanmoins entraînant de danses qui animaient jadis les fêtes des châteaux et des villages de France, me parut exotique – le décor de mon enfance et ses coutumes s'éloignaient.

On avait dressé des tréteaux. Des esclaves, habillés de frais, y apportaient des victuailles, préparées depuis des jours par Aurore – des pâtés de grives et de tourterelles, des rôtis de cabrit au poivre rose, du bœuf en croûte parfumé à la cannelle, de la langue de perroquet à la poulette, et des légumes des tropiques, frits, confits ou en macédoine, agrémentés des habituelles épices que notre cuisinière affectionnait. Armés d'éventails, les noirs serviteurs, arrachés le temps d'un rêve aux jardins et aux ateliers, passaient comme des ombres, maladroits et étonnés, dans leurs blancs vêtements. Les uns protégeaient les buffets des essaims de moustiques, tandis que d'autres poussaient devant eux des chariots de fruits, chargés d'ananas, de cocos, de caïmites, de mangues et de goyaves, servis en coupes, baignant dans le sucre et le rhum. Sur une table à part, près d'un feu de brindilles, Aurore en personne, dans un énorme jupon rouge, flambait les bananes.

Sous les étoiles qui semblaient réfléchir au ciel les lumières de la fête, notre habitation n'avait jamais été plus belle et j'en faisais fièrement les honneurs. Julien, à qui j'agréais enfin dans le rôle de la maîtresse de maison, portait sur moi un regard bienveillant ; il m'avait fait compliment de ma toilette. Son encouragement me donnait des ailes et j'allais d'un invité à l'autre, avec des mots de bienvenue, portée par la musique. Dans des robes de marquises et les cheveux poudrés, Clio et Thalie me suivaient en dansant ; j'ai honte aujourd'hui de le dire, mais je n'attachais pas plus d'importance à leurs jeux qu'à ceux de chiots dociles et ravissants.

Autour de moi, cette nuit-là, se trouvaient réunis les planteurs de la région, voisins et amis. Je les voyais apparaître tour à tour, dans des costumes dignes de la cour de France, ou du moins le croyais-je. Dans ma campagne vendéenne, la simplicité était prisée et les fêtes peu coutumières. Je découvrais chacun sous des confettis de lumières. Jacques Arnaudeau, sanglé dans un habit de satin noir, évoquait ces protestants de la cour de Navarre, dont j'entendais parler chez moi comme d'irréductibles impies. Hélène de Chantérac, qu'il avait amenée, promenait à son bras une somptueuse robe de veuve ; vêtue de soie, elle formait avec lui un couple funèbre, étincelant. Le noir choque aux tropiques où tout est flamboyance, il tranche sur la splendeur de l'île qu'il paraît refuser et même condamner, par sa sévérité. Mais il seyait à ces deux personnages, à leur réserve, à leur orgueil, et à leur nostalgie d'une époque dont ils portaient déjà le deuil.

Les hommes exhibaient des redingotes d'apparat, brodées de fils d'argent ou d'or, les femmes, des toilettes aux couleurs provocantes, sur de larges jupons qui balayaient l'herbe et le sable et menaçaient, en virevoltant, de prendre feu aux torches ; surchargées de rubans, de dentelles, elles affichaient des fantaisies à la Marie-Antoinette, copiaient la mode et les fastes de la Reine-bergère. La fête permettait aux hommes de se montrer à leur avantage, et d'illustrer leur fortune ; aux femmes de mettre en valeur leur beauté, mais aussi leur dextérité et leur imagination. Aucune de nous n'avait sa « Rose Bertin ». J'avais taillé moi-même ma robe dans un beau tissu bleu que Julien m'avait rapporté du Port au Prince et, avec l'aide de Clio et de Thalie, travaillé pendant des semaines à reproduire un modèle de la cour, relevé dans un vieux journal des modes. Je me souviens que nous y avions cousu au dernier moment des bouquets de fleurs aux pétales blancs, que j'avais envoyé Arès ramasser le matin de la fête dans la savane ; ils remplaçaient sur moi à la fois le parfum et les rubans. De tous les propriétaires de grands domaines, Adrien Jouve montrait le plus d'arrogance. Son chapeau, qu'il tenait à la main comme un trophée, arborait des plumes de paon blanches, de l'espèce la plus rare et la plus recherchée ; les marchands de Bohême les vendent à prix d'or aux princes des prestigieuses cours d'Europe. Il haranguait des gens du Petit Goâve qu'il intimidait de sa voix de stentor, tandis que je dansais avec ses fils, à tour de rôle, admirant mon reflet dans le bleu de leurs yeux. Passant de bras en bras, tandis que mon mari serrait d'assez près la taille de Joséphine Baroche – dans une robe couleur de nuit tropicale piquée de fils d'azur –, je voyais tournoyer le décor comme un manège.

Je plaignais Marie Guibert, alourdie par une nouvelle grossesse ; elle avait perdu son entrain ; assise, une assiette de gâteaux sur les genoux, elle suivait des yeux les danseurs. Je n'avais nulle envie de lui tenir compagnie ; nos vies qui, sur le bateau, me semblaient promises à l'amitié, ne se rejoindraient pas. Heureuse de mon corps de jeune fille, de ma taille de guêpe, je savourais la fête. François Guibert, hissé sur des souliers à talons rouges, échangea quelques mots sans importance avec Louis

Desmarets auquel je l'avais présenté ; ce dernier dévisageait l'époux de Marie comme s'il s'agissait d'un drôle d'oiseau, au plumage inédit. L'habit de Louis, d'un pourpre décoloré, pouvait avoir deux fois son âge et ne dénotait aucun souci de coquetterie. Mais il le portait avec élégance, et je trouvais original, et même séduisant, son dédain d'apparat. La préciosité de François n'en était que plus ridicule. Louis avait bien voulu, ce soir-là, briser sa retraite et fausser compagnie à ses spectres d'animaux pour quelques airs de menuet. Lorsque je dansais avec lui, je lui arrivais à peine à l'épaule, il me conduisait avec une maladresse touchante. Nos pas nous éloignaient puis nous ramenaient l'un à l'autre, selon les figures que nous devions esquisser ; il arriva qu'en voulant saisir ma taille, il arracha l'un de mes bouquets. Il m'entraîna à l'écart du carré des danseurs, sous le prétexte de l'y fixer, et je le suivis jusque dans un retrait mal éclairé par les flambeaux. Arès s'y tenait déjà, replié sur ses talons ; de loin, il m'observait – ma protection était pour lui un devoir de chaque instant – mais Louis ne s'en soucia pas : quel Blanc se serait alors offusqué de la présence d'un esclave, tout au plus un objet ? Voulant réparer sa maladresse, il me serrait de plus près. Il me parlait à voix basse. Si j'y consentais, il m'emmènerait le lendemain dans une région montagneuse que j'ignorais, où il pensait trouver une espèce rare de papillon – avec une tête de mort noire dessinée sur ses ailes blanches. Nous avions déjà accompli ensemble plusieurs expéditions tout innocentes. Julien me confiait volontiers à cet ami qu'il croyait voué exclusivement aux insectes, aux oiseaux, aux mammifères, et par là même indifférent aux femmes. Louis avait justement l'air de me considérer du haut de sa science comme un spécimen intéressant. Je lui trouvai dans les yeux l'éclat qu'ont ceux des hommes avant l'amour : bien que je ne le connusse encore que dans le regard de Julien, il brilla pour moi cette nuit-là d'un appel irrésistible. Louis me prit la main ; il aurait sans nul doute poursuivi ma conquête, dans l'ombre des bosquets de rouge des sables qui nous isolaient du banquet, car je ne lui opposai aucune résistance et trouvai au contraire du bonheur dans notre confidence.

Je me souviens qu'Amédée s'approcha de nous d'une démarche langoureuse. Nous avait-il surpris ? Ne me trouvant pas parmi mes invités, il devait m'avoir cherchée. Peut-être me suivait-il des yeux depuis le début de la soirée, comme il aimait à le faire à Pierrefonds, de ses yeux sombres et doux. Sa veste blanche, qu'il portait sur un gilet brodé d'or, faisait ressortir la teinte cuivrée de sa peau, lustrée comme un bel acajou. Il plastronnait. Soucieux d'apparaître l'égal des planteurs de souche française et de leur prouver qu'il partageait leurs mœurs policées, il s'inclina et m'invita pour le quadrille. Desmarets, qui avait aussitôt relâché son étreinte, s'éloigna, non sans m'avoir rappelé notre rendez-vous pour la chasse au papillon blanc. Je le vis rejoindre, à l'autre bout de la terrasse où l'on avait disposé des fauteuils, le duo que formaient mon mari et l'intendant de la province. Julien entretenait des relations suivies avec le représentant du Roi au Port au Prince ; il ménageait ses appuis. Après le gouverneur qui résidait au Cap, l'intendant était la seconde autorité de l'île et il fallait en effet compter avec son pouvoir. Les planteurs cherchaient à influencer son administration dans le sens de leurs intérêts. Des querelles les agitaient en ce moment au sujet des corvées du Roi – les esclaves des colons devaient assurer l'entretien des chemins communaux, des fortifications et des canaux. A Nayrac, il y avait par an plus de mille jours corvéables. Et probablement autant à Pierrefonds, à Bellevue, à Morinière. Sans doute Julien et Louis tenteraient-ils d'amener l'intendant à alléger cet impôt, qui perturbait beaucoup le travail aux domaines. Ou du moins de le flatter afin d'obtenir des exemptions futures. J'aurais peut-être dû les rejoindre, ajouter mon sourire à leur plaidoyer. Mais je ne cherchais que mon plaisir – rien d'autre n'avait pour moi d'importance. Toute à la danse, j'oubliais mes devoirs. Mon cavalier me conduisait voluptueusement. Il ne se contentait pas de compter les pas et de suivre le rythme, il était lui-même le rythme et j'avais l'impression que c'était la musique qui suivait ses pas. Un accord mystérieux semblait lier Amédée et l'orchestre, comme s'il avait conçu et réglé lui-même la partition. Malgré sa masse imposante, il était d'une incroyable souplesse, d'une incroyable légèreté, et il me guidait avec une douce autorité. Je touchais à peine le sol, j'étais transportée dans un monde suave. La main d'Amédée pressait ma taille et son souffle brûlait mon épaule.

Je me vois encore, cette nuit-là, insouciante, cherchant sur la piste d'herbe et de sable de notre domaine une ironique apothéose. J'entends encore les rythmes de l'orchestre, j'aperçois la maison éclairée de cent flambeaux, je distingue mes amis, mes compagnons, dans la fête. Les Noirs, dociles et bons, contribuant à l'harmonieuse ordonnance. Comment le bonheur, ce vain mirage, aurait-il pu ne pas se trouver là ? Sur cette île enchantée, dans ses parfums, dans sa musique, sous ses étoiles ?

A ce chapitre, entre les feuillets, Jean Camus trouva une espèce de fossile qu'on avait dû par mégarde retirer du manuscrit original et oublier, ou glisser là, comme un signe : à première vue un squelette de feuille, sur lequel restaient attachés quelques fils blancs. Curieux marque-page ! Il le prit délicatement pour l'examiner. Ne serait-ce pas plutôt un vestige du chapeau du planteur, nouveau riche arrogant, que l'auteur évoquait tout à l'heure, à ce bal tropical ? Une plume de gallinacé, tel qu'il n'en existait alors qu'en Asie et que les navigateurs avaient dû introduire à Saint-Domingue à la suite d'un troc, un de ces échanges inégaux et injustes qui profitaient aux découvreurs, aux peuples conquérants ? La fibre républicaine de Jean Camus s'éveillait à la vue de cette plume blanche de paon ou de ce qu'il en restait. Il tenait entre ses doigts l'orgueil d'une caste disparue, un symbole de son faste et de sa morgue. Son émotion pouvait se comparer à celle qui saisit l'archéologue, ou le préhistorien, exhumant de sous le sable ou les cailloux un morceau de vase sacré, âgé de plusieurs siècles, ou une trace de fourmi du paléolithique ancien.

Gêné par ses lunettes à double foyer, il les remonta sur son front et approcha puis recula successivement la plume de ses yeux. Il en admirait le dessin et, tout en s'interrogeant sur sa provenance, s'étonnait de sa délicatesse et de sa longévité. Par quel miracle cette trace encore vivante d'une vie depuis longtemps disparue avait-elle abouti entre ses mains ? Le paon est un oiseau de malheur, songeait-il. Sur les tapisseries du Moyen Age et dans les diverses représentations héraldiques, on l'évite de préférence. Il annonce de mauvais augures. Le colon qui en avait décoré son chapeau l'ignorait-il, ou bien se fiait-il à la tradition chrétienne qui fait de cet oiseau rare et somptueux, un symbole de la Résurrection ?

Il ne devait pas être superstitieux, pensa Camus ; lui-même ne passait jamais sous les échelles et ne posait pas de chapeau sur un lit. La personne qui avait conservé cette relique ne devait pas l'être davantage, pour l'avoir tenue si longtemps à l'abri entre deux pages. Mais était-ce bien une plume de paon ? Ne serait-ce pas au contraire une architecture de feuille ou de plante, exportée des tropiques et mise ici à sécher ? Jean Camus approcha puis éloigna de nouveau le fossile de ses yeux. Il devait en effet désormais jongler pour y voir, entre sa vieille myopie qui l'empêchait de discerner les formes au loin, et la presbytie récente qui lui rendait impossible toute vision de près. Le mouvement, ou bien l'effet de son propre souffle, soudain le désintégra. Quelques grains de poussière s'éparpillèrent sur la page avant de s'envoler dans un nuage.

Jean Camus se sentit coupable, comme s'il avait commis un crime. En y réfléchissant, c'en était un en effet de détruire ce vestige, qui avait survécu aux siècles et aux voyages, à des régimes politiques de toute sorte, à des révolutions, à des tyrannies, avant de venir s'effriter ici, entre ses doigts. Curieusement, la relique, si déshydratée fût-elle, laissait derrière elle une odeur, contraire aux principes scientifiques que Camus connaissait – un corps réduit en poussière n'a plus d'odeur. Il identifia pourtant un relent de pharmacie et ne fut pas lent à y reconnaître un mélange familier à ses narines d'ancien étudiant en chimie. Combien d'années le séparaient de son diplôme et des stages qui le suivirent ? Sa jeunesse semblait concentrée dans ce parfum perfide, aussi pur et violent qu'une essence. Convaincu que les souvenirs encombrent la conscience plus qu'ils ne la stimulent, partisan de l'oubli et pour lui-même en tout cas de la marche en avant, Camus ne se serait pas attardé à l'analyse de ce phénomène, s'il ne lui avait tout à coup rendu suspect le livre qu'il lisait. L'odeur ne tarda pas à se volatiliser. Mais il l'avait formellement identifiée. Oui, camphre, phénol, esprit-de-vin... Le camphre, d'abord : stimulant du cœur et des centres nerveux, on l'utilise pour protéger les tissus des insectes ; il sert aux embaumeurs et aux taxidermistes. Dans la composition, il dominait les deux autres éléments, plus faiblement dosés : l'acide phénique, dérivé oxygéné du benzène, désinfectant et poison puissant, des plus désagréables au nez, s'y conjuguait, à n'en pas douter, avec un arrière-goût de cognac – joint au camphre et au phénol, l'alcool éthylique donnait à ce parfum de pharmacie, plutôt inquiétant, une pointe de gourmandise.

Pied-noir, fils d'artisan, né à Alger où il vécut jusqu'à l'Indépendance, Camus avait fréquenté l'université des sciences, où il ne se distingua guère mais dont il rapporta un certain nombre de connaissances en vrac.

Eclectique par tempérament, dès son diplôme en poche, d'autres horizons le séduisirent que ceux des laboratoires. Son départ d'Alger avait brusqué les choses : à l'âge où l'on se cherche, ses repères perdus, ses racines coupées, il s'était tout à coup senti pousser des ailes. L'atmosphère confinée se desserrait; l'univers s'ouvrait, il lui tendait les bras. Contrairement à la plupart de ses compatriotes, il quitta sans regrets la ville de son enfance. Le beau ciel d'Alger, le port animé et la baie aux eaux bleues, son décor d'éternelles vacances, tout ce que pleuraient les gens, il leur tourna le dos sans nostalgie ni gratitude. S'élancer vers une autre vie l'exaltait. Il en serait ainsi pour lui à chaque nouveau départ : les ruptures nourrissaient son désir de recommencement, elles amorçaient toujours une aventure. Lorsque la famille dut affronter l'exil, il put vivre de son côté, il avait vingt ans. Il commença à bourlinguer. Il lui semblait respirer plus large : paradoxalement, l'Indépendance qui frustrait tant de gens, lui offrait sa première sensation de liberté. Ses parents s'installèrent à Nice, à cause du soleil; tandis que son père ouvrait un atelier de confection, il travailla quelque temps dans un laboratoire avant de s'élancer vers d'autres horizons. Aujourd'hui, à la faveur fortuite de cette odeur d'alcool et de phénol, un goût amer lui revenait. Comme chaque fois qu'il repensait à son enfance et à son adolescence, ce qu'il évitait le plus souvent, sa bile se manifestait. Des souvenirs, aussi pernicieux qu'un acide, l'empoisonnaient. Ils tenaient principalement à la personnalité de son père, un homme avec lequel il ne s'était jamais accordé. Mais ils dérivaient aussi d'un climat familial étouffant, voire suffocant : fils unique, pris entre un père et une mère dont les ambitions ne dépassaient pas celles de la petite bourgeoisie, son désir d'ouvrir portes et fenêtres sur le large devait venir de ce sentiment d'enfermement.

Jean Camus s'efforça de chasser les images douloureuses que l'esprit-de-vin, mêlé au conservateur et au poison, avait ramenées à sa conscience. Le visage de sa mère restait en suspens sous ses yeux, comme une apparition. Morte d'un cancer, une dizaine d'années auparavant, il la revoyait toujours sur son lit de souffrances, creusée par la maladie, vieille avant l'âge. Or, elle retrouvait aujourd'hui pour lui le visage de sa jeunesse et elle lui souriait.

A quoi bon raviver la mémoire ? Jean Camus, partisan à tout crin de l'oubli, se défendait, par hygiène mentale. Quand un souvenir l'apitoyait trop ou lorsqu'il le gênait, le rendait triste ou amer, comme aujourd'hui, il l'éloignait. A cinquante ans, il se méfiait des assauts du passé. « En avant toute » : sa devise l'aidait à larguer les amarres. Trop vieux pour entreprendre une psychanalyse et remonter à la source de ses ruptures, pour y dénicher il ne savait quoi – de mauvaises pulsions, des turpitudes sans doute –, il considérait comme un devoir son délit de fuite. Alger, la famille, l'université, tout cela était déjà loin. Il s'agissait de vivre le présent, d'en savourer pleinement la qualité intense et volatile. Ses voyages, ses liaisons, son métier, et pour finir Maguelonne – dernière étape, sereine retraite – devaient concourir à ce projet : se délester des fantômes encombrants, fussent-ils ceux des êtres chers.

Jean Camus leva les yeux et contempla son mas à la charpente noircie de suie. Les murs disparaissaient sous l'invasion des livres. Le vieil enduit à la chaux apparaissait de part et d'autre de la cheminée, aux proportions monumentales, qui laissait dans l'ombre les deux panneaux où il avait accroché ses tableaux haïtiens. Ils lui faisaient face, éclairés par leurs propres couleurs. Les sujets n'importaient pas en comparaison du panache de leur palette : le rouge et le vert, le rose, l'orange incendiaient ce coin du salon où il se réfugiait pour lire. La gaieté des toiles résistait à la nuit qui tombait. Dans la cheminée, les ceps se consumaient, des flammes pâles s'en dégageaient. Il retrouva la paix dans l'odeur familière, dans le crépitement joyeux du feu et s'attarda, rêveur, à la contemplation d'une Vierge romane. Posée sur le chambranle, entre les deux tableaux, elle veillait sur le mas ; le visage à demi détruit, les mains brûlées, la robe portant des traces d'une patine bleue, elle lui tenait compagnie. C'était la seule femme à bord.

Jean Camus soupira à nouveau, sans provoquer cette fois d'apocalypse, mais la vision persistait. Il ne parvenait pas à se débarrasser de ce regard voilé de mélancolie, qui avait été celui de sa mère. Elle l'exaspérait autrefois, il lui trouvait des airs de victime consentante. Aujourd'hui, une bouffée de pitié et d'amour remplaçait cet agacement d'adolescent et lui faisait monter des larmes... Il se pencha pour attiser les braises puis, se sentant oppressé, en proie à une crise d'angoisse comme il n'en avait pas éprouvé depuis de nombreuses années, il se dirigea vers le bar. Ainsi nommait-il la table où il rangeait ses bouteilles d'eaux-de-vie, cerise, pêche, et son plus fidèle cordial, le Glenfiddich. Aucune crise d'angoisse ne résiste à cette thérapie.

Etait-ce d'entendre la dame de Saint-Domingue évoquer ses souvenirs d'Ancien Régime qui le ramenait aux siens ? Il n'y avait à cela rien d'étonnant, rien de particulier. Il se livrait souvent à ce genre d'exercice : son rôle d'éditeur le confrontait sans cesse à des récits d'ordre privé, à des confidences, des retours sur le passé. Il suivait d'ordinaire avec détachement ces évocations plus ou moins réussies, plus ou moins poignantes, qui forcément l'entraînaient vers d'autres mondes, à la suite d'autres sensibilités. Chaque fois, la lecture est une confrontation. Une exaltation mais aussi une épreuve. Une manière de forger son propre point de vue à une lumière qui n'est pas la sienne. Jean Camus réagissait chaque fois, quelle que fût la qualité du livre ou du manuscrit, de toutes ses fibres. Il aimait se laisser guider, suivre l'auteur dans ses méandres, ses hésitations, ses colères, ses morceaux de bravoure. Et se laisser submerger par le texte, auquel il donnait toutes ses chances de le convaincre. Mais il conservait chaque fois aussi son esprit critique, chaque fois le recul nécessaire à l'analyse. Une parcelle de son cerveau observait son enthousiasme ou son dépit, et l'empêchait d'être totalement dans un texte, comme un noyé dans les mots. L'éditeur, toujours sur ses gardes, surveillait en lui-même le lecteur, proie trop facilement consentante ou passionnément contestataire.

Cette fois, par exception, l'esprit critique lui faisait défaut. Ni emballé ni assommé, comme cela lui arrivait parfois au bout de quelques pages, sa faculté de réaction lui manquait. L'aboulie le menaçait. Diagnostic ? L'atonie. Le marasme. S'était éteinte dans son cerveau la lumière rouge du jugement, celle qui s'allume pour crier en avant ! ou halte ! devant une perspective, fût-elle celle d'une page de livre. Il se sentait absorbé. Non, ce n'était pas le mot. Fasciné ? Pas davantage. L'aventure ni le style ne provoquaient chez lui cet élan qui déclenche l'amour. Ni la moindre étincelle d'admiration. Il se sentait... Comment dire ? Lié.

Oui, lié. C'était cela. Lié ou relié, pas encore ligoté, par un réseau de liens ou de lianes, de fils, sinon de chaînes bien visibles. Une parmi tant d'autres, plus belles, plus intéressantes selon des critères objectifs, cette lecture semblait esquisser avec lui de mystérieuses correspondances.

Le ciel et les collines bleus, la mer et les champs de canne à sucre, les chemins de sable blanc, les lagunes couvertes de flamants, de hérons, les criques et les mornes, je ne peux rien oublier du paysage, je le porte en moi. Lorsque je suis triste, lorsque me taraudent la fatigue ou la vieillesse, il me suffit d'ouvrir ma mémoire et les tropiques surgissent. Les parfums, les couleurs déferlent ; ils m'apportent chaque fois, intacts dans mon souvenir, leur volupté et leur splendeur naïves. Ils agissent sur moi comme un baume. Comment y renoncer ? L'île s'est vengée un jour de ce qu'elle m'a donné, pourtant je ne lui voue pas de rancune : ma vie loin d'elle n'a été que nostalgie. Et ses charmes, je les ai emportés avec moi dans l'exil.

Les Français du temps que j'étais jeune ne rêvaient le plus souvent que d'en partir, fortune faite. Rares ceux qui ne l'abandonnaient pas après un long séjour, pour jouir en France de revenus et d'un prestige acquis pour plusieurs générations. Seuls les créoles voyaient une patrie en Saint-Domingue. Pour la plupart d'entre nous, cette terre n'était qu'un passage. Un monde abandonné, séparé de la métropole – son véritable cœur – par un océan hostile : elle leur apparaissait telle quand le courage leur manquait, ou que s'emparait d'eux le mal de France. Nous souffrions d'isolement dans notre Nouveau Monde. Impatients de rentrer chez eux, où demeuraient souvent leurs familles, et de rallier leur province d'origine, mes compatriotes ne songeaient pour la plupart qu'au moment de leur retour. Ils regrettaient un ciel clément, un climat moins torride, la succession des saisons ; ils prétendaient que le labeur y était moins rude. Ils accablaient de reproches le présent, dont je jouissais au contraire, avec une ferveur qui me semble résumer tout entière la jeune femme insouciante que j'étais alors. L'avenir me paraissait loin, la France plus encore. Je ne souhaitais rien d'autre que de vivre ici.

Les religieuses qui m'ont élevée ne m'auraient sans doute pas reconnue. L'île m'avait transformée. Ma personnalité, si longtemps contrainte, échappait à un carcan. Elle se débridait. J'osais exiger le bonheur – un bonheur jugé en mon temps suspect et déjà coupable et qui avait, pour les sœurs, l'odeur du péché. Je prétendais y accéder. Animée du désir, parfaitement impie, d'atteindre un Eden terrestre, j'employai mon imagination et mes forces à l'accomplir. L'île ne m'incitait pas seulement à vouloir être heureuse ; elle m'y aidait, en exaltant mes sens et en m'inspirant le premier de ses charmes : contenue dans l'air même que je respirais, la volupté décidait pour moi de tous mes faits et gestes. Evaporés avec mes premières fièvres, les sévères principes que l'on m'avait inculqués au couvent n'avaient pas résisté au climat, victimes des parfums et des saveurs de Saint-Domingue, des nuits chaudes et des rêves de la sieste ; il ne m'en restait qu'une lointaine gêne, l'amorce d'un sentiment coupable. Je m'épanouissais à la faveur des tropiques. Ma peau et mes cheveux, jusqu'au bout des ongles, tout mon corps se dotait des qualités de l'île : j'embellissais. Je sentais son parfum. Je revêtais sa sensualité. J'adoptais sa légèreté, je cédais à la tentation de ses ivresses. Les mœurs de l'île n'étaient pas moins contagieuses que la nature. Au cœur d'un monde consacré au labeur, rude et hostile, où les fièvres tuaient chaque jour, où les hommes s'épuisaient à la tâche, le plaisir était le plus solide antidote. Pour oublier l'exil et les épreuves, rien n'agissait comme l'amour. Aussi chacun s'y adonnait-il sans réserve. Dans notre province éloignée, tout entière livrée à elle-même, les instincts se déchaînaient. Autour de moi, l'on vivait en communion avec une atmosphère aux excitants effluves. Nous ne nous appartenions pas tout à fait. Il y avait, à Saint-Domingue, dans le ciel, dans l'air, dans les nuits, dans les jours, une force.

Je peine à l'expliquer. Je crains que, pour qui ne l'a pas éprouvée et, n'ayant jamais été confronté à des charmes réels, ne peut croire aux îles enchantées, elle ne soit difficile à saisir. Cette force, je la connais pour en avoir été habitée, pénétrée tout entière. Mystérieuse, pourtant indubitable, elle se transmettait des quatre éléments aux êtres vivants. Elle tenait, comme je l'ai dit, au ciel et aux astres, à la terre et aux plantes, aux embruns que souffle la mer, au feu du soleil et des épices, aux nuits dont la musique d'Afrique semblait le cœur battant. Mais elle était bien plus que cela. Imperceptible, un esprit qui rôde. Etrangère à vous, soudain elle s'emparait de votre être, elle devenait vous. Ne croyez pas que je délire, je décris seulement ce qui, de fait, m'arriva : l'âme de Saint-Domingue, j'en ressens encore aujourd'hui sur moi la puissante influence.

Elle était faite de tous les mânes des morts, passés avant nous dans sa sphère, depuis les premiers Indiens. Elle englobait la mort. Une peur imprécise, poignante, venait s'entremêler à nos vies, si clairement maîtrisées en apparence, sourdre de nos pas, de nos gestes. Quoi que nous fassions, nous sentions au milieu de nous une menace. Certains en voyaient l'origine dans les dangers du climat, qui se révélait souvent mortel. D'autres, dans notre situation précaire, dans le déséquilibre de la population – nous étions un poignée de Blancs, parmi la foule des esclaves. Mais les plus perspicaces y décelaient la trace de cette présence presque palpable de l'inconnu. L'île irradiait le mystère.

Entendez-moi bien : la peur dont je vous parle n'avait pas d'objet précis. Elle emplissait l'atmosphère. Mêlée à l'instant, elle y apportait sa part d'ombres. Elle obscurcissait aussi l'avenir. Nous ne pressentions nullement le bouleversement historique qui allait bientôt survenir. Non, la Révolution ne hantait pas nos consciences. Tout juste craignions-nous les rébellions d'esclaves. Isolées, limitées à une ou deux habitations, elles explosaient parfois, pour nous rappeler que nous habitions un volcan, dont la colère n'était qu'assoupie. Elles avaient déjà enflammé d'autres îles, comme la Martinique, Cuba et la Jamaïque ; avant mon arrivée à Saint-Domingue, des esclaves avaient pris les armes. Selon Julien, ces révoltes que provoquait souvent la tyrannie de certains maîtres n'éclataient que pour ramener ces derniers à plus d'humanité. Nous n'en parlions guère aux veillées, préférant tenir à distance l'angoisse que suscitait aussitôt, dans nos imaginations à vif, la vision de champs brûlés, de cases saccagées, d'hommes et de femmes égorgés. Ce qui nourrissait plutôt les conversations de l'île, c'était le débat au sujet des gens de couleur. Politique et philosophique, il avait le mérite de ne pas susciter des cauchemars sanglants, et de ne pas alimenter la panique.

Les libres s'éveillaient à leurs droits. Tenus à l'écart de l'administration et des conseils de la colonie, ils constituaient la classe la plus nombreuse de l'île après les esclaves et n'exerçaient plus seulement des métiers d'artisans, la médecine ou le commerce. Certains avaient acquis des terres sur les collines et planté du café, ils possédaient du bétail, des esclaves, et assez de canne pour produire au moins leur propre rhum. D'autres, tel Amédée, dirigeaient les plantations des seigneurs repartis pour la France et, investis du rôle tenu autrefois par ceux que l'île appelait ses « marquis », ils occupaient la place des Grands Blancs, qui leur concédaient leur propre autorité. Maîtres sur leurs plantations, assurés depuis notre ancien Roi de jouir des mêmes droits, privilèges et immunités que les Blancs malgré leur sang mêlé, ils étaient cependant obligés pour les faire valoir de rappeler souvent cet édit de 1685 que nous nommions le Code Noir. Il n'était de fait guère appliqué.

L'administration de la colonie se fondait sur des usages et des préjugés. Elle regardait les libres comme gens de rien et, déployant des trésors de mauvais vouloir, elle dressait devant eux toutes sortes d'obstacles. Elle tâchait par exemple, faute de pouvoir les interdire comme en France, de décourager les mariages entre Blancs et métis ; elle exigeait aussi une autorisation spéciale, qu'elle refusait fréquemment, pour l'homme de couleur qui exprimait son désir de quitter Saint-Domingue et de s'en aller habiter la métropole. Elle s'efforçait d'enrayer le métissage de la population du royaume. Mais elle favorisait par là le mécontentement des libres, dont la colère grondait; l'hostilité des Blancs, leur refus obstiné de partager leurs droits allumaient les foyers du futur incendie. Seuls quelques esprits éclairés, minorité impuissante, proposaient dialogues, consultations et ouverture.

Promulgué pour asseoir l'autorité du Roi sur ses colonies et pour défendre avant tout l'intégrité des personnes de race blanche, le Code Noir définissait aussi les devoirs des planteurs envers leurs esclaves. Il stipulait qu'ils devaient leur assurer la nourriture, un logis et des vêtements décents, un jour de repos par semaine – règles que tous ne suivaient pas. Il dressait la liste des châtiments autorisés, parmi lesquels le marquage au fer rouge pour les esclaves qui tentaient de fuir l'habitation, le jarret coupé pour les récidivistes, la mort à la troisième tentative. Il condamnait ce droit de vie et de mort sur l'Africain, considéré en mon temps comme un privilège des maîtres : profitant de l'éloignement et du secret de leurs domaines pour outrepasser la loi, des seigneurs barbares en usaient.

Vous étonnez-vous de ma science politique ? Jugez-vous digne d'un magistrat ma connaissance des lois, ou de leur détournement ? Nous vivions alors dans un état précaire qui devait faire appel aux codes et aux principes, à la tradition, aux us et coutumes, pour se justifier lui-même et tenir debout, dans les absurdités et les contradictions. Julien ne cessait de citer le Code Noir. Il tint à me l'enseigner. Je l'ai entendu plus de cent fois en débattre avec des amis, des voisins, son propre intendant ou le gouverneur. C'était chez lui une obsession de respecter et, dans la mesure du possible, de faire respecter ce qui y était écrit.

Parmi les trésors de l'île, je ne distinguais pas la menace. Ou, comme je vous le disais, cette menace faisait si bien partie du décor qu'elle s'y diluait, s'y fondait comme du miel. J'aurais été incapable de l'en détacher pour en définir la nature. La peur, je voudrais vous la peindre telle que je l'ai connue, partie intégrante du paysage de mon Saint-Domingue. Et je ne peux le faire qu'avec maladresse, son subtil dosage m'échappe, bien que je ressente encore de toutes mes fibres, malgré mon âge, la présence de cet ingrédient dans le bonheur passé. Ecrite dans la poussière et le vent, tapie dans la lumière du jour, elle attendait que le soleil se couche. Or, comme vous le savez peut-être, la nuit tombe brutalement aux tropiques. Dans l'obscurité soudaine, elle prenait tout à coup forme humaine. Je veux dire que la peur avait une présence, et presque une chair. On la sentait, on la devinait là, tout près, comme la femme noire mystérieuse, trophée empaillé de notre ami naturaliste : à la fois légende et vérité. Il me semblait qu'à certains moments où les étoiles donnaient à la nuit une clarté blanche, j'aurais pu la frôler. Me croirez-vous si je vous dis que notre peur avait une silhouette, une odeur, et qu'elle dansait dans nos rêves, soutenue par les tambours, dont j'aimais tellement la musique ? En célébrant le culte d'une déesse inconnue, les radas jouaient avec elle, comme avec nos nerfs à vif. Un nouvel édit, peu de temps avant mon arrivée, avait interdit après neuf heures les assemblées nocturnes, les *calendas*. Mais nullement les rythmes des tambours, qui en donnaient le signal et, se répondant d'une case à l'autre, venaient hanter nos sommeils. Voilà pourquoi après mon départ de l'île, privée de ce rite et ne pouvant retrouver la qualité de ces nuits si étrangement habitées, je devins insomniaque. Nulle paix depuis n'a pu combler mes nuits, vides, désespérantes, où les tam-tams n'appellent plus que des souvenirs enfuis, des rêves désabusés.

Il faut que vous le sachiez. Que vous en soyez convaincu, avant de suivre mon récit, si vous tournez cette page. Compagne inséparable de nos existences de colons, la peur, dont j'aurais alors été bien en peine de formuler la source et les raisons, la peur, dont nul d'entre nous n'eût pu se défaire, ne nous empêchait nullement de vivre. Elle apportait sa couleur nocturne au paysage exubérant de Saint-Domingue, elle soulignait d'un peu d'amertume le goût de l'air sucré que nous respirions.

Je n'appris point si le papillon portait sur ses ailes des taches noires qui dessinaient une tête de mort, car cet insecte fabuleux ne fut que le prétexte à une première excursion amoureuse. Derrière le Fonds des Nègres, audelà du Petit et du Grand Goâve, la savane reprend son empire sur les cultures, et des collines sauvages s'échelonnent jusqu'à la crête de la montagne de la Hotte, domaine des perroquets et des esclaves en fuite. Hormis quelques caféières, conquises sur la forêt tropicale, et qui n'entamaient guère sa superficie, le paysage y paraissait inviolé par la main de l'homme ; l'odeur de nos chaudières, si entêtant dans la plaine, ne montait pas jusque-là. Aussi m'est-il presque impossible de rendre le parfum des fleurs et des herbes, de la terre même, qui était ici beaucoup plus fort et plus subtil qu'ailleurs, et évoquait pour moi celui des premiers matins du monde. Les oiseaux et les animaux, en nombre excentrique, si peu craintifs qu'on pouvait s'approcher d'eux et les contempler à loisir, ne s'enfuyaient pas aussitôt comme dans la plaine, apeurés par l'exercice de la chasse. Louis Desmarets connaissait si bien les espèces qu'il les appelait en imitant leurs cris et ne risquait jamais aucun geste susceptible de les effrayer. Il mettait tant de prudence et de flair dans l'approche, que les bêtes ne se méfiaient pas. Aussi se laissaient-elles prendre avec une incroyable facilité. Desmarets ne rentrait jamais sans rapporter quelque victime, qui finirait séchée, épinglée et passée au camphre dans une de ses armoires, parmi ses trophées. Je le suivais en essayant de calquer mon pas sur le sien et ma respiration sur ses silences ou ses appels soudains. Nous étions partis à l'aube et avions chevauché une partie de la matinée pour pouvoir déjeuner à l'ombre d'un bois et nous désaltérer à des sources. Tandis qu'Arès s'occupait des montures et du repas, nous avons poursuivi l'expédition à pied, selon son plan ; Louis ne me montra ni les perdrix, ni les canards, ni les cocot-zins ; ce jour-là il ne s'intéressait qu'aux créatures ailées, qui peuplaient le tapis de feuilles et de mousse, moelleux et odorant, où chacun de nos pas imprégnait sensuellement une trace.

« Le papillon ne vit qu'un seul jour, je saisis l'instant », murmura Louis, en saisissant entre deux doigts un spécimen aux teintes d'or et de sang. Les ailes prisonnières vibraient encore. La tête noire, dressée, semblait protester contre la violence qui lui était faite. Je posai ma main sur celle de Louis qui relâcha son étreinte et, libérant le papillon, se tourna vers moi. Il m'enlaça. Tandis qu'il m'embrassait, je ne pouvais détacher mon esprit de la vision du papillon pris au piège. Les mains de Louis parcouraient mon corps avec la même précision, la même douce vigueur qu'elles tenaient tout à l'heure l'insecte aux couleurs de feu. Le lit d'herbes où nous étions couchés dégageait un parfum acide et excitait ma peau. J'éprouvais des sensations inconnues, l'ébauche du plaisir défendu.

Elevée selon les préceptes de ma religion dans la crainte du péché de la chair, je me découvris dans les bras de Louis aussi peu de principes, sinon autant de dispositions, qu'une fille de joie. Je recherchais des sensations. J'en trouvais dans le danger où nous étions d'être un jour découverts, et aussi dans le secret. Un secret qui me donnait l'illusion de vivre plus intensément, moins docile, moins servile. Il y avait un début de liberté dans ces étreintes. J'entrevoyais un univers, jusqu'alors inconnu, dont les horizons m'attiraient. Les oiseaux, les arbres, les ruisseaux étaient les seuls témoins de nos amours, et nous prenions grand soin, en allant nous aimer au diable, de ne pas prêter aux ragots, dont notre province est friande. Louis ni moi-même n'aurions souhaité que la rumeur s'emparât de notre histoire. Pourquoi risquer nos vies, pour ce qui n'était, pour Louis comme pour moi, qu'un jeu? Pourtant c'était le risque même qui, je crois, me séduisait et me donnait le désir d'aimer, presque autant que l'attrait du plaisir.

De manière moins innocente, entrait cependant pour moi, dans ce jeu, une juste revanche. Mon mari ne donnait-il pas l'exemple d'un double amour ? Ne m'imposait-il pas sa maîtresse ? Ne pratiquait-il pas l'adultère, comme allant de soi, l'un des us et coutumes de notre île ? Sans gêne et sans aucun sentiment de commettre un crime. Ce qu'il s'autorisait, en plein jour, en pleine lumière, pourquoi ne l'aurais-je pas timidement essayé dans l'ombre, en toute discrétion ? Car je savais bien, et je sais toujours, que ce que la société permet à un homme, n'est pas une voie pour la femme, que nos destins divergent et qu'il est des privilèges dont nous ne jouissons pas. Mais le fait que mon mari puisse avoir, à deux pas de chez nous, une autre épouse et avec elle des enfants qu'il chérissait autant qu'elle, m'était tellement insupportable, me donnait tant de peine, que je trouvais une espèce de soulagement, comme un baume sur une blessure à vif, dans mon propre adultère. Il me semblait que Louis me consolait d'une injustice, que nos amours rétablissaient un équilibre.

Mon amant n'était-il pas issu de la classe dirigeante, et aussi blanc de peau que le souhaitaient nos lois ? Tandis que Julien mêlait son sang à une femme noire, j'étais, dans le crime, moins audacieuse que lui. Je ne violais pas le tabou. Il me semblait le violer d'autant moins que je n'aurais pas d'enfant de cette aventure amoureuse. N'en ayant pas de Julien, comment en aurais-je eu avec Louis ? Aussi ne prenions-nous aucune de ces précautions qui désarment si souvent le désir. Nous nous aimions aux jours que nous choisissions, et toujours au plus loin de la plaine, vers les mornes où peu de gens se risquent, et où je prétendais étudier la faune et la flore près de Louis Desmarets. L'île nous offrait ses ombres parfumées et son pollen aphrodisiaque. Pour Louis, je n'étais rien d'autre qu'une espèce femelle, dont l'anatomie lui plaisait et qu'il étudiait au plus près. Ce regard simplifiait beaucoup nos rapports. J'aimais sa patience, ses mains de botaniste, et son humour aussi quand il me disait qu'il finirait un jour par m'empailler. Le spectre de la femme noire, qui était le secret de son cabinet, faisait partie du charme qu'il exerçait sur moi. La vérité, je l'ai comprise plus tard : dans ses bras, fermant les yeux, j'imaginais une histoire. J'étais une autre femme et j'avais la peau noire. J'inventais ma métamorphose. Mon corps frêle, encore virginal, devenait plein et vigoureux; je me transformais en maîtresse puissante et moqueuse. J'étais africaine, je jouais à imiter Vénus. A ces moments qui menaient à l'extase, j'entraînais Julien dans mon rêve, je le voyais soudain témoin de la scène. Arraché à son indifférence conjugale, à son dédain de mari sûr de soi, enfin jaloux et prêt au meurtre, il regardait sa jeune épouse, transformée en bacchante et repeinte aux couleurs de l'ébène, aimer avec une ardeur qu'il ne lui connaissait pas.

Cette aventure qui dura moins d'une année eut sur moi un effet qu'Eros n'avait peut-être pas prévu. Elle fit de moi un amateur, sinon une experte, en botanique. Si je n'eusse jamais pu prétendre à rivaliser avec les « docteurs-feuilles », ainsi que les esclaves appellent drôlement, sans distinction de sexe, leurs sorciers, j'acquis cependant, grâce à mon guide, au cours de nos excursions amoureuses dans les mornes ou autour des étangs, près du Fonds des Nègres, une connaissance assez vaste et précise des plantes de Saint-Domingue. Louis Desmarets m'enseigna la nature, avec la même simplicité ou la même évidence que le plaisir. Comme il savait que je n'aimais pas voir périr des proies innocentes, devant moi il évitait de chasser. Quand nous étions ensemble, il se contentait d'observer les oiseaux et les petits mammifères, qui étaient pourtant un excellent gibier, et de me les signaler. Je préférais la flore, et me découvris près de lui, sous son influence, une curiosité insatiable, pareille à un appétit, pour le peuple innombrable des plantes et des herbes, en particulier les plus discrètes, qui se blottissent sous nos pas et que nous écrasons sans vergogne, ignorants que nous sommes de leur présence et de leurs pouvoirs. Le lit d'amour n'eut bientôt plus de secrets pour moi. Je veux dire que je sus reconnaître le trèfle du sisymbre, les labiacées, crucifératcées, urticacées parmi lesquelles les redoutables orties, blanches, jaunes ou rouges, ou autres solanacées, branche à laquelle appartient la célèbre mandragore dont la réputation n'est plus à faire et que je préfère appeler, comme Louis, la « main-de-gloire ». Je cite au hasard ces noms qui m'apportent, dans ma retraite, une vision ravissante, car il me semble sentir sous la main, en l'évoquant, le frisson de ces tapis d'herbes de mon île. Le sol était doux ou piquant, refuge, parfois supplice, mais chaque fois accueillant et propice aux caresses. Comment l'aurais-je dédaigné ? Nous étions, après nos étreintes, tout à son étude, amoureusement plongés dans le spectacle de ces trésors en apparence infimes, qui détiennent des sortilèges dans leurs petites tiges, leurs têtes pointues, dentelées, rondes ou cruciformes, et leurs cheveux au vent. Je connaissais quelques espèces. Louis m'en révéla de plus rares, il me dit leurs vertus et leurs propriétés. La science de mon ami étant aussi étendue dans ce domaine que dans celui des serpents, oiseaux ou mammifères, je fis, je le crois, des progrès rapides sous sa férule. Il était le moins autoritaire, le plus joueur des maîtres. Et c'est pourquoi j'aimais, j'herborisais avec le même enthousiasme.

A la maison, j'appliquais les leçons. Pour l'amour, il est probable que Julien nota le changement, sinon le progrès. Si les exercices ne me comblaient pas, ils commençaient de m'inspirer. Il n'en dit rien. Sa déception de ne pas me voir porter d'enfant et ses fréquents séjours au Port au Prince, près d'une maîtresse dont l'attrait agissait toujours, l'empêchaient d'être avec moi, comme il aurait pu l'être, un véritable époux. L'était-il davantage pour elle, la question me torturait. Physiquement, moralement, je le trouvais distrait. Toutes sortes de soucis l'assaillaient, aussi, lorsqu'il était à Nayrac, expédiait-il les affaires courantes et passait-il beaucoup de temps dans son cabinet avec ses livres. Il réfléchissait au sort de la colonie, à laquelle il prédisait un avenir bien sombre : il prétendait que les injustices et les crimes de l'homme blanc appelaient un châtiment. Le péril viendrait assurément selon lui du camp des libres, dont l'ébullition menaçait. Des idées funestes, dont il me faisait part, comme on cherche à se délivrer d'une vision oppressante, l'obsédaient. Elles le rendaient taciturne. Les gazettes de France et la littérature nouvelle avaient-elles fait leur œuvre ? Je crois que Julien, en prenant conscience de la voie où ses idées le conduisaient, souffrit alors de ses propres contradictions. Entre sa philosophie des Lumières et son statut de Grand Blanc, propriétaire d'esclaves, il ne trouvait plus de conciliation. Il exerçait une autorité de maître et en même temps, réfléchissant à des sociétés égalitaires, il la remettait en question. Planteur « éclairé », colon fortuné, doté de privilèges, il jouissait de sa situation mais en éprouvait de la honte ; je l'entendis souvent me dire que nous vivions à Saint-Domingue à contresens de l'Histoire. A cette époque ces paroles prémonitoires me laissaient de marbre, je les prenais pour les généralités d'un esprit spéculatif. Leur intelligence, leur finesse m'échappaient. Je n'étais sensible qu'à la tristesse qui en émanait et à l'air de défaite qu'exprimait à ces moments-là le visage de mon mari. Je ne comprenais pas qu'il pressentait l'avenir. Aux veillées qui nous réunissaient, il me confiait son désarroi. « Nous perdrons un jour nos privilèges, l'Histoire les fauchera », disait-il. Je me souviens de cette image : l'Histoire brandissant une faux. Mais je ne pouvais l'aider : nous suivions chacun nos propres pas. Lui tentait de saisir le sens de nos vies et projetait son regard inquiet vers des lendemains incertains. Je voulais jouir du présent. Au lieu d'accepter son destin tel qu'il lui était donné, ou tel qu'il l'avait conquis, il se torturait à la perspective d'un avenir sombre. Je l'écoutais avec attention, sans parvenir à m'accorder à lui – ses visions demeuraient pour moi figures abstraites. Comment, adorant l'instant, aurais-je pu partager sa passion pour les voyages dans le temps ? J'essayais en vain de partager ses préoccupations et demeurais le plus souvent silencieuse pendant ses monologues dans la bibliothèque, en m'efforçant de le suivre dans son monde futur. J'aimais cette sensibilité de mon mari sous l'écorce rude, sa tristesse sous le masque serein. Et me revient sa voix, pleine de gravité, dans la fumée âcre du tabac qu'il fumait, au parfum de savane.

Ses préoccupations philosophiques le détournaient de nous tous qui avions la peau blanche. Elles le rapprochaient de Vénus, du monde noir, de celui des métis, dont il souffrait d'être malgré lui le tyran, le maître. Je lui rappelais souvent qu'il avait pris pour modèle un grand seigneur ariégeois, fier de sa naissance, et peu enclin à partager ses privilèges. Je m'étonnais qu'il ne fût pas plus fidèle à sa première ambition de conquête, à ses projets de réussite et de domination. Je n'étais pas consciente alors du poids de ses origines protestantes, qui laissent germer en l'homme le sentiment profond d'une faute et ne l'en délivrent jamais, lui interdisant cette légèreté d'être sans laquelle toute existence est un fardeau. Surtout, j'étais moi-même imbue de ma propre classe, sûre d'être née pour ce que j'avais à vivre : une part de bonheur. Aveugle à tout le reste, je croyais être au centre d'un univers si solide qu'il durerait toujours. Même s'il m'arrivait d'observer des écueils sur la route, je ne m'inquiétais pas outre mesure. Ma jeunesse m'invitait à l'optimisme. J'aurais voulu que se taise cette voix de Cassandre qui prétendait gâcher mon insouciant bien-être, en annonçant le malheur. J'en voulais à Julien de ne pas partager les meilleurs instants, et de me laisser les vivre ailleurs.

L'herboristerie me rendit attentive à la saveur des choses. J'avais jusque-là été plus sensible à un paysage, à ses couleurs, à ses parfums, à ses mouvements, qu'aux mille ingrédients qui le composent et ont chacun un goût, aussi puissant qu'une odeur. A la maison, je m'exerçais à repérer dans les recettes compliquées d'Aurore, dans ses sauces, ses rôtis, ses gâteaux, les herbes et les épices qui en constituaient le bouquet final, tissaient de fils mystérieux les délices que nous avions en bouche. Commencée sur le sol des bois-debout et des savanes, mon étude se poursuivait comme en laboratoire, lorsque la cuisinière apportait ses plats. C'étaient de succulentes énigmes, où les plus fines herbes se combinaient à la cardamome, au poivre rose ou à la cannelle pour finir par brouiller toutes les pistes, en jouant de doses infinitésimales, de pointes d'oignon ou d'ail, hachés menu, réduits en poudre. Elles témoignaient d'une pratique ancillaire, héritée d'âge en âge, qui remontait peut-être à la nuit des temps. Née dans une tribu des régions intérieures du Dahomey, Aurore avait eu une mère et avant elle une grand-mère en Afrique, qui lui avaient légué leurs secrets. La connaissance des herbes et des plantes, et les recettes pour en jouer font le don des sorcières.

Je fus lente à progresser dans ce domaine. Le sens du goût me faisait-il défaut ? Ou bien est-ce celui que l'on éduque le moins, quand on a eu comme moi cet ennuyeux privilège de ne pas devoir préparer les aliments, de les avoir vus depuis l'enfance arriver sur la table comme s'ils étaient passés directement du jardin aux couverts en argent ? Aurore ne m'encourageait pas dans mon apprentissage. Elle tâchait par tous les moyens de m'en éloigner. Ainsi haussait-elle les épaules lorsque je l'interrogeais et se réfugiait-elle derrière des silences hostiles lorsqu'il me semblait déceler quelques ingrédients parmi tous ceux qu'elle utilisait. Ses recettes n'appartenaicnt qu'à elle. Il était clair qu'elle n'avait nullement l'intention de les divulguer, encore moins celle de les partager. Elle méprisait mes tentatives pour parvenir à les décrypter, et se moquait ostensiblement de mes bévues. Quant à Julien, il s'étonnait avec indulgence de ma curiosité : à quoi cette science me servirait-elle ? Mais il fit venir pour moi de notre continent un livre sur les herbes sauvages qui est aujourd'hui perdu avec le reste, et qui fut pour moi une bible – *De l'étude et de l'usage des simples*, par le révérend Pierre Palleau, missionnaire aux deux Indes.

Je ne peux expliquer maintenant mon intérêt, obstiné, inlassable, pareil quelque temps à une manie, que par un instinct de sauvegarde. Ces herbes folles, ces épices me semblaient détenir un secret capital, peut-être le secret de la vie. Elles m'attiraient comme si elles avaient quelque chose à me dire ; je brûlais d'approcher leur mystère. J'envoyai Thalie et Clio en espionnes, à la cuisine. Aurore qui, sous des prétextes divers, ne m'y laissait pas entrer, tolérait leur présence et utilisait leurs services pour des besognes subalternes. Je leur donnai des ordres pour qu'elles surveillent la vieille femme et me rapportent fidèlement ce qu'elle noyait dans ses sauces et dans ses bouillons. Mais elles revenaient bredouilles car Aurore leur tournait habilement le dos et ne se laissait pas surprendre. Ses gestes, me disaient-elles, pleines d'admiration, étaient rapides comme l'éclair, et ses doigts dissimulaient ce qu'ils tenaient, puis le faisaient disparaître avant qu'elles en aient seulement vu la couleur ou repéré l'odeur. Sur des étagères, si haut placées qu'il fallait monter sur un escabeau pour y avoir accès, s'alignaient toutes sortes de pots, boîtes ou bocaux, où Aurore rangeait ses trésors. Elle s'y servait elle-même et personne n'eût été assez fou pour y porter la main. Cadet me le confirma : Aurore était, parmi les esclaves, un docteur-feuilles réputé. Avec les herbes qu'elle ramassait et faisait sécher, celles-là mêmes qui fondaient son art culinaire, elle les soignait, soulageait leurs douleurs, et parfois les guérissait. Cadet avait pour elle un respect qui n'excluait pas la méfiance. Il savait qu'elle utilisait dans ses potions guérisseuses, divers venins, des extraits de biles, et du sang d'animaux, peut-être même du sang d'humains. On disait notre servante *mambo*, c'est-à-dire prêtresse, elle entretenait des liens sacrés avec les dieux africains. Comme tous les sorciers, elle avait le don de communiquer avec l'invisible, et la rumeur voulait qu'elle fût une jeteuse de sorts.

A Saint-Domingue, du temps que j'étais jeune, les gens étaient superstitieux. Les Noirs comme les Blancs croyaient aux gris-gris et aux formules magiques. Les pattes de lapin, trèfles à quatre feuilles, branches d'olivier, œufs ronds et autres gousses d'ail étaient fort prisés, chacun avait son fétiche, qu'il conservait précieusement et palpait en cachette, pour déjouer les malédictions et conjurer la peur. Mon mari avait ses livres, Arnaudeau sa Bible, Adrien Jouve ses plumes de paon blanches, Louis Desmarets sa prétendue négresse empaillée... Les Noirs craignaient leurs maîtres. Mais ils craignaient tout autant leurs dieux – le tonnerre et la foudre, l'eau, les grenouilles, les serpents, et mille autres choses naturelles où leur imagination fertile leur faisait voir, en chair et en os, une divinité. Ces divinités malicieuses et redoutables se manifestaient toujours pour le malheur des uns ou des autres, parfois de la communauté entière. C'était pour elles que les radas jouaient, et que les danses s'organisaient, la nuit, malgré les nombreux interdits, afin de tromper leur malveillance et d'apaiser leur cruauté. Les esclaves les invitaient à paraître, à se mêler à leurs fêtes ; ils se privaient, des jours durant, d'alcool et de nourriture, pour faire l'offrande d'un peu de lait, de pain, de sucre ou de tafia. La mambo intercédait pour eux, elle appelait les esprits, les suppliait, et était aussi censée les amadouer.

S'ils ne croyaient pas à ce panthéon animiste, les Blancs redoutaient le ciel et la nature. Eux aussi avaient peur. Peur du climat et des fièvres, peur des serpents et des scorpions, peur des insurrections d'esclaves qui s'étaient déjà, à plusieurs reprises, déclenchées sur l'île, tant sur la partie espagnole que française, et chez nos voisins de la mer Caraïbe. Les Blancs craignaient les Noirs et vivaient, même en paix, sous la menace quotidienne de leurs deux armes, pareillement efficaces : le poison et le sortilège. Lorsque j'arrivai, les planteurs venaient tout juste de se débarrasser du plus terrible d'entre leurs esclaves, dénommé Macandal, qui avait semé la terreur sur Saint-Domingue en ordonnant à ses semblables, qu'il tenait sous sa coupe, d'empoisonner les gens des Grands-Cases, de décimer leurs ateliers, d'exterminer leur bétail. Les colons mouraient par dizaines, empoisonnés par l'eau de leur puits, par un fruit ou par une soupe arséniés. Seule sa mort put faire cesser ces crimes, mais depuis cette époque – 1757, année du supplice de Macandal, restait dans toutes les mémoires –, les planteurs étaient sur leurs gardes. Julien lui-même, pourtant plein de foi dans la nature humaine, ne permettait à aucun esclave de franchir la porte de la cuisine, construite comme je vous l'ai expliqué à quelques pas de notre case pour éviter que le feu ne se propage, et s'il avait pris Aurore pour cuisinière, c'était moins, je crois, pour satisfaire son penchant pour la bonne chère, que parce qu'il était sûr de sa main. Et il est vrai qu'Aurore, pour une raison que j'ignore, lui vouait une fidélité sans bornes et le servait comme une mère. Elle se serait plutôt sacrifiée que de permettre qu'on l'empoisonnât. Aucun autre esclave n'aurait osé pénétrer dans l'antre de notre cuisinière, sa réputation de sorcière et son aura de mambo nous protégeaient mieux qu'un garde avec un fusil. Car, combien de fois ai-je entendu raconter les tours pendables d'un Arada, d'un Congo, d'un Ibo, capables de se faufiler dans une case malgré les précautions du maître, et de l'assassiner ? Il y avait tant de haines dans notre île, tant de folie meurtrière !

Quant aux sortilèges, arme des plus redoutables et des plus employées, on dit que leur force résiste au temps et même à la barrière des océans. Un homme vigoureux et sain, que nulle bête venimeuse n'avait attaqué et qui ne souffrait la veille d'aucune blessure, pouvait se réveiller un jour, la jambe enflée, purulente, et grelottant de fièvre. Son état pouvait demeurer stationnaire, des semaines, parfois des mois, sans que les médecins puissent le soigner ni alléger sa souffrance. Une main invisible et toute-puissante le maintenait entre vie et trépas. S'il parvenait à trouver l'origine de cette attaque soudaine et, en cédant à sa volonté, à se concilier le jeteur de sorts, alors le mal disparaissait comme il était venu. L'homme retrouvait un beau matin la santé, sans aucune trace de l'horrible plaie, et il pouvait se lever, marcher, courir, comme si la maladie n'avait été qu'un cauchemar. Sinon, la mort venait mettre un terme à son agonie.

Voilà pourquoi les amulettes, comme les formules magiques, proliféraient dans mon île. Pour moi, je n'avais pas conscience des dangers ni des pièges que je vous expose ici ; ils remplissaient d'effroi mes compagnons lorsque nous les évoquions le soir, comme les histoires de loups qu'on racontait en Vendée dans mon enfance. Dans l'inquiétude générale, imprécise, qui flottait autour de nous, je me sentais à tort invulnérable. Je le pense sincèrement aujourd'hui : la joie de vivre est un antidote aux poisons amers.

Alors que je vais mourir, je vois ma vie se dérouler sur la scène d'un théâtre, avec la lucidité d'une actrice invitée à se regarder elle-même dans le douloureux reflet d'un très ancien rôle. Je comprends mieux maintenant, à la lumière de l'expérience et du malheur, les raisons de mes choix et ce qui commandait mes actes, quand je vivais alors en toute candeur. Je n'étais qu'impulsion, rage de vivre, et pourtant, des désirs inassouvis, des rancunes inavouables, une maternité impossible m'empêchaient d'être une femme heureuse. Lorsque prit fin ma première liaison, qui ne fut jamais une histoire d'amour et se lassa d'elle-même, Louis Desmarets demeura mon ami. Notre ami. Je continuai de le fréquenter et de recevoir ses visites, avec une indifférence à peine feinte. Je n'eus pas plus de regrets à le voir reprendre son rôle complice et rassurant de bon voisin, d'homme de science un peu distrait, vaguement insociable et cependant agréable, de chasseur émérite, de célibataire obstiné – toutes ces images se confondaient dans son personnage –, que je n'avais eu de remords à me donner à lui. Mais je retrouvai avec ennui ma solitude, et la monotonie des jours se mit à peser sur mes épaules.

Arès rôdait autour de la maison. Comme je ne sortais plus à cheval, désœuvré, il montait la garde. Je voyais sa silhouette maigre se dessiner au soleil, quand il s'approchait de la Grand-Case, risquant un regard, roulant des yeux inquiets. Son amitié silencieuse, sa sollicitude me réconfortaient. Je ne sais ce qui me donnait cette certitude : j'avais en lui un allié. Ce que nous n'exprimions pas était clair entre nous : je pouvais compter sur lui pour me défendre. Autant que lui sur moi. Un jour, alors que je somnolais à l'heure de la sieste, étendue sous la moustiquaire, je l'aperçus, dehors à quelques pas. Il demeura plusieurs minutes, sans quitter du regard la fenêtre de ma chambre, immobile et attentif tel un chien à l'arrêt, avant de retourner à son travail à l'écurie. Il revint ainsi chaque jour sous ma fenêtre, presque à la même heure, comme si nous avions rendez-vous. Il ne faisait rien de mal ; il accomplissait un rituel. Sa présence, que j'interprétais comme un témoignage de sympathie et de fidélité, ne me gênait pas. Elle me rassurait au contraire. Je m'endormais paisible, quelques heures, Arès veillait sur moi. Pourtant le manège ne put durer. Aurore, qui l'avait surpris, y mit fin d'une manière inopinée, avec une violence qui reste vive dans ma mémoire. Je la vis se jeter à proprement parler sur Arès. La scène eut lieu en plein soleil, à cette heure où l'habitation, accablée de chaleur, prête à s'embraser tout entière, ne connaissait pas une ombre. Elle se déroula dans le silence de la sieste, silence presque total, dans le grésillement continu des insectes, que brisait seulement, de loin en loin, un cri d'enfant ou d'animal. La vieille servante, qu'Arès ni moi-même n'avions entendue venir, surgit avec la vigueur d'une apparition. Elle avait les traits tirés par la colère, et son visage aux contours flous, d'ordinaire impassible, s'était acéré en lame de couteau. Elle saisit Arès par la manche de sa veste et se mit à lui parler à l'oreille – sans doute pensait-elle que je dormais et ne voulait-elle pas que je me réveille. Se tenant face à ma chambre, elle ressemblait à une Gorgone. J'évitais de croiser son regard. Sa bouche me fascinait : tordue, maculée de bave, elle devait cracher du venin. Aucun son ne me parvenait, bien qu'un flot ininterrompu et tumultueux semblât sortir de ses lèvres. Ce qu'elle proférait avec fureur, en réussissant ce prodige de ne pas se faire entendre, ne pouvait être qu'injure, abominable outrage. Elle menaça Arès du couteau de cuisine qu'elle tenait dans une main ; l'autre le maintenait prisonnier avec une force étonnante chez une vieille femme. Incapable du moindre mouvement, de la moindre parole, Arès ne réagissait pas. Sans défense, cloué sur place, il paraissait non pas épouvanté, ce que j'eus jugé naturel, mais absorbé par le discours, et littéralement vidé de lui-même. Ses bons yeux avaient une expression aussi vide que ceux d'un poisson mort. Si brève fût-elle, la scène me parut durer une éternité. Puis, Aurore relâcha sa proie, son visage retrouva son masque de soumission et le grand corps d'Arès, parcouru d'un frisson, émergea de l'inertie. Il se frotta les yeux, la bouche et le crâne, comme s'il se réveillait. Les deux personnages, prenant deux directions opposées, disparurent en même temps de ma vue, comme si tout cela n'avait été qu'un rêve parmi ceux qui, aux tropiques, à la faveur de la chaleur et de la digestion, viennent hanter les siestes. Arès ne s'approcha plus de la Grand-Case où seules Thalie et Clio parmi les esclaves avaient le droit d'entrer.

A quelques jours de l'intervention d'Aurore pour éloigner Arès, tandis que Julien était au Port au Prince, Amédée se présenta à Nayrac. J'en fus étonnée : n'étant pas du cercle de nos intimes, comme Arnaudeau ou Desmarets, il n'était jamais venu chez nous sans que mon mari l'en eût prié. Je lui fis servir une collation qu'il dévora de grand appétit, sous l'œil impavide d'Aurore, qui me parut bizarrement tolérer l'intrus. A Saint-Domingue, les mulâtres occupent une place particulière dans notre société. Tenus pour moins que rien par la plupart des Blancs, qui voient en eux la bâtardise du sang, ils ne sont pas plus considérés par les Noirs, qui les considèrent comme des transfuges. Victimes, quoique pour des raisons différentes, d'une commune vindicte, les plus méritants d'entre eux forment aux yeux des uns et des autres une classe de parvenus. De quelque côté qu'ils se tournent, ils ne trouvent en général que réprobation ou mépris. Je n'en étais que plus surprise d'observer Aurore, si facilement portée aux sentiments extrêmes, servir avec douceur Amédée, et lui offrir avec le café quelques-uns de ces fruits confits dont je ne trouvai jamais d'équivalent par la suite ; ils illustraient le talent de magicienne de notre cuisinière : des morceaux de mangues, d'ananas, de goyaves, enrobés de sucre roux et parfumés d'écorces de citron vert, chefs-d'œuvre de gourmandise. Amédée les dégusta en connaisseur. Ses doigts chargés de bagues les choisissaient délicatement dans la coupe de bois, puis les portaient à sa bouche où ses dents, d'une blancheur parfaite, entamaient leur chair tendre avant de les engouffrer, de les mastiquer et de les laisser fondre, avec une application, et même une concentration de néophyte à son baptême. Le sucre laissait des traces autour de ses lèvres rouges ; il suçait ses doigts pour ne rien perdre de ce dessert dont Aurore ne daignait cependant combler que les invités de marque.

Tandis qu'Amédée sacrifiait à ces délices, je le regardais, j'admirais son profil au nez droit, son teint où la lumière faisait jouer des reflets de bronze, ses mains larges et solides, capables de gestes délicats. Quand il fut rassasié, il recouvrit la coupe de la serviette qui l'accompagnait, pour éviter que les insectes ne s'y agglutinent ; je remarquai une nouvelle fois la grâce et la sensualité de ses mouvements. Nous nous mîmes à bavarder. Sa voix me donnait envie de danser. Il se mit à me raconter des histoires, tandis que les feux de cardasse projetaient autour de nous deux, plongés dans la nuit noire, plus d'ombres que de clarté. C'étaient des histoires de l'île, avec leurs fantômes familiers, les esclaves marrons, les planteurs cruels, les négrittes affairées, les sorciers, leurs ouailles, et tout le peuple des oiseaux, des serpents, des mammifères jusqu'aux plus minuscules insectes, qui, doué de pensées, de paroles et d'émotions humaines, tirait presque toujours la morale des fables. Elles suivaient un cours mélodieux et même nonchalant; Amédée modulait leurs péripéties comme il savourait les confiseries tout à l'heure, de ses lèvres gourmandes. Mais leur chute était chaque fois cruelle et il l'amenait avec un plaisir cynique qui faisait briller ses yeux. Comme je regrette de ne pas les avoir notées, ces fables de Saint-Domingue ! J'aurais pu les rapporter avec moi en France et les transcrire, pour qu'elles puissent enchanter un jour, par-delà les siècles, les amateurs de rêveries. Trop absorbée par la vie, je ne songeais pas à retenir ce qui faisait le charme des heures, et les belles histoires d'Amédée, comme beaucoup d'autres trésors, se sont perdues dans la tourmente. Y a-t-il encore là-bas des gens qui se souviennent de ces contes, en partie improvisés, où les légendes venues d'Afrique se mêlaient à une peinture des mœurs de l'île au temps des rois de France ? Il n'en reste aujourd'hui que des bribes dans mon esprit défaillant.

Comme je les aimais alors, dites avec cette voix de gorge et cet accent que seuls possèdent les créoles, si semblable à un roucoulement ! J'étais un public envoûté, tandis qu'Amédée parlait et racontait, appuyant de grands gestes, tel un comédien sur scène, les récits qu'il inventait au fur et à mesure, et interprétait pour moi. Nous passâmes ainsi toute une nuit, à nous enivrer de fables et nous nous quittâmes au lever du jour, engourdis, titubants, comme après une fête. Lorsque je regagnai ma chambre, le cœur plein d'images, je me souviens que j'esquissai, me croyant seule, quelques pas de danse. Je m'arrêtai aussitôt. Dans l'ombre, se confondant avec elle, j'aperçus Aurore, assise sur ses talons, aussi immobile qu'une momie. A ma vue, elle se déplia, se redressa et m'adressa pour la première fois depuis mon arrivée à Nayrac, un sourire dont je me souviens encore, et qui me terrifia. De toutes ses dents, qui étaient aussi saines et aussi pointues que celles d'un enfant, mais dont la blancheur paraissait obscène dans la bouche d'une si vieille femme, elle me souriait méchamment. Je ne sais comment vous dire l'effet de cette confrontation.

Aurore devait s'être dissimulée là depuis le début de la soirée, pour écouter les histoires d'Amédée. Elles lui étaient sans doute familières. Car le monde de ces fables appartenait à Aurore autant qu'à mon visiteur. La nature tout entière, oiseaux, serpents ou mammifères, y célébrait sous un ciel d'Amérique, des légendes d'Afrique. Les planteurs et leurs femmes de race blanche y figuraient en contrepoint, ne jouant dans les récits qu'un rôle de faire-valoir. Je compris soudain, à regarder Aurore, fière et terrible, que je ne serais jamais qu'une intruse. Elle me rappelait ses droits. Même si je croyais habiter mon île et ma maison, ce sentiment de propriété légitime nourrissait une illusion. Noires étaient les légendes de l'île. Noires comme Aurore et comme une part du sang d'Amédée. Si notre servante respectait mon hôte, en dépit de son métissage, c'était sans nul doute pour ce talent qu'elle devait déjà connaître, dont la rumeur lui avait fait part : elle respectait le troubadour. Les esclaves adoraient entendre des contes. Ils honoraient ceux d'entre eux capables de colporter leurs plus anciennes légendes, et de les adapter en rythmes ou en discours au nouvel enfer de leurs vies. Aurore avait eu ce soir sa part d'Afrique, et sa part de magie. Son sourire m'excluait de la communion noire. Je ne serais jamais sur l'île qu'une visiteuse de passage, une étrangère blanche. Ironique, arrogant, le sourire d'Aurore était un sourire de haine. Il se figea dans ma mémoire comme une promesse de malheur.

Amédée revint. Il revint aussi souvent que partait Julien, averti par un messager qui aurait couru de Nayrac à Pierrefonds donner l'alerte des départs soudains, des absences répétées de mon époux. Quand mon visiteur se présentait, de son allure nonchalante, dans des habits de soie, des chemises de dentelle, tel un courtisan à Versailles, tout enveloppé d'un parfum de musc et de fleurs, je ne m'étonnais plus. Les radas avaient-ils transmis un signal ? Aurore, ces soirs-là, déposait par avance, dans le salon, un plateau avec deux tasses, du café et quelques-uns de ces fruits confits par lesquels elle honorait mon hôte. Elle y joignait aussi du lait de coco, qui est le breuvage le plus désaltérant que je connaisse et qu'elle préparait en y mêlant des graines – j'en ignore le but et la provenance –, qui formaient au fond de la carafe un tapis de perles noires, évoquant la chair des caïmites. Elle disparaissait au moment où Amédée entrait. Qui l'avait prévenue ? Je ne sais si elle nous laissait seuls ou si, tapie dans un recoin, elle nous en donnait seulement l'illusion.

Mais je ne la retrouvai jamais devant moi avec son affreux sourire de malédiction.

Les nuits s'enchaînaient aux nuits, reliées les unes aux autres, entre de longues plages de solitude et de silence, par le charme de la voix d'Amédée. J'attendais avec impatience ces moments où, dans une obscurité à peine entrecoupée de quelques feux extérieurs, à la lueur tremblante des bougies, il m'entraînait dans le monde étrange et familier des premiers jours de l'île, des premiers temps de la conquête. J'y reconnaissais la splendeur des papillons et des oiseaux, le luxe tropical des plantes et des fleurs, les visions soudaines de la mer, couleur de turquoise, entre les trouées de verdure ou les rochers rouges, les chevaux espagnols et les bonheurs incomparables des siestes, les jupons écarlates des négresses, les pieds nus et l'accent chantant des gens. Mais aussi la rudesse du climat, qui souffle le feu à certaines périodes sous un ciel haut et sec, et semble au contraire, à d'autres moments, sous un voile d'eau, suffoquer de moiteur. J'y reconnaissais plus d'un trait authentique de son histoire, comme la cruauté des châtiments par lesquels nous autres Blancs punissions nos esclaves : chaînes, fouet, cachot, mutilation, marques au fer rouge, jusqu'à la mort. J'y reconnaissais des maîtres arrogants ou accablés de dettes, des intendants, des régisseurs, aux mœurs dissolues, aux punitions injustes. J'y reconnaissais enfin de ces femmes blanches, importées de France comme une marchandise précieuse, qui se laissaient mourir d'ennui ou de tristesse, dans la grande maison aux fenêtres ouvertes, par où s'envolaient leurs rêves. Amédée trouvait des mots pour me toucher. Il savait les images qui avaient sur moi le plus de pouvoirs. Il en jouait avec art et, bien que je comprisse les allusions, les symboles, et eusse plus d'une fois conscience d'y voir le reflet d'un proche ou de moi-même, il savait aussi ne pas me blesser, afin de me donner le désir de le suivre toujours plus loin vers les rives les plus sauvages.

Etait-ce ma compagnie qui attirait Amédée à Nayrac – on le disait coureur, grand séducteur, et on lui prêtait des maîtresses aux quatre coins de la plaine. Voulait-il enrichir son butin, m'ajouter à l'interminable liste de ses conquêtes ? En ce cas, il faisait preuve d'une patience infinie car je connaissais déjà le fond de son répertoire qu'il n'avait encore tenté aucune approche amoureuse. Sa voix seule, son regard me caressaient. Près de ce don Juan, mes soirées étaient chastes. Dans quel but alors me racontait-il ces légendes, comme mon père autrefois ses voyages de marins au long cours ? Etait-ce parce que j'aimais les écouter, et qu'il lisait dans mes yeux la passion qu'elles suscitaient ? Julien ne pouvait ignorer ces visites qui, si la rumeur s'en emparait, compromettraient ma réputation, porteraient atteinte à l'honneur de son nom. Si je ne lui en avais parlé de moi-même, il est probable qu'Aurore l'avait averti, en gardienne zélée de notre foyer. Il les tolérait, comptant sans doute sur la vieille servante pour épier nos veillées, et l'avertir si elles débordaient tout à coup le cadre des belles histoires. J'avais l'impression de vivre une cour d'amour et comme je voulais, un jour, raconter une fable à mon mari, pour m'en amuser avec lui, il m'arrêta.

« Superstition... Archaïsme... » me dit-il sans colère, mais avec un évident mépris. Il me pria, quoique brièvement, de ne rien croire de ces balivernes, et du moins, puisque je trouvais du plaisir à les entendre conter, de ne pas les lui rapporter. « La religion primitive honore la mémoire des premiers temps du monde mais s'est laissé corrompre par un ensemble de rancunes, de procédés amers. Tout est vrai et rien n'est vrai dans ces fables que je vous supplie de garder pour vous. Elles sont viciées par tout un siècle d'esclavage. Elles n'ont rien d'autre à livrer que de la haine. Amédée les cultive par dérision. Parce qu'il n'est ni d'un camp ni de l'autre, et qu'il est pourtant de l'un et de l'autre à la fois. Il se nourrit de la mémoire et de la rancune, autant de l'amour que de la haine. Et vous êtes vous-même, pour lui, amie et ennemie. Un être qu'il envie, qu'il admire, mais qui l'exaspère et qu'il rêve de tourmenter. Méfiez-vous : ces fables sont moins anodines qu'il n'y paraît. Comme le venin de certaines fleurs, d'autant plus virulent qu'elles sont plus belles, elles contiennent un poison mortel. »

Soulagé d'avoir pu exposer son point de vue et se délivrer d'un message qu'il tenait pour un avis précieux, il changea de sujet. C'était là sa conception de la tolérance : s'il désapprouvait ces rencontres, s'il condamnait ces fables, il me laissait libre de choisir de les poursuivre, ou d'y mettre fin. Il ne me donnait rien de plus qu'un conseil. A moi d'en tirer les conclusions nécessaires. Il semblait déjà connaître la tradition des contes de Saint-Domingue. Aurait-il pu assister, et par quelle faveur spéciale, aux calendas dont il me parla soudain, avec une passion qui démentait ses précédents propos. Autour des feux, la nuit, leurs prêtres réunissent les esclaves pour célébrer les âmes des vivants et des morts ; ils chantent, ils dansent, ils veulent libérer le peuple noir de ses souffrances. Les musiciens frappent en cadence les peaux de chèvres des tambours. Lorsqu'ils entrent en transe, hommes ou femmes communiquent avec les dieux. Amédée a le don, me dit-il. Ce don que seuls les Noirs possèdent, il l'avait hérité de sa mère, l'une des plus célèbres mambos de l'île : Fatousi. D'une grande beauté, cette Arada, née au royaume de Juda, avait le corps tatoué de signes blancs et bleus qui, lorsqu'elle était nue, habillaient sa peau noire d'une parure de dentelle. Ces signes la distinguaient, les autres esclaves la vénéraient. Elle dansait comme il n'avait jamais vu personne le faire. Avec une grâce et une fièvre, que seules possèdent les déesses de l'amour ou des quatre éléments, dans les fois primitives. Elle menait les calendas. « Les tambours l'enflammaient, son corps svelte, sculpté de longs muscles, s'animait, et elle dansait, elle dansait, jusqu'à la perte totale de la conscience, jusqu'à la folie... » La voix de Julien tremblait, le souvenir de cette femme en transe l'arrachait à un monde où dominaient l'ordre, la réflexion, la volonté. Il avait assisté une seule fois, en se dissimulant derrière des arbres, à l'une de ces assemblées que le Roi avait interdites, mais que les esclaves continuaient de célébrer, au péril de leurs vies. Fatousi lui était apparue sublime : « Aussi jeune, aussi parfaite et lisse, malgré son âge, qu'une vierge ». Julien, il ne s'en cacha pas, subit l'attrait de son corps nu. Elle avait célébré un culte inconnu, et guidé les assistants vers une ivresse collective, avec une telle flamme, qu'à la distance pourtant respectueuse où il se trouvait, il en avait ressenti un commencement de brûlure – effet fugitif, néanmoins extraordinaire, dont il attribuait la cause à la chaleur de tous ces corps convulsifs et trépignants. La mère d'Amédée était une légende. Quant à son fils, né de sa liaison avec Pierrefonds, son maître, il avait la beauté de sa mère ; on disait ausi qu'il en avait reçu les pouvoirs. En mourant, d'une mort cruelle et contre nature, Fatousi avait prononcé son nom. Sa force se communiquait désormais, à quelques occasions mystérieuses, au corps de son fils ; son âme venait habiter son âme.

Lorsque Pierrefonds trépassa, et qu'on le crut empoisonné, Amédée était encore enfant. Selon Julien, le vieux planteur avait succombé à une embolie, à table, en prenant son dîner. Mais le tribunal du Port au Prince, à la demande du régisseur de l'habitation, et sous la pression de colons apeurés, vindicatifs, préféra conclure à un crime. L'empoisonnement était la hantise des Blancs ; ils ne voulaient pas permettre à la rumeur de se répandre, que l'un d'eux avait pu être empoisonné sans que le criminel soit puni. Leur intention fut de donner à la population noire un avertissement. Bien avant Macandal, redoutable chef d'une bande de rebelles empoisonneurs, Fatousi, coupable seulement d'avoir été trop belle et trop aimée parmi les siens, fut une victime expiatoire. Son fils n'assista pas au supplice, lorsqu'elle fut brûlée vive. « Sans doute auraient-ils volontiers éliminé Amédée, poursuivit Julien. Mais le vieux Pierrefonds laissait un testament, et le Roi, jusqu'aux oreilles duquel toute l'affaire parvint, fit respecter sa volonté. Il protégea ce bâtard qui ne porte pas le nom de Pierrefonds, mais la première partie de son nom, et se prénomme Amédée comme son propre père. Il l'a fait éduquer. La famille légitime – les Pierrefonds de France – a, depuis, trouvé en lui le meilleur des intendants. Amédée Pierre est intelligent. Parmi les créoles, malgré la paresse qui est une des tares les plus courues de l'île, c'est un homme courageux et opiniâtre. »

Julien conclut la conversation sur ce compliment et me laissa rêveuse, partagée entre l'horreur que m'inspirait son aventure, et la fascination. Il voulait me mettre en garde contre les superstitions de l'île mais, pour cela, me racontait une histoire digne des plus fabuleux récits que j'avais entendus auparavant et capable de l'émouvoir lui-même. Réelle, et non point inventée ou enjolivée comme tant d'autres, ce qui lui donnait d'autant plus d'emprise sur l'imagination. La vérité égalait la fiction, et l'emportait sur elle, si l'on prêtait foi aux mystères et à la réincarnation. Je ne revis plus jamais Amédée sans songer à l'esprit de sa mère, à cette Fatousi inspirée des dieux, qui sans doute lui soufflait son énergie depuis un au-delà plus sombre encore, plus inquiétant que notre monde, avec ses fantômes vivants. Julien eût-il voulu m'encourager à m'intéresser à cet univers, si différent du nôtre, où la clarté, la raison, ce qu'en un mot on appelle l'esprit français, dominent, qu'il ne s'y fût pas pris autrement. Ses explications aiguisèrent ma curiosité. Je prêtai par la suite une oreille plus attentive, plus émue encore, aux beaux discours d'Amédée. Comment renoncer aux fables, quand elles ont commencé leur œuvre ?

J'oubliai cependant la leçon de mon mari, ne retenant que le ton de souffrance qu'elle contenait aussi. « Superstition, archaïsme... », je balayai de ma mémoire la sévérité de la condamnation pour ne retenir que le récit édifiant de la vie de ces deux êtres. En y repensant aujourd'hui, il me semble que Julien avait la pénible certitude que je poursuivrais ma route comme si elle était tracée d'avance, pour rejoindre un monde qu'il condamnait. Même s'il pouvait émouvoir ses sens, il le trouvait pour sa part, en homme de raison, « férocement obscur ».

Convaincu de l'existence d'un ordre supérieur de l'intelligence, qui finirait par apporter au monde sa clarté, Julien voulait écarter de sa logique, de tous ses raisonnements, la part sombre des êtres, celle des passions et de la nuit. Il percevait sans doute comme moi les ondes qui émanaient d'Amédée, ondes sensibles à tous et dont il faudra bien que je parle, malgré la difficulté que j'ai de les exprimer, mais il ne leur accordait pas plus d'intérêt qu'à un détail vestimentaire, ou à un trait physique particulier. Comment dire ? C'était un feu qui entourait le fils de Fatousi, mais un feu tour à tour brûlant et glacé, engendrant – aussi bizarre que cela paraisse – à la fois chaleur et froid. La chaleur qui était dans les gestes sensuels et la voix langoureuse, dans le regard de braise, se perdait en un instant et virait à la glace, à une intonation soudaine et dissonante, à un nuage gris qui passait dans ses yeux, à une raideur subite du mouvement, moments fugitifs, presque insaisissables, mais qui créaient autour de lui, une atmosphère d'instabilité. Celle-ci était la source de sa séduction. Quoi de plus agréable, de plus palpitant que de passer sans cesse et en quelques secondes, de la glace au soleil ? Comme ces abysses où tourbillonnent des courants contraires, Amédée était imprévisible. Sa nature, si calme et voluptueuse à la surface, s'apparentait aux profondeurs sous-marines, elle me paraissait et me paraît encore radicalement étrangère au commun des mortels. Je ressentais physiquement, sans l'élucider, la différence de cet être que je tente avec maladresse d'exprimer ici, tant était subtile et puissante son attraction sur moi. Qu'étais-je vraiment pour lui ? Qu'espérait-il ?

Il n'y a rien de plus dangereux que les rêves. Les miens tenaient une grande place dans ma vie. Ils venaient tout à coup de trouver, par une grâce du hasard ou de la chance, une occasion de s'enflammer. Les contes nourrissaient mes chimères. Ils m'entraînaient au-delà de mes désirs naïfs, au-delà des sphères de ma pauvre imagination, au-delà de moi-même et des miens, dans un royaume inconnu, sans limites et sans garde-fous, qui me semblait aussi vaste que l'univers, aussi profond que la mer. Je ne trouve pas de métaphores plus justes : les fables m'ouvraient des portes sur un horizon sans fin. Point de belles avenues, de constructions solides, de perspectives harmonieuses telles que nous les aimons en France, sous une lumière qui en dessine aimablement les contours, mais un paysage indécis et tourmenté, étirant des plages, des champs, des forêts à l'infini, dans un crépuscule du soir où un soleil orange, prêt à s'engloutir, jouait à se confondre avec les reflets naissants de la lune. Il faisait sombre, presque toujours nuit dans ces fables où les corps noirs se distinguaient à peine, unis jusqu'à s'y confondre à la terre et à l'air. La voix d'Amédée, cette voix de magicien capable de créer un monde, d'en donner l'illusion parfaite et merveilleuse, y mettait des parfums et de la musique, et me guidait ainsi, réussissant ce prodige de me faire entendre, humer et même savourer les reliefs d'un univers qui n'existait qu'en songe. Bientôt je me familiarisais avec ses habitants, qui comptaient plus d'animaux et de créatures fabuleuses que d'humains. Mais les animaux y ressemblaient aux hommes. Doués d'une figure, d'une intelligence et de la parole, ils possédaient une personnalité ; leur histoire était à s'y méprendre celle de chacun ou de chacune d'entre nous, tandis que les humains, à quelques exceptions près, formaient une foule compacte et misérable. Lorsqu'ils s'avançaient sur le devant de la scène, quel que fût leur rôle dans la société de notre colonie, qu'ils fussent tout-puissants ou au dernier échelon de l'échelle du tiers état, ils étaient des jouets entre les mains des dieux. Les vrais héros, les héroïnes, c'étaient Damballah le Serpent, Agoué l'Anguille, Marinette la Chouette, ou le redoutable Taureau Trois-Graines, qu'Amédée célébrait par une chanson en créole – Je suis Taureau, je beugle, Celui qui me demande Tu lui diras Je suis criminel Toute ma famille est criminelle En haut en haut en haut Dis leur que je suis criminel.

A côté des animaux, figuraient en bonne place parmi les dieux de ce monde noir, les orages et l'éclair, le vent et les arbres, les sources, les forêts, les semences. Il y avait, je m'en souviens, Legba à tous les carrefours, Simbi à tous les points d'eau, Sogbo et Badê dans les tempêtes, et Loco aux rendez-vous des docteurs-feuilles. Car la nature, dans sa splendeur et ses colères, était la souveraine de ce royaume enchanté, et c'était une femme, belle et capricieuse, une femme à la peau noire et brillante, capable de toutes les séductions et de tous les maléfices, qui la gouvernait. Amédée la nommait Ezili. Elle avait couché avec le panthéon des dieux, avec le Serpent et l'Arbre, avec le Vent et l'esprit des eaux, même avec le Têtard-Anguille. Sa vie était une suite de scandales, mais chacun l'adorait. Elle régnait tour à tour avec ses fards et ses parures, ou nue. Sa beauté, ses sortilèges faisaient céder même les dieux de la foudre, le poison et la ruse. Ezili était la plus rouée des dieux cruels et pervers, auprès desquels les humains envoyaient des messagers, dans le vain espoir de les apaiser. Ils menaient le monde à sa perte.

Dans ces fables, les dieux allaient en haillons. A l'exception d'Ezili, vêtue comme une de ces riches mulâtresses du Cap Français dont on me rapportait les exploits amoureux, ils avaient des chapeaux de paille et des bâtons de pèlerins ; comme les esclaves ils travaillaient aux champs, au moulin ou à la forge, et les plus puissants d'entre eux ne se déplaçaient pas sans leurs instruments de travail, faux, houes, marteaux, écumoires à sucre. Il y avait parmi eux un baron à tête de mort, particulièrement arrogant, dont le chapeau en plumes de paon s'accordait mal avec la pauvre chemise de l'esclave... Je me souviens de ces personnages, ils vivent dans ma mémoire, et il m'arrive encore de rêver d'eux, de leurs silhouettes dansantes, qui jetaient des éclats de soufre dans la nuit de Saint-Domingue.

Au fil des soirées, nos rôles changèrent. Je pris à mon tour la parole. Amédée m'y encourageait. Tandis que l'on m'avait enseigné la soumission et l'obéissance, l'effacement, le sourire des anges, la caresse du regard d'Amédée m'invitait à la franchise et à la fantaisie. A ne pas craindre le jugement ou l'ironie. A oser être enfin moi-même. Le troubadour, devenu confident, m'écoutait avec une inépuisable patience. Le même charisme qui modulait la voix habitait ses yeux. La force dont j'ai parlé, cette force que l'on ressentait physiquement, émanait de sa présence. Mes propos les plus banals, mes secrets les plus communs, il les entendait avec la pieuse concentration d'un confesseur. Mais d'un confesseur qui se contentait d'enregistrer les aveux, et qui ne sanctionnait pas. Il écoutait en silence. Et ce silence, il me semble aujourd'hui le revivre, était à proprement parler rayonnant. Il dégageait une lumière.

La voix d'un homme m'avait jusqu'alors paru sans appel, pour énoncer son verdict ou ses lois. Même Julien, avec son esprit compliqué et nuancé, ses déchirements et sa philosophie, s'adressait à moi comme à une petite fille. Etait-ce notre différence d'âge ? Nous n'avions pas de complicité. Je ne me serais jamais permis de le contredire, même en privé. Je n'aurais pas su lui avouer le fond de ma pensée. Longtemps, je n'eus d'ailleurs d'autre pensée que celles que mon père puis mon mari édictaient. Amédée m'insuffla son énergie et débrida mon cœur. Tandis que je m'étais toujours tenue, par prudence ou par timidité, à des phrases courtes, à des réponses laconiques, et gardais pour moi, au plus secret, mes rêves et mes idées, je m'élançais. Je crois même que je m'envolais. Je ne contais rien d'inouï, mais mon enfance, le mariage, Vénus, les courses dans la campagne, les lits d'herbes et d'amour... Toutes ces choses banales, dont je reprends le cours aujourd'hui, m'apparaissaient soudain comme une histoire. Avaient-elles un sens ? Où me menaient-elles ? Etais-je moi aussi un jouet entre les mains des dieux cruels ? Je me demandais obscurément si elles disparaîtraient un jour avec moi, sans laisser de trace, ou si elles resteraient dans l'air de Saint-Domingue, à l'état de nuage, parmi toutes celles qui en composaient le ciel nocturne, la légende et les fables.

Nos paroles couraient de l'un à l'autre. Tantôt la voix d'Amédée m'emportait vers le royaume inconnu, sa reine et ses esprits, ses feux, sa nuit, tantôt la mienne résonnait des nostalgies de mon enfance, rêves inachevés, désirs indécis. C'étaient des soirs bavards, envahis de mots et de cadences, parfois de chansons, qui se croisaient. Prise entre les plaisirs de la fable, où l'être se transforme et subit toutes sortes de mues, se multiplie et tâche de dépasser ses propres misères, à travers les miroirs des personnages et des dieux-animaux, entre ces plaisirs et les délices de parler de soi, les nuits s'écoulaient. Les longues trêves où Amédée ne venait pas au domaine, car Julien était alors l'hôte de Nayrac, à nouveau dans ma couche, ne soulignaient que mieux leur attrait sur moi. Le silence retombait sur la Grand-Case et sur mon cœur, privé de cette généreuse et envoûtante compréhension.

Je fis à Amédée des aveux que je n'avais jamais livrés à personne mais qui n'avaient d'importance qu'à mes yeux. Tandis qu'il ne me confia jamais rien de lui-même, dont l'enfance humiliée s'achevait sur le bûcher où mourut sa mère. Cet homme si chaleureux, si bavard, était d'une pudeur extrême. Jamais il ne me dit un mot de ses souffrances. Ma vie n'était qu'un misérable fétu de paille et il lui accordait une attention soutenue, comme si nous avions une étape à franchir ensemble, les yeux dans les yeux. Quelle était-elle cette étape ? Vers où menait-elle ? Les fables marquaient un commencement. Comment n'ai-je pas aussitôt compris qu'elles m'ouvraient la porte sur le monde des mystères, qu'elles me préparaient aux rites et aux cérémonies ? Car en échange des pauvres secrets de mon existence, Amédée m'initiait au grand secret de son peuple – qui n'était pas en Amérique du temps de Christophe Colomb et qui devait l'emporter un jour sur l'hégémonie de ses conquérants. Amédée appelait sa religion d'un mot – était-il bien français ? – aux sonorités hululantes, qu'il m'interdit de prononcer et que j'entendais à dire vrai pour la première fois.

Jean Camus posa le livre dont il tournait maintenant les feuillets avec délicatesse, dans la crainte d'effriter un autre vestige qu'on y aurait glissé. La bouche sèche, faisant claquer sa langue sur son palais, comme un Bédouin dans le désert, il s'extirpa du fauteuil profond où il s'installait toujours pour lire, et se versa un deuxième verre de Glenfiddish. Le geste le désaltérait déjà. Il aimait cette couleur d'or du vieux whisky, son goût de bois brûlé agissait sur lui comme une panacée. Retournant s'asseoir devant la cheminée où le feu de ceps s'alanguissait, il fit tourner dans son verre le liquide doré, propice aux miracles comme à la rêverie ; un docteur-feuilles écossais l'avait inventé pour le bienfait de l'humanité. « Ah ! le divin sorcier ! » murmura l'éditeur, en laissant filer ses pensées.

Il était un peu fatigué, un peu triste, plongé dans un état de morosité. La solitude ? L'âge ? Ou l'effet de ces souvenirs haïtiens, d'une mélancolie contagieuse ? S'il s'agissait du dernier cas, il ne plaidait pas en faveur d'une réédition. La lecture doit être tonique et bienfaisante, comme le Glen elle doit diffuser dans l'esprit, dans le corps, d'infimes et revigorantes parcelles de consolation et d'amitié. Tel était du moins le point de vue de Jean Camus. Aucun malheur, aucun remords, aucun spleen, aucun stress qu'il eût personnellement éprouvé n'avaient jamais résisté à l'action conjuguée d'un livre et d'un bon whisky. Les pensées lui venaient en vrac, dans une espèce de brouillard cérébral que le liquide d'or mettait un peu plus de temps que de coutume à éclaircir. Au-dessus de lui, sur le chambranle de pierre, hiératique et sévère, la Vierge noire le regardait de sa face lépreuse. Cette statue, Jean l'avait héritée, avec un certain nombre d'autres objets sans valeur, de l'ancien propriétaire qui ignorait son histoire, l'ayant toujours vue là, à cette place, « depuis des générations » lui avait-il simplement fait remarquer. Provenait-elle d'un monastère ou d'une église du Languedoc ? Ou avait-elle accompli un plus long voyage ? C'était, à n'en pas douter, par la pureté, la naïveté même du dessin, la ligne de la robe et ce qu'il restait des traits du visage, dans un profil intact, une Vierge romane. Nul besoin d'être un expert pour reconnaître en elle l'empreinte des premiers temps chrétiens. Sculptée dans de l'olivier, elle avait perdu les couleurs qui la décoraient autrefois comme toutes ses contemporaines et, sauf en quelques parties bleutées, son corps avait repris l'austère patine de l'arbre d'origine. Son visage et les ruines de ses mains, aussi noirs que charbon, n'étaient pas peints. Faits du même bois, taillés dans la même branche brune, le sculpteur avait dû les frotter d'un vernis spécial, à l'huile d'olive peut-être qui s'altère à la lumière, pour obtenir cette carnation, désormais indélébile ; elle avait modifié la teinte naturelle de l'olivier en ébène. La figurine, en position debout, ne portait pas d'enfant. Bien que ses mains fussent à demi détruites, on en percevait clairement le mouvement, elle les tendait devant elle, paumes tournées vers le ciel, dans un geste d'offrande.

L'Europe est riche en Vierges noires, songeait Jean Camus, d'Espagne jusqu'en Pologne. La plupart sont miraculeuses, et les pèlerins, en cette veille de millénaire, sont encore nombreux à croire à leurs pouvoirs. Lui-même avait accompli un pèlerinage à Montserrat, en Catalogne, pèlerinage touristique il est vrai, dépouillé de tout souci spirituel. Il avait assisté dans l'église au défilé de dizaines, peut-être de centaines de touristes, et constaté l'émotion, le recueillement de la plupart d'entre eux. Il fallait monter un escalier étroit jusqu'à la tribune où la Vierge était exposée dans un écrin de verre. Les gens se signaient devant elle ou posaient leurs lèvres sur la châsse. Il était passé, quant à lui, indifférent, notant surtout l'orgueil du visage et de la pose. La Vierge, assise avec une incomparable raideur, tenait son enfant devant elle, non comme une mère, car elle n'exprimait aucune tendresse, mais comme un objet précieux et rare, dont elle consentirait à se défaire pour le bonheur de ses lointains sujets. A la sortie, il avait acheté un livre, plutôt un prospectus, qu'un moine vendait pour quelques pesetas. Il l'avait lu en pensant à sa Vierge de Maguelonne, et il le gardait depuis lors à portée de sa main, bien en vue dans le désordre de ses archives. Il y était expliqué que les Vierges noires, dispersées partout dans le monde, faisaient l'objet d'un culte particulier. Toutes sculptées dans le même matériau, le bois, et à la même époque – entre XIe et XIIIe siècle –, ces Vierges en majesté, représentées assises, sur un siège à dossier court nommé cathèdre, n'expriment, semble-t-il, aucune compassion. Elles tiennent plus de l'idole pharaonique que de la

Vierge douceur ou secours. Pour chacune d'elles, précisait le guide, on raconte qu'elle a été ramenée d'Orient par un chevalier croisé. Mais elle est toujours adorée sur un lieu où les païens vénéraient jadis une divinité, à proximité d'arbres, de sources ou de puits qui avaient une signification précise chez les ancêtres préchrétiens du terroir. L'histoire de leur culte est inséparable des traces, parfois conjointes, d'une abbaye bénédictine, d'une communauté cistercienne, ou de maisons templières. Et l'on relève, dans chacun de leurs sanctuaires, des indices et des signes à caractère ésotérique. Le guide était formel : ce culte des Vierges noires ne souffrait pas d'exception. Ainsi Montserrat, abbaye bénédictine, construite au XIe siècle sur un pic montagneux, à l'endroit précis où naît une source, détenait-elle depuis des siècles, au cœur de ce qui était devenu un foyer théologique, l'une de ces sculptures au noir visage, aux pouvoirs miraculeux. En position debout et ne portant pas d'enfant, sa Vierge à lui, du moins celle qu'il hébergeait, était déjà coupable de deux entorses à la règle ou de deux sacrilèges envers la légende. Mais son maintien, tout aristocratique, son expression sévère, son geste d'offrande, enfin le bois d'où elle était née, et l'huile qui avait noirci son visage et ses mains, tout cela ne pouvait être mis en cause. C'était bien une Vierge noire en majesté, qui habitait son mas, demeure plébéienne et profane, et lui-même, lecteur de romans particulièrement impie, se plaisait à lui rendre hommage.

Ainsi donc, aucune d'elles n'était originaire du continent africain, songeait Jean Camus. La sienne, pas plus que les autres, n'avait en effet le profil ni les traits négroïdes et, si la couleur de la peau prêtait à confusion, les cheveux étaient lisses sous la couronne, comme ceux qu'une blonde aurait pu teindre en noir. Vestiges chrétiens d'une foi primitive, les Vierges noires rappellent un temps où les paysans adoraient la Terre, déesse-mère de toute vie. Le noir est la couleur de l'humus, celle aussi des profondeurs du monde, des énigmes et des mystères. Un même culte les rapproche d'Isis et de Déméter, de Cybèle ou de Cérès. Isis, mère d'Horus, présente souvent un visage d'ébène. Le guide citait des exemples fameux ; noire était la Grande Déesse adorée à Ephèse, au temple de Diane. Noire encore, Notre-Dame de Guadalupe, que les Espagnols rapportèrent du Mexique, lors de la Conquête. Continuant la croyance antique, les Vierges noires, sœurs ou petites-filles d'Isis, veillent sur la fécondité : les femmes stériles viennent les supplier au même titre que les paysans qui ont perdu leur récolte. Le moine de Montserrat, Jean Camus s'en souvenait, concluait son bref énoncé sur le thème de la lumière : la Vierge noire, qui a accès aux grands mystères, peut seule donner la vue aux aveugles, la vie aux enfants qui refusent de naître.

Jean Camus s'était attaché malgré lui à cette sculpture, car il ne pratiquait pour sa part aucune religion et se classait parmi les irréductibles mécréants dont le siècle est prodigue. Il aimait les vertus profanes de sa Vierge : sa simplicité et sa vigueur, sculptées dans la branche brute d'olivier, lui renvoyaient une image de la femme à laquelle il tenait et qu'il cherchait en vain, hélas, de maîtresse en maîtresse. Il aimait ce naturel austère et sans compromis que suggéraient sa forme et sa matière, la force sous l'apparente fragilité. La Vierge lui en imposait. Il la devinait souveraine ; malgré ses mains brûlées et son air de souffrance, elle se tenait debout, la tête droite et fière, elle ne se laissait pas abattre. Un vaillant petit soldat sans armure, ainsi Jean Camus voyait-il la femme idéale. Au-delà des attraits féminins habituels, auxquels il n'aurait pas pour autant renoncé, en regardant cette noble figure, il s'inventait une créature courageuse et sexy, à la fois orgueilleuse et câline, splendide et émouvante, avec laquelle il aurait volontiers partagé son mas et quelques jours, sinon quelques années. Mais le chef-d'œuvre n'était pas de ce monde. En admirant de loin, au-dessus des braises qui l'éclairaient de rouge, la Vierge anonyme, l'éditeur fantasmait sur l'éternel féminin en concevant, dans cet instant, le sentiment d'une grande solitude. Le lien entre la Vierge et l'héroïne du livre qu'il était en train de feuilleter, lui apparut dans l'éclat d'un instantané. Etait-il vraiment si seul, ce soir ?

Maguelonne, autour de sa cathédrale, était un lieu imprégné de christianisme. Le mas lui-même, avec son antique architecture, ses poutres noircies, son âtre, témoin d'une histoire ancienne, avait vu les hommes se battre au nom de leur dieu. En cherchant alentour, parmi les vignes, Jean Camus aurait sans doute trouvé des traces des luttes qui opposèrent longtemps, sur cette terre languedocienne, avant les querelles intestines des catholiques et des protestants, albigeois ou autres cathares, les chrétiens et les païens. Aujourd'hui, rendu à la matière, aux notions de profit, de rendement, de sport, de réussite – avec ses nouveaux dieux, ses déesses terribles –, le paysage avait perdu un peu de son âme. A Maguelonne, devenu un site touristique parmi d'autres, plus paisible et moins dévasté que certains, la spiritualité survivait pourtant, en clandestinité, comme une étincelle prête à allumer un feu. Il fallait vouloir ce Graal, et partir à sa recherche, à travers les pièges de la civilisation contemporaine. Etait-ce l'influence occulte de la Vierge noire, dans le vieux mas silencieux ? Jean Camus aspirait tout à coup à la clarté et à la connaissance. Sa vie, dont une bonne partie était désormais derrière lui, se dessinait en ombres. Il lui manquait un axe, un sens lumineux.

Laissant vagabonder ses pensées, il réfléchissait ; le christianisme s'était élaboré sur des rites anciens, la messe elle-même célébrait un mystère. L'officiant boit le sang et mange la chair du Christ. Comme dans les cérémonies antiques, un festin auquel prennent part les fidèles suit le sacrifice. La célébration se déroule devant des initiés, qui sont appelés à la table pour partager le pain et le vin. Pour Jean Camus, ce soir, l'évocation de la communion était en soi, par la seule image qu'elle faisait naître, particulièrement douloureuse. Elle soulignait sa solitude. Il refusa de penser « exclusion ». Les idées qui lui venaient à l'esprit l'assombrissaient. Il se sentait à nouveau glisser sur la pente des souvenirs amers, et il souffrait à l'avance de tout ce que sa mémoire allait extirper bientôt du fond de sa conscience, pour le lui présenter au jour, et le torturer de regrets, de remords et du sens de la faute – ce préjugé judéo-chrétien, si lourd à porter, si tenace qu'il est presque impossible de s'en défaire. Quand il n'était pas sur ses gardes, le péché rôdait autour de lui, il se sentait coupable. C'était un état général qui le prenait soudain, comme on s'éveille ou comme on s'endort malade, sans savoir pourquoi ni comment, mais en étant sûr de son malaise. Il luttait en permanence contre une culpabilité sans raison, sans objet, qui lui tombait dessus comme le virus de la grippe. Aussi, en reconnaissant les symptômes, tenta-t-il une diversion.

A la bibliothèque de Montpellier, il est probable qu'il trouverait demain quelques ouvrages de chercheurs du CNRS, toujours friands de sujets exotiques, sur les influences croisées du christianisme et de l'animisme, et l'interaction sémiologique de ces deux cultures au XVIIIe siècle, aux Antilles. Ce genre d'ouvrages le remettrait sur pied. Il avait déjà hâte de se documenter et de prendre ainsi quelque distance avec sa lecture, dont il soupçonnait les effets. Il n'ignorait pas que le Code Noir avait rendu obligatoires, par décret, sous l'Ancien Régime, le baptême des esclaves ainsi que le catéchisme. Mais les planteurs n'ayant pas vocation de missionnaires, les Africains, une fois convertis, ne recevaient qu'une formation superficielle. Aussi les croyances plus anciennes perduraient-elles sous l'écorce fragile de la religion qu'on inculquait de force. L'animisme africain ne disparut jamais des îles. A ce qu'on lui en avait expliqué en Haïti, il se souvenait qu'amalgamé au christianisme, il avait produit ce culte original, quoique officiellement interdit, qui continue de se pratiquer aujourd'hui dans la clandestinité, et auquel il avait tenté en vain d'assister au cours de ses deux voyages dans l'île : le vaudou. C'était sans doute le mot que la dame de Saint-Domingue s'interdisait de prononcer.

A y bien réfléchir, Jean Camus se sentait plus d'affinités avec le mari qu'avec la dame en question, si prompte à se prendre au piège des paroles doucereuses du mulâtre Amédée. Les convictions, à l'évidence maçonniques, de Julien Nayrac lui étaient sympathiques. Lui-même, sans être franc-maçon, était pareillement hostile à toutes les religions – opium des peuples – et il cultivait volontiers la libre pensée. Rien ne lui faisait plus horreur que l'abandon d'un individu à un Etre suprême, qui aurait toujours et partout pour lui le visage éternel du tyran, du despote ou du Tonton Macoute. Il s'était efforcé dans sa vie à la lucidité. Il avait combattu, de toute l'énergie dont il était capable, ses complexes judéo-chrétiens, hélas enracinés en lui, et il revendiquait en toute occasion, comme un élément d'hygiène de la personnalité, l'exercice de la volonté – cette condition de toute liberté humaine. Inutile de dire que le vaudou, dans cette perspective, avec sa magie noire, ses sacrifices sanglants, ses danses rituelles, ne lui inspirait que méfiance, sinon dégoût. Comme Julien Nayrac, Jean Camus cultivait la face claire des choses. L'obscur lui était, par essence, désagréable. Autant que faire se pouvait, il tâchait de chasser les ombres, quand elles venaient le tourmenter. Il ne leur vouait en tout cas aucun culte particulier. Sincère avec lui-même, il s'avouait que sa curiosité à l'égard du vaudou concernait d'abord non pas sa mystique ou son mystère, mais son rituel, réputé de par le monde pour son caractère sexuel. S'il avait éprouvé le désir d'assister en Haïti à l'une de ses séances nocturnes, tenues hautement secrètes, c'était pour le spectacle des orgies, de la débauche, des danses licencieuses dont elles étaient le théâtre – du moins à ce qu'on en disait. Il était rentré en France, déçu de ne pas en avoir vu. Déçu en somme comme un touriste qui a manqué une bonne occasion de se distraire. Il ne se doutait nullement qu'il aurait pu regarder tout cela – orgie, débauche et danses licencieuses – avec l'œil froid du Français cartésien, sûr de ses facultés critiques.

Le whisky l'incitait d'ordinaire à la sagesse : il affûtait ses sens et son esprit, et l'aidait en toute occasion à retrouver son sang-froid, tout en lui apportant un bien-être intérieur, une paix moelleuse. Jean Camus buvait sec, aux yeux d'un adepte de l'eau minérale, mais ne passait jamais la barre au-delà de laquelle la noyade est assurée. Toujours cette même peur, ancrée en lui : basculer dans l'inconscience. Whiskymane si l'on veut, il consommait l'alcool pour l'éveil, et accessoirement pour la paix de l'âme. Il aurait détesté plonger dans la nuit, y perdre le contrôle de soi. Il voulait rester maître de ses sensations, et autant que possible, de son destin. C'est du moins ce qu'il se disait pour calmer cette absurde angoisse qui persistait à lui serrer le plexus.

« Au diable ! » gronda-t-il en s'adressant à lui-même, et en songeant en vrac, sans intention précise, à ses souvenirs, à sa détresse, à sa volonté prétendument de fer.

Vaudou. Mettrait-il une note en bas de page ? Cela ne lui parut pas nécessaire. Qui, en effet, ne connaissait déjà le « culte répandu parmi les Noirs des Antilles » ? Vaudou. Depuis quand le mot existait-il ? Au XVIIIe siècle, s'il commençait à peine de se répandre dans les Antilles, il était encore dangereux, chargé de maléfices, par conséquent tabou. Camus suggérerait des synonymes. Pour lui, ce soir, le premier qui lui vint à l'esprit fut « liaison avec les ténèbres ». En cherchant d'autres, il trouva « début d'une descente aux enfers », mais cette formule lui parut nettement exagérée. Il lui préférait la première. Oui, liaison avec le noir, pour définir ce mélange d'animisme et de rites chrétiens. Car le noir, couleur de la terre-mère, couleur des origines, est aussi celle des mystères et des énigmes. Le vaudou ne peut qu'être noir. Noire, l'initiation qui y conduit.

Jean Camus voyageait dans un monde où ses pensées, quand elles ne cherchaient pas à résoudre une étymologie, se perdaient vers des horizons indistincts. C'était à croire que les pages du manuscrit contenaient des produits sulfureux, nocifs pour la santé mentale et propices à des rêves délétères. Son regard, afin d'échapper au vertige, s'accrocha aux murs. A sa gauche, l'un des deux tableaux naïfs qu'il avait rapportés de Port-au-Prince représentait une scène de vaudou. Il dégoulinait de sang, sur un fond d'obsidienne – le peintre n'avait pas lésiné sur les couleurs. Un cou de poulet, qu'une main invisible avait tranché, laissait couler dans une coupe, déjà à moitié pleine, un flot d'hémoglobine. Un couteau dont la lame acérée était maculée de frais, flottait au-dessus du vide, dans l'attente du prochain sacrifice. Le fond de la toile mettait particulièrement en valeur le rouge, auquel le peintre avait donné une tonalité triomphale et joyeuse. Par un jeu naïf de contrastes, une lumière blanche, pareille à celle d'un phare, soulignait l'acier de la lame et la rotondité de la coupe. Ce Graal contenait le sang de la victime consacrée. Le poulet avait un œil vif et courroucé, ce qui enlevait à l'œuvre son caractère dramatique et introduisait même un certain effet comique.

Un bref instant, il sembla à Jean Camus que ce poulet allait se fâcher, et sortir de la toile pour le prendre à témoin de la criante injustice dont il était victime. Sur le point de ricaner et, qui sait ?, d'engager un dialogue avec la volaille décapitée, il s'extirpa de la contemplation de la toile et se dit qu'il serait temps de revenir au présent. De parler à quelqu'un, d'entendre une voix humaine. Et de briser la solitude qui, ce soir, par exception, lui tournait la tête. Camus revint à la première page du manuscrit, où l'expéditeur avait inscrit ses coordonnées ; ayant trouvé ce qu'il cherchait, il s'empara de son téléphone et composa le numéro de la personne inconnue qui lui avait fait parvenir les *Mémoires écrits en France pour servir à l'histoire de Saint-Domingue.* Titre décidément pompeux !

« Allô ? Bonjour. Je suis l'éditeur... Oui... Maison d'Oc... Oui... C'est au sujet de... Oui... C'est cela même. Bien... j'attends. » Il eut à peine le temps de placer quelques mots. La voix de femme, au débit précipité, sans une once d'accent créole, qui lui avait répondu et ne semblait guère patiente tant elle mettait de hâte à le questionner, ne cessait de l'interrompre. Comme si son coup de fil l'avait jetée dans une vive émotion. Un long silence suivit – Camus, qui recherchait la compagnie, ce soir, n'avait pas de chance. Elle l'avait assuré qu'elle allait chercher son mari, et la maison devait être vaste comme un harem turc, pensa-t-il, pour que cette quête demande autant de temps. La jeune femme – si du moins l'on peut juger de l'âge d'après une voix – semblait bavarde et enjouée. Tandis que les minutes passaient, il s'amusa à imaginer son portrait et eut tout loisir de le faire car plusieurs sabliers se seraient sans doute écoulés, s'il en avait eu un sous les yeux, pendant son attente. Enfin un bruit de pas lointain lui parvint, puis un babil – celui sans doute de l'adorable interlocutrice. Mais ce fut à son tour de rester interdit et de se faire attendre quand, à l'autre bout du fil, il entendit résonner un timbre déjà familier.

C'était une voix d'homme, mais douce et caressante, comme celle d'une femme, avec des intonations chantantes, douée d'un vrai rythme musical. L'élocution était lente, chaque mot semblait peser son poids d'or. L'inconnu qui s'adressait à lui usait de prudence, sinon de méfiance, et paraissait tenir la parole pour un trésor. Lorsque Jean Camus téléphonait à un auteur, il était d'ordinaire accueilli avec plus d'enthousiasme. Ici, nulle émotion ne lui parvenait, mais il captait indubitablement un charme « de velours ». Lorsqu'il reprit ses esprits, Jean Camus rendit compte de sa lecture mais fut bref : il ne fit aucune promesse. Tout juste se contenta-t-il de prendre rendez-vous, sur les lieux mêmes où vivait la famille de son héroïne. Lorsqu'il raccrocha, encore secoué, il se laissa tomber dans son fauteuil et se reprocha, ce soir, d'avoir abusé de la lecture. Il en avait des hallucinations auditives ! Car c'était la première fois de sa vie qu'il reconnaissait une voix, après l'avoir LUE dans un livre. Aux premiers mots de son interlocuteur, il avait identifié le créole. Comme s'il avait déjà parlé avec lui, et suffisamment longtemps qui plus est, pour s'en souvenir.

Emu par l'expérience, l'éditeur passa la nuit dans son fauteuil refuge. Sans lire. A tenter de retrouver son calme intérieur. Il fixait le feu, et de temps en temps la Vierge noire, qui le regardait d'en haut boire au-delà de ses limites habituelles, au-delà de toute tempérance et maîtrise, jusqu'à l'oubli de soi.

C'est que, dans le passé de cet éditeur, devenu presque un notable de province, tout n'était pas que clarté. Dans un demi-sommeil où l'alcool et la rêverie avaient allumé des feux contradictoires, des morceaux de sa vie qu'il avait classés avec soin, enfouis dans sa conscience sous l'étiquette « Dangereux, ne pas toucher », émergeaient du secret pour l'assaillir tour à tour, dans un désordre apparent où, avec sa coutumière lucidité, il aurait cependant pu reconnaître la logique de l'affectivité. Le souvenir de sa mère, surtout, le tarabustait. Voilà des années qu'il ne voulait plus penser à elle, qu'il évitait même de se remémorer sa voix et son visage. Il avait rangé les photographies de sa famille dans un carton lors d'un de ses multiples déménagements, et ne l'avait jamais rouvert. Il n'y avait pas un seul cadre autour de lui. Pas un seul album dans ses bibliothèques. Il voulait vivre dans un décor sans icônes. A demi ravagée par le temps, la figure de la Vierge était une exception dans ce mas solidement ancré dans la vieille terre du Languedoc, que Jean Camus aimait purifié de toute autre attache. Il voulait se protéger contre les fantômes de sa jeunesse. Il les craignait au-delà de tout.

A les tenir à distance, il avait pensé que leur caractère s'émousserait, et qu'il pourrait un jour les affronter avec sérénité comme ces photos sépia, si belles mais devenues indifférentes, au regard d'un autre âge. Il reconnaissait de la lâcheté dans sa démarche. Une faiblesse le saisissait dès qu'il fallait parler de soi, penser à soi. Son exil volontaire était une défense. En tournant le dos aux siens, il avait essayé de prendre du recul. De ne pas juger trop tôt, trop vite. Il avait laissé au temps la charge d'effacer les rancunes, de cicatriser les blessures. Oublier son passé, l'oublier jusque dans celui des autres qu'il cultivait par coquetterie, dans cette maison d'édition imprégnée de racines, de traditions et de fidélités, c'était là sa gageure. La lecture de ce manuscrit lui prouvait que le passé d'autrui n'est pas un miroir sans tain. Il s'y projetait lui-même, franchissant la frontière dangereuse qu'il s'était imposée, par prudence ou par superstition. A cinquante ans passés, la mémoire lui revenait.

Cléa... Pourquoi soudain pensait-il à Cléa ? Ils avaient rompu depuis plus de cinq ans. Il avait refusé de lui faire un enfant. Non qu'elle fût la seule femme à lui avoir exprimé ce désir, si commun, si banal, de maternité, mais il avait bien failli pour elle renier ses grands principes. Oui, il aurait pu le lui faire. Il aimait assez Cléa pour que l'idée ne le rebute pas de se reproduire en elle, par elle, et il avait quelque temps caressé ce rêve d'un enfant. Peu importait le sexe, mais, pour lui, il aurait sans nul doute hérité des cheveux d'or de Cléa, et son parfum de peau blonde. Ce rêve qu'ils avaient effleuré, cette ébauche de rêve, avait changé la qualité de leurs étreintes, exaspéré leurs nuits, enrobant leurs caresses amoureuses d'une douceur surprenante. Mais la philosophie de Jean l'avait emporté. La peur de voir surgir dans sa vie un être qui serait à sa charge, tout entier sous sa responsabilité, et qui, cauchemar des cauchemars, porterait ses gènes, l'avait détourné de cet éphémère projet de paternité. Cléa, qu'il avait préférée parmi ses maîtresses, et près de laquelle il avait eu la tentation de demeurer, n'avait pu le convaincre. La peur avait été plus forte que son amour. Il s'était séparé de Cléa.

Toutes les femmes veulent avoir des enfants, songeait Camus, qui trouvait qu'elles en devenaient redoutables. Des nubiles aux quadragénaires divorcées, des éternelles petites filles aux personnalités les plus libérées, qui assumaient des métiers, de lourdes responsabilités, même les déjà-mères, toutes, elles voulaient toutes faire un enfant. « Même si tu ne m'épouses pas ! » disaient-elles, supplique où Camus décelait une entourloupette pour le posséder. Cléa, fort heureusement, ne l'avait pas prononcée. Sans malice, d'une exceptionnelle franchise, il l'estimait pour ces qualités-là presque autant que pour son corps de déesse blonde, généreux dans l'amour. « Tu ne crois pas en la vie », lui avait-elle dit au moment de leur séparation. La phrase de Cléa avait touché juste. S'il était sincère, Jean Camus devait le reconnaître : il croyait beaucoup plus au rêve.

Les livres étaient sa citadelle imprenable. Avant de s'établir comme éditeur, fondant ainsi sa profession sur sa première passion, il avait exercé toutes sortes de métiers. Il avait été chimiste en laboratoire, assistant pharmacien, représentant en médicaments, puis, larguant les amarres, et uniquement préoccupé de gagner sa vie sans pour autant se résigner à un emploi définitif, il avait vendu des lunettes, des foulards, des cravates, des shampoings colorants et des biscuits pour chiens. Voyageur de commerce, changeant de réseaux comme de produits, il avait roulé sa marchandise sur les routes de l'Europe, à seule fin d'assurer son indépendance financière et d'affirmer son choix du non-engagement. En fait de contrats, il prenait ce qu'il trouvait mais s'arrangeait invariablement pour bourlinguer. Il avait eu longtemps horreur de se fixer. D'où tenait-il cet extravagant besoin de voir du pays, de casser les liens aussitôt soudés, et de s'accorder chaque jour, chaque soir, des paysages et des visages neufs? Sans doute d'un esprit radical de contradiction, qui le poussait à ressembler le moins possible aux siens. Nomade il avait été, contre le modèle du père, le plus sédentaire des hommes. Figé dans des habitudes séculaires, Raymond Camus, qui exerça le même métier depuis l'âge de quinze ans, n'avait pu malgré ses efforts lui inculquer ni sa patience ni son application, vertus où son fils voyait alors des œillères et de l'entêtement. Jean, né sous le signe du Taureau, avait le poil noir, le cou large, les épaules solides et, comme ses congénères, un grand besoin d'amour. Il aurait dû, fidèle à son astre, choisir son bout de champ, et y planter pour la vie son museau et ses pattes. Mais c'était un costaud avec des faiblesses soudaines, une fragilité à fleur de peau. Qui n'avait pu s'affirmer qu'en s'opposant au modèle de virilité honni sous le toit duquel il vivait. Alors que le père, maigre et sec, le regard d'un bleu dur, sans transparence, aurait porté le monde sur son échine avec une force qu'on ne lui soupçonnait pas, il pesait à son fils, trop sensible, trop rêveur, qui cherchait autre chose et ne le comprenait pas. Du temps qu'ils cohabitaient, les deux hommes ne communiquaient pas. C'est peu dire qu'il n'y eut jamais entre eux de dialogue. La complicité manquait. D'un côté, la fibre paternelle semblait absente, de l'autre la tendresse filiale, à se heurter à une carapace, s'était émoussée. Jean se souvenait surtout de l'atmosphère de conflit latent où il avait grandi, comme si à chaque instant de leur vie en commun une crise avait pu exploser. Mais c'était le silence qui régnait sur le foyer. Un silence chargé d'électricité négative rendait l'harmonie impossible. Le père était de trop entre sa mère et lui, ou bien était-ce lui, entre eux deux, il avait préféré partir, optant pour la solution la plus simple : ne pas reproduire l'ancien enfer, se tenir à l'écart de toute vie familiale.

Jean se souvenait de leur départ d'Algérie comme de la première étape d'un long voyage ; il n'avait jamais enduré les affres de l'exil. La rupture avec le décor familier représentait pour lui-même un soulagement, l'espoir d'une ouverture, mais le changement de ciel, le changement de mœurs et de voisinage, tout ce qui l'avait séduit dès l'embarquement, avaient éprouvé rudement son père. L'homme cultivait en effet ses habitudes comme des rites. Accroissant sa nervosité, renforçant ses défenses, l'exil l'avait encore assombri. Tandis que pour Jean, la vraie vie commençait à la porte du foyer ; au premier pas dehors, même par mauvais temps, il lui semblait toujours que le soleil apparaissait.

Sans doute, tant que sa mère était vivante, avait-il gardé pour adresse et pour principal point de chute, dans sa vie itinérante, celle du boulevard Grosso, à Nice, où habitaient ses parents. Mais il n'y demeurait pas. Il se contentait d'y passer, d'y prendre des repas dominicaux, de loin en loin. A peine arrivé, sa mère aussitôt embrassée, il n'avait qu'une envie : lever l'ancre. Le nomadisme lui avait collé à la peau. Aujourd'hui encore, dans le calme apparemment trouvé, l'origine de ce ciel sombre de sa longue adolescence, atmosphère lourde et étouffante où il avait grandi, et à laquelle il avait voulu échapper, lui était mystérieuse.

Le goût des livres allait de pair avec son esprit fugueur. C'étaient ses premiers voyages et ses premières évasions. Ses parents ne lisaient pas. Mais quand lui lisait, ils respectaient sa lecture, ils ne venaient jamais le déranger. Ce sentiment d'une activité protégée lui plaisait toujours autant. Jean Camus associait la lecture au bien-être et à la paix. Les livres lui avaient ouvert les portes d'un monde plus riche, plus harmonieux que le sien. Grâce à eux, il avait noué les amitiés les plus solides de sa vie, que le temps s'était montré incapable d'user ou de démentir, comme avec Stendhal ou Paul-Jean Toulet. Il y comptait des consolateurs de premier plan – Sacha Guitry, Marcel Aymé –, dont la belle humeur est contagieuse et peut métamorphoser en comédie l'univers le plus morne, enfin quelques admirations éperdues parmi lesquelles Montaigne était au zénith. Il était redevable à l'auteur des *Essais* de sa philosophie de sceptique jouisseur, et trouvait qu'on n'était jamais allé aussi loin dans l'art de se concilier la vie.

Devenu représentant en librairie – dernier avatar de sa profession de nomade –, il en avait eu assez de cette vie chaotique. Le jour où il avait connu Maguelonne, il s'était soudain senti au port. Comme si sa course folle n'avait eu d'autre but que de le mener ici, à ce coin prédestiné. A la mort de sa mère, son père s'était remarié avec la jeune infirmière qui l'avait soignée peu avant la fin. Jean avait coupé les ponts. Il n'était plus jamais revenu boulevard Grosso. Mais il avait donné son adresse et recevait des vœux pour le Nouvel An, invariablement signés de l'écriture méticuleuse qui lui semblait enfermer la personnalité de son père, « Affectueusement, Papa », sans lui apporter d'autres nouvelles. Il renvoyait une carte, aussi peu loquace, le dialogue annuel s'arrêtait là. Jusqu'à quand survivrait sinon l'affection, au moins l'adverbe qui en faisait part? Jean, qui de cela aussi nourrissait son amertume, ne savait plus rien de Raymond Camus. Ni même où se trouvaient ses cartes de vœux; sans doute étaient-elles perdues dans le désordre, englouties dans le fleuve de papiers.

Lorsqu'il avait trouvé son mas, puis créé sa maison d'édition à Maguelonne, Jean Camus avait considéré une fois pour toutes, après avoir connu l'ensemble de l'Europe, qu'il serait chez lui en Languedoc. Si du moins l'on peut appeler sienne une terre qui ne vous a pas élu, mais qui vous accepte et dont le climat est propice au salut. Il en aimait les ciels purs, les garrigues violettes, l'accent des gens, et les rafales d'un vent qui nettoyait le pays des miasmes. Ce soir, pourtant, le vieux malaise le rattrapait. Pour quel drame avait-il payé, sa vie durant? Le moment était venu de trouver la réponse qui se dérobait, de tirer la clarté des ombres. Sur la table, le manuscrit dactylographié l'incitait à la rêverie. Il eut envie de reprendre sa lecture. Fermant un instant les yeux, il imagina un vieux parchemin, froissé, jauni, où gisaient çà et là, tels des marque-pages, de fragiles vestiges d'une vie engloutie. Une espèce de souffle régulier en soulevait les pages, comme une poitrine où le cœur palpite.

Du fond de sa nuit maltée, Jean Camus tendit la main vers elle.

Le dernier soir qu'Amédée me rendit visite tandis que j'étais seule encore à Nayrac, la chaleur était étouffante, chargée de cette humidité qui donne à l'air l'épaisseur du musc. Sans doute la saison des pluies approchait-elle et ses prémices s'étaient-elles concentrées dans cette nuit particulière, où respirer était une souffrance. Je m'en souviens avec une précision étonnante, l'atmosphère nous oppressait de son parfum. Amédée parlait d'une voix assourdie. J'étais dans un fauteuil placé en face du sien, lasse, guidant avec peine vers mes poumons desséchés cet air qu'il semblait pour sa part aspirer en rythmes profonds et maîtriser sans efforts. Ce soir-là, il évoqua Fatousi. Les mots qu'il prononçait semblaient s'échapper d'une partition de musique ; je ne l'avais jamais entendue auparavant mais elle me fut aussitôt familière et trouva en moi une auditrice éblouie.

Je regardais ses lèvres rouges, au dessin sensuel. J'écoutais leur chant avec passion. Il ne me communiquait pas seulement une émotion violente, il m'entraînait vers un univers qui me donnait le vertige. Je l'écoutai jusqu'à la fin, sans dire un mot, osant à peine bouger, buvant chaque note, chaque parole, comme un élixir. Amédée appelait Fatousi, il la faisait renaître. Pareille à une apparition, sa silhouette parfaite se détachait sur la nuit, nimbée de lumière. Sa peau, au lieu de se confondre avec l'atmosphère, parée d'un éclat irisé, défiait le noir. Ses traits plongés dans l'ombre, son corps brillait ; mieux encore, il possédait une odeur. Odeur de terre brûlée et de fruit confit, de foin et de goyave, de brume du soir et de clair de lune, odeur indéfinissable et exquise que j'associai par la suite à toutes les extases, elle était la plus vive illusion de ce mirage. Amédée me décrivit la transe : cadences de pieds légers, balancement des hanches, bras levés vers le ciel, cambrures, ploiement de gorge, longue chevelure crépue balayant la poussière et formant un écran derrière le corps nu. Le tableau n'avait que des ombres mais elles jouaient entre elles à dessiner le portrait, les contours d'une femme, qui semblait la maîtresse des quatre éléments. Sa nature se confondait avec l'air et avec la terre, et reflétait le feu, jusque dans sa poitrine et son ventre de bronze noir que couvraient des gouttelettes d'eau.

Amédée sculptait dans la nuit, sous mes yeux fascinés, une figure de légende ; je me crus plongée dans la mythologie. Fatousi défiait les limites des simples mortels, elle rejoignait sur l'Olympe la déesse de l'Amour. Ou bien la déesse descendait-elle à sa rencontre ? L'une et l'autre ne formaient plus qu'une seule et même créature. Ezili, pour parler aux vivants, s'emparait du corps de sa prêtresse, et l'irradiait d'une beauté surnaturelle. Enlevée par la violence à ses disciples et à son fils, Fatousi réclamait une vengeance. La déesse exigeait son dû. Amédée me confia sous le sceau du secret qu'une femme blanche était appelée à lui succéder, pour entrer dans la danse et tenter de renouer avec elle, si proche malgré la mort, le fil cassé de sa magie. Elle serait la nouvelle mambo.

Il déposa ce soir-là sur ma bouche un baiser qui me parut sceller notre complicité. Mes lèvres seraient muettes, mes sens me guideraient. Des sens échauffés, délicieusement préparés à affronter le sort étrange qu'une déesse noire avait choisi. Je n'en demandais pas davantage mais regardai avec regret mon ami s'éloigner de sa démarche de danseur de pavane. Je vis Aurore sortir de l'ombre où elle était tapie et regagner sa case, où devaient reposer déjà les deux muses-enfants dont j'avais la charge. Dans mon innocence, je croyais que les fillettes me porteraient bonheur. La gémellité entretient des liens occultes avec l'au-delà comme avec l'en deçà de la vie, à ce que j'avais entendu dire.

Pour moi, le message d'Amédée n'était encore qu'un conte parmi d'autres contes. Il entrait dans un répertoire plus romanesque que religieux, où au milieu de dieux et de déesses que je tenais pour des personnages de fiction, entraient des héroïnes blanches. Ces divinités, dotées de noms exotiques, me semblaient aussi extravagantes que celles de la mythologie, et plus flamboyantes que les héros de *L'Astrée*; j'admirais leurs histoires d'amour impossibles, leurs coups d'éclat, leurs extravagances, leurs vengeances sanglantes, tandis que la future mambo m'apparaissait au contraire comme une femme ordinaire, uniquement parée de la couleur insolite de sa peau. Aussi trouvais-je plutôt excitante cette invitation iconoclaste à participer à un panthéon et je me mis à rêver d'y jouer un rôle, parmi des êtres aussi impalpables que des nuages, fantômes de l'imagination malmenée de pauvres esclaves ou de leurs descendants abusés. De quelles illusions la raison la plus sage n'est-elle pas coupable ?

Le départ d'Amédée me laissa avec la fièvre. C'est à cet homme qui entretenait un rapport étroit avec les mystères et détenait lui-même un don, que je dois d'avoir, plus tard, passé la frontière qui partage les mondes noir et blanc comme un océan.

Julien était plus préoccupé que je ne le croyais des récentes visites du mulâtre et de son évidente emprise sur mon esprit. Informé par Aurore du déroulement de cette amitié amoureuse qui risquait un jour ou l'autre d'avoir des conséquences plus sensibles, et des propos que nous tenions à l'heure vespérale, sûr de mon innocence mais convaincu que j'allais sombrer dans les pires superstitions – craignant au fond davantage la contamination que l'adultère –, il renonça pour un temps à ses séjours au Port au Prince et redevint le maître de Nayrac. Mais le mal était fait. Je n'avais qu'une idée : échapper à sa tutelle et tenter ma chance sur une autre voie ; dangereuse, romanesque, mes parents l'auraient assurément condamnée, de toute leur foi chrétienne. Cette idée, il me faut bien lui donner son nom grave : la passion. La fièvre ne me quittait plus. Elle était bien différente de celle qui m'avait d'abord affaiblie, rendue morose et apathique. Elle me communiquait au contraire une envie frénétique de vivre. Elle me nourrissait et me transformait à mon insu. J'acquis de l'assurance. Etait-ce parce que Amédée m'avait parlé du destin sans commune mesure, d'une femme choisie pour être une des incarnations d'Ezili, la plus belle, la moins modeste des sirènes de l'amour, je sentis au fond de moi cet appel à l'extraordinaire. Je pris conscience de ma personne : une autre voix parlait en moi, à travers moi, simple réceptacle d'une mystérieuse influence. Nullement portée au mysticisme, je dois à ma nature légère, plutôt frivole, aimant jouer et s'amuser, s'ennuyant à toutes les choses sérieuses, de ne pas m'être prise pour une sainte, élue d'un dieu tout-puissant. Mais je fis cette expérience que je ne souhaite à personne : je fus dès lors « habitée ». Je ne trouve que ce mot, emprunté au monde effrayant de la sorcellerie, pour définir ce sentiment que j'éprouvais alors de ne plus m'appartenir. Je peux l'écrire car il m'importe peu à mon âge et dans mon état, sur le point de mourir, d'être accusée de connivence avec le diable et de risquer d'être brûlée vive sur l'ordre d'un tribunal de fanatiques. Quelques femmes le furent jadis, qui n'avaient pas commis d'autre crime que celui d'entretenir des relations plus ou moins imaginaires avec le Malin. Pour moi, ce fut une Maligne qui fit mon malheur, en mon jeune âge, cette Ezili-z'yeux-rouges ainsi que l'appelle la légende de l'île. Je commençais à éprouver une conscience diffuse de cette force étrangère à ma vie, qui me commandait à mon insu, et m'invitait à des brusqueries, à des insoumissions. Dans mon corps comme dans mon cerveau, elle allumait le feu. Le soir, au lieu d'attendre le bon plaisir de mon mari et, ainsi qu'on me l'avait enseigné, de me disposer à obéir à ses désirs d'homme, je le provoquais. Ayant obtenu ce que je cherchais, je n'étais nullement repue ou satisfaite. Je ne me laissais pas dompter. A l'aube, je quittais la chambre, je m'éloignais sans but. Je battais la campagne. Inutile, oisive, animée d'une fièvre qui ne me laissait aucun repos, j'aspirais l'air brûlant. Arès avait beau me suivre partout, chaque jour, sa compagnie n'était pas plus encombrante que celle d'un chien courant et son regard aux paupières fixes ne me jugeait pas. Julien devait lui donner l'ordre de veiller sur moi mais je pense sincèrement qu'il m'aurait suivie de lui-même, tant était dévoué ce compagnon de mes solitudes. Je ne le connus jamais au-delà de cette fidélité qui, pour moi, résumait l'individu, pas plus, je crois, qu'il ne me connut moi-même au-delà de l'affection que je lui témoignais. Combien de fois déjà n'avais-je pas avec lui, aussi inséparable de moi que mon ombre, couru la lande, les champs, les bois, longé les rivages du sud de l'île où le sable est d'un blanc d'œuf entre les rochers rouges, traversé les rivières où les cailloux sonnent clair sous les fers des chevaux, escaladé les mornes pleins de ces espèces d'arbres au persistant feuillage, suivi des bandes d'oiseaux, le nez en l'air, attendant qu'ils se posent pour les contempler ensemble, à quelques mètres à peine, retenant nos souffles, haletant après la chasse? Les paysages étaient pareils à autrefois, et Arès avait la même vigilance, la même rapidité aux affûts. C'est moi qui avais changé. Une mutation profonde, inexplicable. Le respect, la prudence, la soumission qui me définissaient naguère avaient laissé la place à une créature erratique. Mon apparence se ressentait du dérèglement de ma personnalité : je portais mes cheveux défaits, j'échancrais le décolleté de mes robes et je raccourcis l'ourlet sur mes chevilles, indices dérisoires, cependant flagrants de ma révolte. Désormais je parlais, osant élever la voix en face des hommes qui m'entouraient. Je m'essayais à tenir tête à Julien, donnais la repartie aux plus virils de ses compagnons. Ainsi m'opposai-je violemment un jour à Ipestéguy qui exigeait la punition d'un esclave pour un chapardage de quelques cannes au moulin. Le Basque était ténébreux, il n'avait pas pour habitude de laisser une femme se mêler de ses affaires. Celle-là le concernait et c'est au maître qu'il avait à la relater, non à cette amazone à la chevelure indécente déployée sur ses épaules comme dans l'intimité de la nuit. Car je ne me voyais pas moi-même, en cette époque de bouleversement où je fus hantée par la déesse du désordre et du plaisir.

Devant Julien, médusé, qui ne reconnaissait pas sa jeune épouse dans l'oratrice véhémente, impétueusement dressée contre son intendant, je défendis l'esclave. La punition, en accord avec ce que le Code Noir prescrit en pareil cas, n'avait rien d'exceptionnel, et elle avait été déjà infligée un bon nombre de fois sur la propriété, depuis que Nayrac portait son nom. Elle était en somme tout à fait banale, tant aux yeux du propriétaire et de ses gens qu'à ceux des esclaves, qui savaient précisément à quoi s'attendre lorsqu'ils commettaient un délit. Tout forfait méritait châtiment, qui était fonction de la gravité du cas, soigneusement défini par la loi du Roi et chiffré en coups de fouet, administrés sans états d'âme par la poigne d'Ipestéguy. Face aux esclaves réunis devant la Grand-Case, en présence du maître entouré des autres Blancs du domaine, des domestiques et des mulâtres, sous le regard de la grande famille de la plantation sucrière, les vingt coups de fouet que le Basque s'apprêtait à donner n'étaient nullement un acte de barbarie, mais conformes au Code Noir. Ni l'indignation, ni le sentiment d'une injustice, ni même le courage ne me précipitèrent hors du cercle de mon foyer, pour défendre l'indéfendable cause du voleur devant un Ipestéguy ahuri, puis humilié, puis furieux, mais bel et bien Ezili, son caprice et son goût du désordre. Je plaidai la clémence, avec des accents farouches, qui arrachèrent un murmure aux Noirs, jusqu'alors muets et prêts à soutenir le spectacle ordinaire du jugement de l'un d'entre eux. Le châtiment ayant valeur d'exemple aux yeux de la communauté, mes paroles incontrôlées enfreignaient la loi. Je mettais en péril sans même m'en apercevoir l'autorité de mon mari, à travers celle de l'intendant. J'eus le tort d'insister. La colère m'emportant, n'étant guère formée aux débats de justice, ignorant le sang-froid, toute à mon impulsion, chauffée par ma déesse, je traitai, je crois, le Basque de tortionnaire, ou de je ne sais quel autre nom d'oiseau. Il devint aussitôt livide, touché dans son honneur, dans sa conscience de respecter et faire respecter la loi. D'autant que le murmure, d'abord inaudible, se mit à gronder. Il fit un pas vers moi, avec la mine d'un homme prêt à frapper. Julien, qui n'avait encore ni bougé ni laissé son visage exprimer quoi que ce fût, s'interposa. En quelques instants, il put rétablir l'ordre. L'agitation retomba. Le voleur serait fouetté, ainsi que l'avait ordonné Ipestéguy, la cause était juste, elle était entendue. Saugrenu, s'apparentant à un scandale, l'incident fut clos sans que nul enchaînât sa voix à ma protestation. Cherchant du regard un appui, je remarquai, hors du groupe que nous formions, immobiles mais sur leurs gardes, tout prêts d'intervenir, les silhouettes de commandeurs de Markus et de Cadet. Ils n'avaient pas bronché pendant l'altercation. Mais leur main, à la ceinture, serrait une arme. Hormis pour le chapardeur, il n'y eut aucune suite violente à mon maladroit plaidoyer; aucun mouvement de foule ni aucun coup de feu ne se déclenchèrent, aucune jacquerie. Je ne les eusse pas souhaités. Tous mes propos n'entraînèrent rien de plus que la stupéfaction dans l'assistance. J'avais d'ailleurs agi en toute inconscience, n'ayant pas un seul instant songé aux conséquences de ma soudaine rébellion : à mon insu, elle était un exemple. Un être de faible apparence avait publiquement osé affronter l'autorité des maîtres. Lentes à venir au jour, dispersées, hésitantes, d'autres tentatives d'opposition, dont la mienne ne fut en effet que le plus modeste et le plus insignifiant des cas, se produiraient sur l'île; elles concourraient à l'explosion fulgurante, à laquelle je participerais, bien malgré moi.

Julien me prit par le bras et me pria sans ménagement de regagner la case et de l'y attendre. Il allait régler en paix les détails de la cérémonie et assister aux vingt coups de fouet prescrits. J'entendis résonner dans ma chambre les claquements du cuir, la voix sonore d'Ipestéguy comptant les coups, et les cris de douleur de l'esclave, en me morigénant à la fois de mon impuissance et de ma maladresse – j'étais sûre qu'à cause de moi le bras d'Ipestéguy frappait plus fort. Le retour au calme, la dispersion des hommes, la reprise du travail quotidien me rendirent à moi-même. La crise passée, elle me laissait épuisée, stupidement inerte. Je ne m'expliquais pas mon audace – comment avais-je pu contrarier l'ordre de l'habitation ? A son retour, Julien me contempla un moment dans le désordre de ma tenue, perplexe.

« Vous êtes une enfant, me dit-il sans colère. Mais vous devenez belle. »

C'était ce que je craignais d'entendre. Je n'étais pas une femme, ne le serais sans doute jamais à ses yeux. Il n'attachait pas plus d'importance à mes actes qu'à ceux de Clio ou de Thalie. Il était indulgent, plus que tolérant, je le jugeais indifférent. De moi, rien ne pouvait l'atteindre. Je me sauvai dans la cour, vers l'écurie où je savais ne trouver personne, chacun ayant repris son activité, sinon Arès, dont la présence ne pouvait me contraindre, et qui était là sur son domaine – il n'avait pas d'autre famille que les chevaux dont il avait la charge. Je me laissai tomber au soleil, encore brûlant, sur la bordure de terre sèche et appuyai mon dos au mur de bois. Arès me regardait. Assis sur le tabouret qu'il tenait toujours prêt pour m'aider à monter en selle et dont je méprisais l'usage, réservé selon moi à des cavalières moins émérites, il s'y tenait comme une statue sur une stèle. Derrière lui, flottant au-dessus de la Grand-Case, comme une aube en plein midi, se dessinait à contre-jour une ombre épaisse et rose, qui est – vous l'apprendrai-je – la couleur préférée de la déesse Ezili. Alors que le soleil déclinait, j'eus l'impression d'assister à un crépuscule du matin ; je ne pouvais en détacher les yeux. Ce fut à ce moment qu'Aurore, sortie sur les pas de Julien qui m'appelait depuis la véranda, esquissa dans son dos un geste dans ma direction, de ses deux mains aux doigts crochus comme des serres. Et que je m'évanouis, sous l'effet de ma fureur et du soleil, au dire de Cadet, ou plus sûrement selon moi, de la malédiction d'Aurore sous le ciel d'Ezili.

Des nuits passèrent. Elles étaient aussi noires que la peau d'Aurore, sans les étoiles qui, d'ordinaire, ignorant le crépuscule et l'aube, inondaient Saint-Domingue d'une clarté très blanche. Etrangement obscures, à peine entamées de la lueur jaunâtre d'un quart de lune, elles étaient sonores, ces nuits noires de l'île, bien plus sonores qu'à l'accoutumée. Tous les tambours de toutes les plantations semblaient s'y parler sans relâche à travers champs, à travers mornes et plaines, malgré les barrières des cannes et des marais, des bois et des lagunes, en un dialogue inlassable, que nulle loi n'avait pouvoir d'interrompre. Elles étaient lourdes et moites, en pleine saison sèche comme si battait déjà le cœur de la saison des pluies, elles étaient lourdes de fièvres, moites de rêves éveillés. Le sommeil les désertait, comme la lumière et le silence. Elles étaient chargées d'âmes. Fantômes impalpables, fièvres larvées, colères secrètes, sentiments opaques, elles paraissaient habitées, elles demeuraient indéchiffrables. Leur suavité même, cette suavité que je leur connus toujours, aux pires moments de mon histoire, s'était accrue, compliquée de parfums et de miasmes, au point de peser sur le cœur et les sens, déjà oppressés par la température, le boucan et l'insomnie. Elles contenaient l'orage, qui se préparait.

Pour moi, prise au piège d'un destin qui me dépassait,

je n'en finissais pas de me transformer. Non que je devinsse alors, comme dans ces fables de la mythologie, un monstre, mi-animal, mi-plante ou oiseau, victime de quelque caprice divin, non que je me changeasse en sirène, en cygne ou en génisse, je demeurais fidèle à mon image terrestre, à ma jeunesse de femme, mais quelque chose de profond, d'irrémédiable s'écrivait au fond de moi. J'en avais à peine conscience – ma nature évoluait sans que mon cerveau naïf, miraculeusement à l'écart des ondes d'influence, y prît part. Ce qu'Ezili fit de moi ? Elle me débarrassa de ma carapace de jeune fille, de mes pudeurs, de mes soumissions. Elle me souffla des désirs, elle m'inspira des initiatives. Elle me libéra du poids si lourd des conventions. Sans que j'en susse rien, elle me guida vers le scandale, avec une telle grâce que je ne perçus rien moi-même de cette main de fer qui s'emparait de ma vie. En vérité, elle ne m'inculqua aucun don. J'étais, par nature, coquette et sensuelle, gourmande et curieuse de tout. Mais l'éducation, la religion, la morale, et la peur, surtout la peur, s'étaient liguées pour faire de moi une créature sans histoires, dominée sinon par le sens du devoir au moins par la crainte du châtiment qui punit les entorses à la moindre règle. Ainsi que je vous en ai fait l'aveu, j'étais parfois passée outre. Je n'en avais guère éprouvé de remords et ma faute n'avait pas été sanctionnée, de sorte que je concluais de ce double avantage que l'interdit n'était peut-être pas aussi grave qu'on le disait. Et qu'à le commettre, on pouvait retirer de l'aventure bien des satisfactions.

Désormais impavide, armée de la cuirasse d'Ezili, qui est réputée imperméable aux remords comme au sens de la faute, et qui a l'épaisseur et la résistance du bronze sous la douceur d'une peau de pêche, je développais mes dons naturels. Je les laissais s'épanouir. Je les cultivais sans le savoir. Mon corps était plus libre, mon cœur délié, ma fantaisie se débridait. Au cours de ces quelques nuits suaves, si contraires au repos, je conquis mon mari. Je veux dire, je conquis son amour. Je l'arrachais un temps à Vénus. Par quels moyens? Non point sorciers ou maléfiques, mais simples et puissants comme le jour. Je ne piquais pas d'aiguilles à broder dans une poupée de jute à l'effigie de ma rivale; pour désensorceler l'ensorceleuse, je n'eus recours qu'à l'amour. A l'amour le plus physique, au moins surnaturel des amours. Il y avait du feu dans mes baisers. Un feu que rien ne pouvait éteindre et qui aurait pu éclairer toute une vie des nuits de la Saint-Jean. J'exagère à peine. Ce feu qu'Ezili-z'yeux-rouges me soufflait par-delà le royaume des morts, qui flambait et chauffait nos étreintes, je l'entretenais comme un trésor. Un enfant... et je l'aurais sans doute emporté sur la belle négresse, sa science de sorcière et son prestige de mère. Mais l'enfant ne venait point; il manquait pour sceller notre union. Si captif fût-il de nos nouvelles voluptés, Julien ne cessait de le regretter. Il m'en voulait de ne pas lui donner un héritier, sans lequel sa vie lui paraissait aussi terne et bornée qu'une vieille terre privée d'horizons en jachère.

« Vous serez toujours mienne », me dit-il, sans doute pour me rassurer, le jour où il m'annonça – au lendemain d'une de ces nuits opaques et sans sommeil, rythmées de caresses et du chant des radas – qu'il lui fallait préparer sa succession et qu'il allait, dans cette perspective, amener à Nayrac les deux garçons nés de son union avec l'esclave noire. Leur arrivée aurait dû sonner le glas de mes espérances, et me confiner au rôle peu enviable de belle-mère, condamnée à vieillir stérile et aigre-douce, dans la jalousie et les regrets. Ce fut le contraire qui se produisit. L'enthousiasme et la vie l'emportèrent sur les sentiments rassis, et je fus heureuse comme jamais depuis.

Jean, le fils aîné de Julien, était bâti comme un chêne, massif et puissant comme l'arbre de nos forêts d'Europe, et il avait la même peau claire que son père, brunie par le soleil. Le cadet était à peu près de mon âge. Il s'appelait Pierre, et paraissait aussi noir qu'Arès ou Aurore et les nègres des jardins. Le corps frêle et nerveux comme une fille, de longues mains aux paumes roses, aux ongles nacrés comme des coquillages, il ne riait jamais, souriait seulement, d'un sourire aussi discret que sa personne, mais qui éclairait son visage comme si on y avait allumé une flamme. Ses yeux doux et chauds brillaient en permanence et laissaient souvent couler des larmes sur le charbon de ses joues. Farouche, il sursautait dès qu'un homme haussait la voix, et évitait de se retrouver face à l'intendant, au vétérinaire, au raffineur, ou à son père même. Il n'était vraiment à son aise que dans les champs ou à l'écurie où il passait la plupart de son temps, ou bien en compagnie du trio que nous formions, Clio, Thalie et moi. Il semblait fuir son frère.

Il est vrai que Jean avait une assurance, et même une

arrogance, qui d'abord me surprirent puis m'agacèrent. Il se conduisait en maître et je devinai aux regards de convoitise qu'il jetait autour de lui, que sa vanité était comblée – il se voyait déjà régnant après Julien sur le domaine de Nayrac. C'était un de ces hommes sans tendresse, tout occupés de leur réussite, de leur ambition, auxquels rien ne semble devoir résister, tant ils mettent de cœur à briser les obstacles qui se dressent sur leur route. Sa faim de richesses et de pouvoir était d'un ogre. Vénus lui avait-elle donné cet orgueil ? Ou un lointain ancêtre africain, grand chef de sa tribu, lui avait-il légué son fol instinct de tyrannie ? Ou bien encore tenait-il son courage, son audace de Julien, qui avait quitté sa famille, traversé un océan et fondé sa fortune sur cette île au climat délétère ? Bien qu'il se félicitât de son sang noir, sang royal, affirmait-il, Jean tirait avantage de sa carnation blanche, seule apte à lui valoir le respect des colons. Julien eut plus d'une fois l'occasion de tempérer son ardeur autoritaire, et de le rappeler à un peu de modestie. Car s'il l'avait laissé faire, il est probable que sa morgue aurait exaspéré non seulement ses lieutenants, mais tous les métis de la plantation auxquels il aimait distribuer des ordres comme des coups, et dont il critiquait sévèrement, souvent injustement le travail. Sa présomption se reconnaissait à son ton supérieur, et je surpris un jour Cadet marmonner entre ses dents, à son égard, l'épithète ô combien méritée d'ostrogoth. Julien tentait de tempérer les stupides ardeurs de son fils aîné. Ayant décidé d'appliquer le droit d'aînesse, il entreprit de former ce caractère si peu subtil, d'un genre tonitruant, à la maintenance de la propriété, de sorte que nous, les autres membres de la famille, étions comme relégués aux coulisses et ne voyions plus qu'à la hâte les deux hommes. Occupés à parcourir l'habitation sans relâche, ils s'enfermaient ensemble, le soir, dans la bibliothèque où Julien poursuivait ses leçons sur les livres de comptes, les actes de propriété et le courrier du Roi. Une passion l'animait : il ne vivait plus que pour assurer son propre héritage. C'était chez Julien une obsession de pouvoir léguer son œuvre.

La dissemblance des deux frères me gênait : je ne parvenais pas à distinguer dans leurs traits, leurs silhouettes contradictoires, le caractère de la rivale, à l'aura de mère, qui faisait partie de ma famille et que je n'avais pourtant jamais connue. Un jour, n'y tenant plus, j'interrogeai Julien. Il marqua un temps de silence, puis : « A quoi bon l'hérédité ? me dit-il. Nous ne sommes les fils que de nous-mêmes. Vénus est fière de son aîné. Elle lui a toujours marqué sa préférence, sans doute injustement. Pour moi, il est l'héritier. Je ne partagerai pas Nayrac. Je doterai Pierre, il ne manquera de rien. Pas plus que vous-même. » Il ajouta sans cacher son air de déception, que son plus jeune fils lui semblait plus enclin au rêve et à la paresse qu'aux responsabilités, mais il évita de dire si, en cela, il ressemblait à sa mère.

Pudique, évitant à son habitude d'aborder des sujets trop personnels, leur préférant les vastes réflexions, Julien exprimait rarement ses sentiments. Sauf dans les domaines des idées, de la philosophie ou de la politique, il refusait de s'épancher. C'était un homme circonspect, qui pesait ses mots, et dont l'apparente convivialité, le goût pour les dialogues et les réunions cachaient une sauvagerie profonde – une solitude où nul n'entrait. Plus à l'aise dans les cercles virils, où sa confiance se déliait, il était incapable de me parler d'égal à égal et peut-être ne le méritais-je pas. Mon sexe ou ma jeunesse ou les deux ensemble constituaient des obstacles insurmontables : je ne serais jamais que son épouse-enfant. Capable de l'émouvoir, de l'attendrir, de l'irriter, voire de l'exaspérer, j'étais pour lui, par nature, trop évidemment un être faible et ingénu, au toucher doux, au parfum agréable, digne de sa protection et dont il se sentait tout autant responsable que des esclaves de son habitation. Il me semblait qu'une invisible barrière se dressait entre nous, et elle était faite, je le sais bien, de tous ces mots qui ne furent jamais dits, de toutes ces conversations que nous n'eûmes jamais ensemble. Nos relations étaient malheureusement dépourvues de ce caractère de camaraderie amoureuse qui fait le ciment des vrais couples et que je connaîtrais plus tard, longtemps après avoir quitté Saint-Domingue.

Ce fut Pierre qui, en l'absence de son père, alors que nous étions seuls dans la Grand-Case, me confia quelques traits de la personnalité de Vénus. Il était plus attentif au monde et plus fin observateur que Julien ne le croyait. « C'est moi, me dit-il, qui ressemble à ma mère. » Du moins par le caractère, qu'elle avait farouche et maladroit comme le sien, impropre à la vie sociale, poursuivit-il. Car elle avait un grand corps, une force étonnantc pour une femme. Comme son frère, puissante et musculeuse, elle dépassait de la tête et des épaules les gens ordinaires. La géante que j'avais imaginée était une réalité ! Pierre l'adorait. Ayant tôt décelé en son cadet ses faiblesses, elle s'était pourtant montrée dure à son égard. Dès sa plus tendre enfance, elle avait tenté de le dresser, inculquant ses conseils au fouet. Elle lui reprochait de n'être pas fort, comme l'aîné, qu'elle admirait aveuglément, de n'avoir pas sa nature ambitieuse et violente. Elle prétendait vouloir l'armer pour la vie. Elle avait été injuste avec lui mais c'était cette injustice qui l'avait formé et qui continuait de le fasciner partout où il avançait. Vénus, méconnaissant l'endurance de son cadet, avait formé son cœur. Il me la décrivait comme une reine. Il m'expliqua plus tard, dans l'une de ces conversations qui nous rapprochèrent l'un de l'autre, qu'il ne lui en voulait nullement de son éducation sévère. Très jeune, il avait compris la part de souffrances et d'humiliations que cachait cette volonté de Vénus de voir son fils entrer dans l'arène, avec des armes suffisantes pour y survivre. D'ébène comme elle, elle le croyait plus vulnérable que le premier fils au teint de rose que Julien lui avait donné. Aussi s'était-elle efforcée de l'endurcir. A cause de sa peau noire, ou était-ce par amour de sa mère, Pierre ne se reconnaissait pas d'autre atavisme que celui de ses ancêtres africains. Il ne pensait qu'à effacer en lui la trace de la race blanche, son autre moitié. Je crois, bien qu'il ne me l'eût jamais dit, qu'il aurait voulu ne rien devoir à son père. Il le détestait en proportion de ce qu'il lui avait donné.

Jean Camus se demandait s'il n'y avait pas quelque sorcellerie dans le livre. Et s'il n'était pas dangereux de s'y promener plus avant. La belle insulaire n'était peut-être pas, en dépit des apparences, de si bonne compagnie. Sa fréquentation pouvait-elle s'avérer néfaste ? Il se souvenait d'un livre qu'il avait publié deux ou trois ans plus tôt, sous une couverture pourpre cardinalice illustrée d'un diable, et intitulé *Enquête sur les jeteurs de sorts*. C'était un ouvrage des plus sérieux d'un professeur agrégé de l'université de Montpellier, spécialiste de tradition orale et de folklore populaire, dont l'aura avait débordé le cercle étroit de la région. Ses travaux faisaient autorité et l'on venait le consulter du monde entier. Fier d'avoir pu ajouter ce nom prestigieux à la liste de ses auteurs – pour la plupart inconnus ou dont la notoriété ne dépassait pas leur village –, Camus trouvait le texte « costaud », fondé sur une documentation rigoureuse et une démarche réellement scientifique, qui éclairaient le sujet, si nébuleux et chargé de superstitions fût-il, d'une lumière crue. Se rappelant qu'un chapitre avait pour objet l'ensorcellement par les livres, il se leva et alla fureter dans sa bibliothèque, parmi les étagères où il classait ses propres collections. Le livre était bien là, pourpre cardinalice, avec son diable armé d'une fourche et d'un bâton. Il l'ouvrit à la table des matières, repéra sans peine dans une troisième partie nommée « La folie et la mort », le chapitre six, dont le titre qu'il avait oublié, lui procura une brève commotion : « Rendez-vous avec le malheur ». L'universitaire – ethnologue de formation – n'y allait pas par quatre chemins.

Il mettait en garde les lecteurs contre les mauvaises lectures, en se plaçant non pas du point de vue de la morale, qui lui était assurément indifférent pour la démonstration qu'il avait à faire, mais de celui de la sorcellerie. Dans une quinzaine de pages, que Camus, rebuté par la litanie des références, en français, en allemand, en italien, en latin, n'avait alors que distraitement parcourues, le professeur dressait un répertoire – non exhaustif, précisait-il, mais sélectif, et aisément consultable – des ouvrages « dangereux ». Il commentait ensuite largement l'importance des interdits divers qui avaient pesé jadis sur ces textes, et qui pesaient encore sur eux aujourd'hui dans certaines campagnes reculées où l'on persiste à croire au diable, aux démons, aux incubes, aux succubes, aux sorciers et sorcières et aux jeteurs de sorts.

Le livre qu'on lui demandait de publier serait-il donc vivant ? Aurait-il des implications secrètes ? Un effet magique ? Son caractère anodin cachait-il quelque malédiction ? Confronté pour la première fois de sa vie, lui un cartésien, un voltairien, un adversaire de l'obscurantisme, un partisan des Lumières, au mauvais œil, Jean Camus sentit, physiquement, ses défenses se rompre, et sa conscience, d'habitude si lucide et si fière de l'être, submergée par un torrent d'incertitudes. Les ombres accumulées préparaient un orage, mais serait-il le sien ou bien l'orage d'un autre, il n'en savait fichtrement rien. Tout ce qu'il savait, c'est qu'il perdait pied. Comme un nageur affolé désapprend à nager, il en oubliait ses réflexes, il se voyait sombrer. Sa raison demeurait claire, mais détachée de lui-même, comme suspendue au-dessus de lui, elle semblait de loin, impuissante, contempler le désastre : les forces de l'irrationnel montaient en lui comme un fleuve en crue. Allait-il en imputer la faute à cette créature du XVIIIe siècle, dont il s'apercevait à l'instant qu'il ne connaissait pas le nom : s'appelait-elle Béatrice, Alberte ou Joséphine, cette auteur d'un roman-feuilleton, capable de le prendre aux rets de ses rêves et de sa fantaisie ?

Plus loin, un autre paragraphe accrocha son attention. Dans son jargon d'universitaire, le professeur y constatait que « les propos des jeteurs de sorts rejoignent la définition étymologique du Diable, laquelle donne un sens précis aux agissements qu'ils sont censés effectuer ». Le Diable, expliquait-il, exprime « ce qui désunit ». « La sorcellerie dite maléfique est ce qui sépare, ce qui rompt l'univers de quelqu'un, ce qui en brise l'unité. » Peu importait donc de savoir si les jeteurs de sorts ont ou non pactisé avec le Diable pour obtenir leurs pouvoirs, car « leurs actes vont exactement dans le sens de la définition de celui qui est supposé être leur maître. Les œuvres des jeteurs de sorts sont, étymologiquement parlant, conformes aux volontés et aux manœuvres que l'on prête au Diable ». Jean Camus avait beau se dire que tous ces pouvoirs dits « sorciers » n'étaient que sornettes, les histoires de bonnes femmes dont l'ethnologue nourrissait sa réflexion le perturbaient, le mettaient en question. Il ne pouvait s'empêcher de voir un lien entre le manuscrit qu'il avait sous les yeux et son malaise. Cette aventure, en apparence anodine, prenait ici, à Maguelonne, un sens incantatoire. Y avait-il un interdit qu'il était en train de transgresser ? Quel funeste message pouvait contenir le récit ?

Jean Camus ne parvenait pas à se convaincre qu'il existât des textes dangereux. Certes, il avait déjà rencontré des livres prémonitoires, en avance sur leur temps, audacieux, illuminés, enflammés, poétiques et prophétiques. Il avait été confronté à des lectures en colère, haineuses ou revanchardes. Il avait lu des auteurs sulfureux, obscènes, interdits, tabous. Des auteurs politiquement, moralement, stylistiquement même incorrects. Il avait lu des pourfendeurs, des imprécateurs, des pornographes, de Grands Inquisiteurs. Il avait déjà ouvert, parcouru ou approfondi des livres intellectuellement dangereux – risquant de mettre en péril l'esprit, la foi, le jugement. Il en connaissait plus d'un, il aurait pu en citer. Mais des livres porteurs de maléfices, il n'y avait jamais songé. Pour Jean Camus, lire c'était être libre, parcourir le monde, changer d'âme et de peau. C'était prendre des risques – ouvrir son esprit, son cœur à autre chose, à d'autres gens, à d'autres paysages, à d'autres couleurs. Même l'exploration d'un Sud grand comme un mouchoir de poche pouvait donner le vertige. Comment sortir indemne d'un livre lu passionnément ?

Mais il n'avait assurément jamais mesuré les conséquences physiques d'une lecture à risque, comme celle d'un grimoire jeteur de sorts, et il y a quelques heures à peine il est probable qu'il en aurait ri. Or voilà que le manuscrit dont il avait entrepris la lecture pouvait se révéler un piège. Chargé de résonances fatales, de mystères réellement odorants et de tout un poids de sortilèges, dont il constatait les résultats sur lui-même, résultats encore bénins, encore imprécis, mais dont il craignait la profondeur à venir, il lui devenait suspect. Les propos du professeur, le plus digne de confiance, lui permettaient maintenant de déceler, à de petits signes, le caractère inquiétant de sa lecture. Aucun doute possible : il y était enchaîné. Surtout, et cela le troublait plus que le reste, il y reconnaissait une « entité vivante », expression que le scientifique utilisait pour définir cet ouvrage d'un temps ancien, palpitant d'une vie secrète et puissante. Sous la coupe de la belle Antillaise, il restait à Jean Camus assez de liberté et d'humour – mais pour combien de temps ? – pour se dire qu'après tout, malgré les risques encourus ou bien à cause d'eux, cette définition – entité vivante – lui plaisait. Jamais, en effet, l'éditeur n'aurait consenti à publier, à son enseigne, une parole morte.

Le lendemain, à l'aube, fouetté par une dose massive de café noir – sa drogue du matin, antidote à son poison du soir –, il fourra le manuscrit dans un sac avec une chemise propre, ferma à clef la porte du mas et s'engagea à vive allure, au volant de sa vieille Alfa 2000 blanche, sur la route d'Albi. Il connaissait bien la nationale 10 et la départementale 999, car il lui arrivait encore de rouler sans but, vers des destinations de hasard, dès que le démon de l'inquiétude venait le tourmenter, dès qu'il sentait monter en lui, de moins en moins souvent il est vrai, l'ancienne bougeotte, et le tarauder des désirs de fuite inassouvis. Il y avait peu de trafic en cette heure matinale. Avec son italienne immatriculée dans l'Hérault, Jean Camus était assez content de se confondre avec les autochtones, mais sa satisfaction fut de courte durée. Dès le département suivant, il rallia le camp des étrangers. Au sein de l'Europe, les frontières demeurent sensibles qui séparent, d'un tracé ancestral, invisible à l'œil nu, mais aussi rigide qu'un mur, ici deux champs mitoyens, là deux rangées d'arbres. Dans le Tarn, province farouche au sud de l'Aveyron, au nord de la Haute-Garonne, son 34 détonnait parmi les 81, le rendant presque aussi exotique qu'un Parisien ou un Anglais. C'était pourtant là son royaume, songeait Camus au volant de sa Divine. Un royaume qu'il avait choisi sinon conquis, de tout son cœur de nomade anxieux de fixer enfin ses racines et de se donner un paysage en accord avec ses plus anciens rêves de paix. Ce royaume du Sud, qu'il servait humblement sous l'enseigne de sa Maison d'Oc, lui inspirait d'inépuisables réflexions et une admiration que son exploration exaltait chaque jour. Comme une compagne bien connue, dont les étreintes étonnent encore après des années d'amour. Mais Camus l'avait appris, parfois à ses dépens : le Sud, où s'achevait sa route, ce Sud où, en pied-noir nostalgique d'un soleil d'enfance, il avait élu domicile, y trouvant un havre, une lumière propice, était rarement synonyme de douceur de vivre. Rugueux comme les accents qui s'y bousculent, multiple comme ses paysages qui n'ignorent pas les contrastes, chaleureux mais hautain, solaire mais ténébreux, séduisant et hostile, il se dérobait comme une maîtresse indomptable et ne se laissait que lentement apprivoiser, au terme d'une cour assidue. Il fallait gagner son Sud. Les pays de Loire, la Touraine, même l'Ile-de-France sont plus accueillants, plus ouverts que lui. Du Canigou au Cantal, en passant par les paysages austères et désolés de la Montagne Noire, le Sud qu'aimait Jean Camus était secret, souvent plein d'ombres à redouter. Point étonnant que la sorcellerie, source de ses réflexions d'aujourd'hui, s'y épanouisse et y prospère. Chaque village qu'il traversait devait avoir sa sorcière et son jeteur de sorts. La population consultait les mages. L'aube du siècle futur, avec son lot de violences, de changements radicaux, de perspectives hallucinantes, ne pouvait que renforcer son désir d'en découdre avec les mystères et de distinguer les voies dangereuses que le Diable, dans son zèle de damné, traçait d'une main experte sous le soleil. Le jour était d'une clarté sereine : pas un nuage à l'horizon. Il y avait dans le ciel, d'un bleu absolument bleu, aussi uni, aussi tranchant qu'une lame, l'éclat de l'acier. Trop de pureté en somme pour certains, trop de dureté. Jean Camus ralentit l'allure. Les gens sortaient de chez eux. Les villages jusqu'alors endormis, avec leurs maisons, leur café, leur épicerie aux volets clos, leur église au portail verrouillé, s'animaient. Des vieillards venaient s'asseoir sur la place, près de la fontaine, et des enfants, le cartable en bandoulière, attendaient l'autobus. Où étaient les sorciers, les sorcières ? Sans doute dans leur antre, à deux pas de l'église et de la pharmacie, du côté de la mairie ou bien du cimetière ? Peut-être y en avait-il davantage aujourd'hui que de curés, et demain, peut-être plus nombreuses dans ce domaine seraient les vocations à naître. Le métier, croyait Camus, rapportait autant de finances que d'honneurs.

Entré sur la départementale à Camarès, il roulait lentement, pour ne rien perdre du paysage, où la lumière bleue du matin donnait une précision étonnante au relief. Chaque platane, chaque toit de tuiles, chaque banc sur le bord de la route, au sortir des villages, en prenait une valeur unique, comme un objet de prix qu'on eût voulu éclairer pour une vente aux enchères. Il remarqua dans son rétroviseur, roulant à son allure mais à distance, ne cherchant nullement à le dépasser mais cheminant à son train, savourant comme lui les lacets de la route, une guimbarde d'un gris sale, antique sans être belle, une roturière sans fortune et sans classe, immatriculée dans le Tarn mais dont l'allure poussive ou vagabonde ne pouvait en aucun cas être celle d'un gars du coin. Il eut la désagréable impression que la guimbarde, insolite parmi les autochtones, plutôt nerveux au volant et pressés de se rendre à leurs occupations du jour, le suivait. Il l'observa. A la distance où il se tenait, il ne pouvait apercevoir le conducteur. Camus distinguait une ombre ; lorsqu'il ralentit pour le laisser approcher, on ralentit avec lui. Ce manège l'amusa quelque temps, puis devant la monotonie de cette chasse-poursuite au ralenti, il reprit le cours de ses idées, oublia la guimbarde. Il s'arrêta à Saint-Sernin, gara l'Alfa sur la place, entre deux platanes. Craignant de voir la belle carrosserie blanche se couvrir de fientes d'étourneaux migrateurs, il accomplit une manœuvre impeccable et rangea sa voiture en épi, le nez à la route, pour pouvoir repartir au plus vite : il était en retard sur son programme du jour. Observant que l'air était ici moins salé qu'à Maguelonne, plus âpre, plus sec, il en inonda ses poumons, saturés d'iode mais avides soudain d'un oxygène neuf, purificateur. Puis il se rendit au café jouxtant le boulodrome et s'y fit servir un express avant de s'absorber dans l'étude d'une carte Michelin. Malgré son désir de revoir Albi, avec ses toits roses, la cathédrale Sainte-Cécile et, dans le palais épiscopal, le musée Toulouse-Lautrec, consultant sa montre, Camus décida de ne pas s'y arrêter. On l'attendait pour déjeuner, quelque part entre Arthès et Valdériès, dans un manoir isolé du nom de Belle-Isle. Ce nom parfumé aux embruns d'Atlantique détonait franchement dans ce pays méditerranéen, aussi loin de la mer. « Belle-Isle ne figure pas sur les cartes routières, avait précisé le légataire du manuscrit. Il n'intéresse pas les cartographes, qui passent sans le voir. C'est la maison de nulle part. » Camus s'efforçait de repérer sur les chemins vicinaux au tracé lilliputien, les noms des hameaux qu'on lui avait indiqués. Un craquement sinistre l'interrompit et le précipita dehors, en même temps que le patron du café, aussi ahuri, puis révolté que lui-même. On avait arraché le pare-chocs avant de l'Alfa !

Garée légèrement en quinconce, ainsi offerte à un véhicule assez fou pour venir se rabattre à l'excès sur le côté droit, un chauffard l'avait prise pour cible avant de s'enfuir. Ledit chauffard devait être absolument ivre, ou malintentionné. Comment, sinon, aurait-il pu percuter sa voiture, entre les deux platanes ? Le pare-chocs gisait un peu plus loin, d'un seul morceau, le nickel brillait sur la route. Arraché au corps de l'Alfa, on avait dû le traîner sur l'asphalte. Scandale à l'état brut ! Nulle trace de véhicule. Où était la guimbarde ? se demandait Camus. Car son soupçon se porta aussitôt sur le fantôme – le spectre – de l'automobile gris sale, qui avait joué à le suivre sur plusieurs kilomètres, ombre pitoyable de son prestigieux engin. Il courut quelques mètres, escorté par le cabaretier, et ils ramassèrent ensemble le pare-chocs, quasiment intact, mais où pendait bien le reste d'une corde, aussi solide qu'un filin. L'homme fit remarquer à Camus la qualité du nœud qui la fixait, « joli à encadrer » eut-il le triste humour de commenter. C'était effectivement un nœud d'expert, « digne d'un gars de la Marine » selon le bon Tarnois, qui lui suggéra aussitôt de porter plainte. Il était à l'évidence victime d'un attentat. Force fut pourtant de constater que pas un seul passant n'avait été témoin de cet absurde délit. Peut-être était-ce tout simplement une farce ? Le fait d'un plaisantin ? Camus retourna au café ramasser sa carte, plaça soigneusement le pare-chocs sur le siège arrière de sa voiture et poursuivit sa route, furieux, maugréant contre l'abruti qui avait osé un pareil sacrilège. Une vague inquiétude se mêlait à sa révolte. L'Alfa était amputée. Et ce n'était pas un banal accident mais un délit. La corde révélait la malveillance. « On » avait voulu abîmer sa voiture. Pourquoi ?

L'Alfa n'avait encore jamais suscité la vengeance d'un grincheux. Personne n'avait jamais rayé une portière, ou arraché un rétroviseur, pour punir son propriétaire de posséder une automobile au-dessus de la moyenne. Même l'écusson de la marque était d'origine. A Saint-Sernin, personne ne connaissait Jean Camus. Qui pouvait lui en vouloir ? Car il ne croyait pas à l'hypothèse de la blague. A peine à celle du simple délit. Le cabaretier n'avait-il pas trouvé le mot juste, en parlant d'« attentat » ? Une personne inconnue de lui mais qui l'avait choisi lui envoyait un signe. Il n'en doutait pas. Mais quel signe ? Pour dire quoi ? On cherchait assurément à lui nuire. Pour quel obscur motif? Cet acte était-il gratuit, ou cachait-il une volonté ? Et dans ce cas, laquelle ? Pour Camus, en ce matin d'automne, le ciel limpide était une offense. Il ne lui avait même pas permis de voir l'auteur de l'attentat, ni le visage du conducteur en lequel il soupçonnait le dangereux pisteur. Etait-ce bien la guimbarde qui avait traîné sur la route le rutilant pare-chocs, avant que la corde lâche ? Elle avait disparu de l'horizon. Le trafic, de plus en plus chargé à mesure qu'il remontait vers le nord, ne lui permettait plus d'observer chaque véhicule en particulier. Il finit par se calmer ; exigeant une grande concentration sur la route, la conduite lui fut salutaire. Il essaya de ne pas ressasser ce qui venait de lui arriver. Mais il restait sur ses gardes. Il approchait d'un faubourg industriel qu'annonçaient des fumées et une odeur de pollution chimique. Aucun camion, voiture, ou moto, ne lui parurent suspect. Personne ne semblait plus le suivre. Jean Camus sortit de la départementale, chercha son chemin à plusieurs carrefours, se perdit dans le dédale des routes qui menaient, loin de la ruche des usines, à des hameaux perdus, à des landes oubliées. Puis, au détour d'une colline pelée, il sut qu'il était arrivé.

La maison se trouvait, en contrebas de la colline pelée, au milieu d'un champ de plantes fourragères dont Camus aurait été incapable de préciser s'il s'agissait de seigle ou de sarrasin, voire d'orge ou de blé. Ce ne pouvait être de la canne à sucre... et pourtant ! Proche des usines de Carmaux et du bassin houiller, dans ce qu'il restait d'une nature jadis nourricière, érigée sur un site qui n'était de toute évidence pas le plus joli du Tarn et donnait l'impression d'un dénuement sans grâce, la maison, nommée manoir par son propriétaire, tenait plutôt du vestige. Le portail de fer, tout déglingué, grand ouvert, battait au vent. Jean Camus se demanda quelle péripétie de l'Histoire avait pu amener des Nayrac de Saint-Domingue sur cette terre si peu fertile et dans ce coin paumé du bassin d'Aquitaine. Mais à peine s'était-il formulé à lui-même cette interrogation qu'il trouvait la réponse. Le décor était presque en tout point conforme à celui que la narratrice décrivait dans ses mémoires : Jean Camus découvrait une maison d'un seul étage, de plain-pied avec le jardin, et sa véranda de bois blanche, de style colonial. Réplique exacte, illustration concrète du texte ! De part et d'autre, deux gros palmiers accrochaient le regard qui s'en allait plus loin se perdre parmi ce qu'il prit d'abord, tant l'illusion était forte, et la copie fidèle, pour des mornes bleus – en fait, la colline, au sommet mamelonné, paraissait de ce côté-ci, tout à l'ombre, dessinée à l'encre. Une bougainvillée couvrait presque entièrement un bâtiment annexe, écurie ou grange, et ajoutait aux autres éléments de la toile le ton pourpre du flamboyant des tropiques. Mais plus encore que la reproduction optique, ce qui frappa Jean Camus dans cette reconstitution d'un décor suranné, qui avait existé jadis, au-delà des mers, sur le continent Amérique, ce fut l'odeur de citrons que dégageaient quelques arbustes, modeste haie vivace dont le parfum extravagant en cette saison accompagna le visiteur jusqu'à la demeure. La splendeur, l'ampleur manquaient pour rendre l'illusion totale. En comparaison avec le paysage de Saint-Domingue dont il avait lu les descriptions, l'espace où il pénétrait lui parut étriqué. Sans doute avait-on au cours des siècles perdu quelques arpents de terres. Belle-Isle n'en offrait pas moins, en miniature, la réplique resserrée, paupérisée, mais juste, de Nayrac. Quelle lubie, quelle nostalgie poignante avaient pu conduire un individu à se construire ici, en plein Midi, une folie antillaise, aussi absurde dans le pays qu'un chalet savoyard ?

Le gravier, ou la pierraille qui en tenait lieu, crissait sous les pas de Camus. Il n'y avait pas de volets aux fenêtres de la maison, plusieurs vitres étaient cassées. Les piliers de la véranda, vus de près, affichaient une espèce de lèpre, la peinture en s'effaçant laissait transparaître en taches brunes, la couleur brute du bois. Un chat grisâtre, de cette espèce commune dite de gouttière, se balançait sur une chaise à bascule en rotin. Comme Camus ne trouvait pas la sonnette, il poussa la porte, appela, mais personne ne vint à sa rencontre. L'intérieur de la demeure était sombre et plongé dans le silence. Il eut la curiosité d'y faire quelques pas. Orientée sans aucun doute au nord, ce qui expliquait le manque de lumière et la sensation d'humidité qui se dégageait des pièces, la maison, uniformément pavée de dalles rouges, lui parut nue. Mais non sans attraits. Privée de rideaux, de tapis, de tableaux, de tout ce qui d'ordinaire orne et embellit, elle séduisait par ses proportions et par un air de noblesse qui, en dépit du dénuement général, tombait du plafond, des murs, et s'imposait, à la manière à la fois souveraine et détachée dont une très belle femme affiche orgueilleusement son corps, sans recours à des parures ou à des bijoux. Dans l'une des pièces qui s'ouvraient en enfilade, il remarqua un cabinet en acajou de la plus pure flamme – seul meuble de valeur, seul héritage d'un passé cossu. Apercevant plus loin une table dressée pour trois sur une nappe blanche, il préféra ressortir avant de paraître indiscret, vira le chat de sa balançoire et prit sa place puis, regardant sa montre, il nota l'heure tardive – une heure trente, après midi. Autour de lui, pareil à un vigile sur la véranda déserte, il contempla l'espace clos qui s'étendait jusqu'au portail de part et d'autre de la maigre allée de citronniers, et au-delà la colline bleutée, avec ses mamelons féminins et sa douceur d'aquarelle. Etait-ce le silence, réellement pesant et inhabituel dans ce coin de campagne, mais Camus fut sensible à la tristesse qui était à ses yeux la vraie couleur du site, le marquait de son sceau. Plus loin des humains s'agitaient. Les gens se rendaient aux marchés, aux usines de Carmaux, aux cafés. Ici tout croulait, tout se dégradait, et, suspendu aux toiles d'araignées qui avaient bâti leur petit monde translucide entre les poutres décolorées de la véranda, le temps semblait figé, pris au piège des souvenirs. Jean Camus trouva à ce jardin à l'abandon, en marge des activités ordinaires, une évidente parenté avec un cimetière. L'Alfa Romeo mettait dans ce tableau funèbre une note insolite de jeunesse et de dynamisme.

Il aurait pu s'endormir, englué dans la vision à la fois paisible et misérable. Mais des pas firent crisser les cailloux alentour. On venait, par l'autre côté de ce qui avait été un parc et ressemblait désormais à un terrain vague. Comme Camus se levait, le chat, d'un bond, en profita pour reprendre sa place et miaula pour la première fois, sortant ses griffes en signe de protestation. Il était évident qu'il n'avait pas l'habitude d'être délogé et considérait Camus comme un envahisseur. L'homme qui marchait vers lui arborait une barbe épaisse et noire qui lui dévorait le bas du visage. En jeans, pull-over bleu, chaussé de godillots et portant plusieurs bouteilles de vin, le propriétaire du manoir, le descendant des Nayrac, si tel était bien son homme, avançait sans se presser, avec le flegme devenu rare des gens qui ne consultent jamais leur montre. Ou qui ne daignent pas en porter. La femme, longue jupe fleurie balayant le sol, panier de paysanne au bras d'où émergeait la tête de quelques légumes, marchait docilement à ses côtés, un sourire ébahi aux lèvres. On aurait dit un couple d'étudiants, ou d'anciens hippies. Encore jeunes, dans la trentaine sans doute, ils avaient l'un et l'autre cette nonchalance, et cet air de rêverie que donnaient, à la génération Peace and Love, dans les années soixante, le culte du farniente et des drogues. La femme était d'une maigreur impressionnante, ses joues creuses et son long cou de gazelle affamée n'en soulignaient que davantage l'expression hagarde de ses yeux.

Elle se révéla pourtant une hôtesse avenante, quoique dépourvue de la moindre notion d'organisation. Elle le fit entrer puis asseoir, rassembla des chaises, alluma une lampe, sortit des verres, des biscuits, une carafe de vieux muscat. Tout cela en s'agitant, en babillant, sans lâcher son panier en osier, maladroite, chaotique, et finissant par donner le vertige jusqu'à ce qu'elle disparaisse brutalement, sans prévenir, à l'autre bout de la maison. « Cuisine ! » murmura son compagnon, aussi laconique et taciturne qu'elle était excitée et bavarde. Comme pour appuyer cette vérité, prononcée de manière aussi avare, sans se donner la peine de construire une phrase, mais d'une voix profonde et agréable, qu'on aurait voulu encore entendre résonner tant son timbre flattait l'oreille, une de ces voix de poitrine que cultivent les chanteurs d'opéra, une odeur de beurre et d'herbes aromatiques envahit bientôt la maison, rappelant à Camus qu'il n'avait rien mangé depuis la veille et que l'heure habituelle de son déjeuner était largement dépassée. On vivait ici selon d'autres coutumes, comme dans ces pays du Sud espagnol où l'on se met à table au milieu de l'après-midi. L'éditeur n'eut cependant guère le loisir de rêver aux mets exquis qu'on lui préparait et dont il imaginait, de ses narines en feu, l'exotisme sur fond de parfums des îles, car l'homme qui lui faisait face sur sa mauvaise chaise de campagne, se mit à lui conter son histoire. L'absence de son épouse lui déliait-elle la langue ? Sa voix le captiva au point qu'il en oublia son estomac, et jusqu'au sens de l'heure, cette vaine obsession de toute sa vie !

Le récit achevé et au moment de passer enfin à table, sa montre indiquait quatre heures de l'après-midi. Camus toucha à peine aux plats ; son hôtesse les avait préparés avec un sens inventif de la cuisine, mettant autant d'imagination dans la présentation que dans la concoction. Son évidente anorexie affûtait son talent de cuisinière. Encore le mot « talent » était-il trop faible, tant il y avait d'extravagance à la source de tous ces mets, aussi variés que succulents, colorés, épicés, mêlant le sucré, le salé, et les brouillant si bien que le palais le plus fin aurait peiné à s'y reconnaître. Ils méritaient de figurer dans un livre de recettes à proprement parler extra-ordinaires, un livre de cuisine enchantée... Jean Camus y fit cependant peu honneur. Il avait la gorge nouée. Où était-il tombé ?

Vivant de maigres rentes – moutons et sarrasin –, l'homme qui venait de lui confier son histoire était marié depuis plusieurs années à cette jeune Albigeoise dont la pétulance cachait mal le drame familial. Il descendait de la dame de Saint-Domingue par les femmes et ne portait plus le nom des Nayrac – il tenait à son anonymat. Il fit promettre à l'éditeur, s'il publiait les mémoires de son aïeule, de ne pas révéler le nom actuel de sa lignée. Jean Camus observa qu'il avait, sous la barbe, la peau beaucoup plus foncée que la sienne, pourtant celle olivâtre d'un pied-noir, dont le type méditerranéen était déjà flagrant. La teinte brune de ses mains devait sans doute moins au bronzage ou au grand air qu'à un pigment naturel, à une présence concentrée de mélanine. Ses ongles, que soulignait un trait de terre ou de crasse, étaient aussi nacrés qu'un coquillage. Tout au long du récit, Jean Camus ne put s'empêcher d'établir des conjectures sur le degré de métissage de son interlocuteur. Il s'en voulait d'enregistrer la différence, de réagir en somme en termes de races – il méprisait tous les racismes. Dans la généalogie des Nayrac, le sang avait son importance, mais il plaidait pour l'universalité. Cause du malheur de la famille – car c'était du Mal qu'il s'agissait –, il était à proprement parler « maudit ». L'homme avait employé cette expression, des plus caduques, des moins aptes à convaincre un esprit cartésien, surtout aussi mécréant que Jean Camus, lequel n'avait jamais cru ni à Dieu ni à diable, pour résumer la situation propre à sa famille. Que le sang fût blanc, noir ou métissé n'était en effet pour les descendants des Nayrac qu'un avatar de leur drame : une malédiction, venue d'on ne sait qui, pesait sur eux !

La dépranocytose – Camus dut faire répéter plusieurs fois ce terme de médecine qu'il entendait pour la première fois et qui définissait une grave maladie génétique affectant le sang –, la dépranocytose donc frappait leurs enfants mâles. Ils mouraient presque tous avant l'âge d'homme. Ce type d'anémie congénitale était dû, d'après son hôte, à une anomalie de l'hémoglobine, qui révélait à l'examen la présence de globules rouges anormaux, falciformes, c'est-à-dire qu'au lieu d'être ronds, ils avaient la forme d'une faux. Lui-même était l'un des rares survivants de sexe masculin. Mais il pensait qu'un maillon de la chaîne rompu ne suffisait pas à confirmer la fin d'une malédiction. Et qu'inévitablement, sautant ici ou là une génération par hasard ou pour prolonger le supplice, elle reprendrait son cours jusqu'à l'expiration attendue et promise. Il craignait de mettre au monde un garçon au sang vicié, promis à une enfance gâchée et à une agonie prescrite de longue main, depuis que la famille existait, par une force obscure et malfaisante, voire satanique. Camus, sceptique, songeait qu'il n'avait jamais considéré la vie sous cet angle. Toujours guidé par la volonté, le travail, et à la rigueur un peu de chance, sa vision du monde n'englobait jamais le surnaturel. Or, confronté à des gens qui croyaient en d'autres forces qu'en les leurs, et en des destins tracés par avance, il ne pouvait s'empêcher de remarquer les effets bizarres que sa lecture avait entraînés. L'homme s'étant demandé quel sorcier serait assez puissant pour briser l'engrenage, s'était intéressé au manuscrit de son aïeule, conservé pendant plus d'un siècle et demi chez un notaire bordelais dont il avait retrouvé la trace grâce à des documents enfermés dans le secrétaire flammé ; ils indiquaient en fait le nom d'un prédécesseur du père de l'actuel notaire. Sans relater la longue enquête qui avait permis d'exhumer le manuscrit d'archives notariales, il s'était attaché à le transcrire. Une fois dactylographié, il l'avait mis au coffre de sa banque. S'il souhaitait le voir publier, c'était à des fins de « désenvoûtement ».

La clarté, selon lui, était l'ennemie du Diable. En portant au jour le texte fondateur de la famille, pensait-il parvenir à dérouter le Malin ? Et à interrompre l'inexorable processus de la malédiction ? L'hôte, assombri, marqua une pause. Le silence retomba sur la maisonnée, tandis qu'il se levait de table et marchait d'un mur à l'autre, tel un prisonnier arpentant sa geôle. Camus attendit qu'il se ressaisisse. Habitué aux caprices innombrables des auteurs, il se trouvait déconcerté. Le comportement de son hôte et son obsession du diable le mettaient mal à l'aise. S'étant enfin calmé, le légataire du manuscrit se campa devant lui, le surmontant de sa haute taille, pour lui notifier d'une voix épuisée par l'effort qu'il avait accompli pour parvenir à cette conclusion, qu'il attendait de lui, l'éditeur, le grand désenvoûtement ! Le manuscrit, par lui mille fois lu et relu, décrypté, étudié, possédait une qualité étrange : il suscitait des rêves qui non seulement agitaient le sommeil mais pénétraient par effraction dans la vie, brouillant en quelque sorte les cartes, et risquant de faire perdre la raison à moins solide que lui. Il y voyait l'indice d'une subversion, et la preuve d'une volonté maligne. Aussi remettait-il son destin entre les mains de

Jean Camus. Selon lui, un professionnel de l'édition – ainsi nommait-il son métier avec emphase – ne risquait pas, comme un des membres de la famille, de se laisser prendre aux pièges de la narration; aguerri à ses techniques, frotté à ses mystères, il saurait sans nul doute les déjouer. Quant à la publication, sous le signe du soleil de la Maison d'Oc, elle délivrerait enfin sa lignée de la menace obscure du malheur.

Le soir, prié par ses hôtes de ne repartir que le lendemain, afin sans doute qu'il puisse se pénétrer de l'atmosphère unique de cette famille ensorcelée, on le laissa seul dans la demeure inhabitée. Il n'y eut pas de dîner. Le couple se couchait avec les poules, dormait dans l'annexe, sous la bougainvillée, et ne prenait comme les bêtes qu'un repas par jour. Camus jeûna. S'ennuyant, il chercha la compagnie du chat qui la lui refusa. Le vicieux félin, s'enfuyant à son approche, lui préféra la nuit sauvage, dans le jardin désert. La chambre où il logeait était aussi austère qu'une cellule de moine, il s'attarda sur la véranda. Un clair de lune aussi blafard qu'un éclairage de voiture le tint éveillé. Aurait-il songé à lire, qu'il n'en aurait pas trouvé la force. La même fatigue, le même abrutissement qu'il avait éprouvés à Maguelonne sitôt lues les premières pages du manuscrit le reprenaient ici, sur la chaise à bascule, où il demeurait immobile, totalement énervé. Le cerveau engourdi, mais tâchant encore d'élucider le mystérieux climat où il vivait depuis quelques jours, et en particulier ce qui l'avait le plus frappé ici même, dans ce décor tiré exactement du manuscrit – le regard halluciné de la femme, la voix *de profundis* de l'homme, l'incident du pare-chocs, l'attitude hostile du chat et puis son inhabituelle, incompréhensible apathie –, il crut apercevoir, montant du fond du jardin, une silhouette qu'il connaissait déjà. Avant de sombrer dans un sommeil qui s'apparentait à un coma, il distingua, haute et mince, toute enveloppée de voiles noirs comme d'une longue robe de deuil, une femme à l'allure orgueilleuse, dont les yeux brillaient d'un éclat de jais.

La nature qui ordonnait la vie de l'île, cette nature prodigue, à laquelle nous autres venus de France étions peu préparés à résister, n'avait pas seulement une influence sur nos corps. Si elle ne cessait de les tourmenter d'un bout de l'année à l'autre, provoquant sans relâche fièvres, fluxions, inflammations diverses, affectant l'estomac, le cœur, la peau, elle exerçait aussi son emprise sur nos cerveaux. Elle avait tout pouvoir sur nos émotions. La raison, qui aurait dû orienter nos destinées, cette raison que nous voulions souveraine, rendait souvent les armes devant le soleil. La chaleur suffocante pouvait terrasser l'esprit le plus affûté ou le plus aguerri, l'humidité ramollir l'intelligence la plus vive, et les orages entraîner des fissures dans les poitrines les plus solides. La nature commandait nos humeurs. Les clairs de lune, parmi les plus lumineux que je connaisse, apportaient sur l'île une fraîcheur dont nous redoutions les contrastes avec les excès de la chaleur diurne. Leur lueur blanche provoquait des refroidissements brutaux. Elle était propice à tous les dérèglements. La folie s'emparait de certains d'entre nous et ne les lâchait plus, les menant irrémédiablement au crime, ou pour le moins, à des conduites impies et sacrilèges. Nous attendions des prodiges de ces nuits de pleine lune. Elles ne manquaient jamais d'apporter l'inattendu.

Ainsi que l'a expliqué Hippocrate, le climat a des effets pervers sur le sang et la bile. A Saint-Domingue, il échauffait dangereusement le premier et menaçait de gorger d'eau la seconde, aux nombreuses et vicieuses occasions qui nous étaient données de nous refroidir à tout moment, mais en particulier le soir, déclenchant chez l'un ou chez l'autre, si robuste fût-il en débarquant sous ces latitudes, de subits accès de délire. Des fièvres accompagnaient les maux dont nous souffrions, parmi lesquels les dartres, l'hydropisie des membres, la dyspepsie étaient les plus fréquents. Bénins, ils surgissaient sans crier gare après quelque imprudence. La température du corps, que le soleil avait élevée jusqu'à celle d'une fournaise, tombait de plusieurs degrés lorsqu'à l'approche de la nuit les vents alizés soufflaient sur l'île encore brûlante. Il n'était rien que nous craignions davantage que ces écarts violents du chaud et du froid, dont nous ressentions les échos jusqu'à la moelle. Mais nous n'étions pas les seuls à être ainsi en danger. Les esclaves, que l'Afrique n'avait pas davantage préparés à l'étrange climat de notre île, souffraient tout autant que nous autres Blancs. Ils n'étaient pas moins fragiles, pas moins atteints que les maîtres. La nature tenait tous les habitants de Saint-Domingue dans son étau. Elle n'établissait entre nous aucune différence.

Le vétérinaire, également chirurgien de l'habitation, le Gascon Cadet, avait toujours fort à faire. Il soignait les maîtres, il soignait les esclaves. Le pian, maladie qui frappait, à l'exclusion des Blancs, les travailleurs des jardins, entraînait des ravages mortels. Cadet faisait venir de France l'eau de mélisse des Carmes qui soigne les douleurs de ventre et la poudre d'Ailhaud qui est un purgatif puissant, les pilules Paquet contre les abcès, les gouttes de Sydenham, qui calment les douleurs aiguës, ainsi que la poudre de Castillon, réputée contre le scorbut. Il utilisait la thériaque pour tirer le venin après la piqûre d'un serpent, l'antimoine en cas d'empoisonnement. Mais tous ces médicaments n'étaient en somme que de peu d'effet en regard des souffrances qui nous tenaillaient, ou de ces crises de langueur, de ces désirs soudain irrésistibles de sommeil qui s'emparaient de nous, sans raison, comme si nous avions bu un breuvage ensorcelé, et qui provenaient, disait-on, de l'air même que nous respirions. Aussi Cadet les remplaçait-il avantageusement par des potions ou des onguents qu'il préparait lui-même, en s'inspirant des vertus thérapeutiques des plantes qui poussaient sur notre île. Les Noirs en fabriquaient en secret pour se soigner eux-mêmes et bien que la plupart d'entre nous refusassent de les reconnaître, il y avait parmi eux des guérisseurs dont la science surpassait celle de nos meilleurs Esculapes.

Tout ce qui a don de vie possède à Saint-Domingue des vertus occultes. Les fruits les plus délicieux que nous dégustions, les herbes qui parfumaient nos repas, les racines où s'accrochaient des fleurs sauvages, les plus jolies à cueillir en bouquets, étaient des remèdes puissants. Nous savions tous pour les avoir éprouvés en maintes occasions sur nos corps meurtris que l'avocat, avec sa chair fade et moelleuse, arrête le cours de ventre ; que la pomme surette, amère jusque dans la maturité, soulage des vers ; que le cachiman épineux provoque les urines et que le cacao fortifie le cœur ; que la calebasse apaise les ardeurs, tandis que la cannelle échauffe. Nous tâchions de remédier à nos affections, certaines d'entre elles revenant avec une impitoyable chronicité. Nous ne recourions au médecin que dans les cas difficiles, lorsque nous avions épuisé les recettes des simples, du moins celles que la rumeur populaire et la tradition déjà ancienne de l'île nous avaient laissés connaître. Nous nous soignions en somme comme dans les campagnes françaises, remplaçant la verveine ou la camomille par leurs sœurs des tropiques. Dans notre avidité d'en savoir toujours davantage sur les mystères naturels qui nous entouraient, afin de mieux utiliser leurs ressources, nous consultions donc les hommes de science. Cadet n'était sans doute pas le meilleur de nos botanistes. Louis Desmarets le surpassait de beaucoup par la connaissance et par le talent. A preuve, la crainte qu'il inspirait à ses esclaves, près desquels il passait pour être un sorcier blanc. Ce ne fut jamais le cas de Cadet. Seuls les sorciers en effet, qui entretiennent avec la nature des rapports privilégiés et que leurs secrets placent au-dessus du commun des mortels, ont pour eux pouvoir de soigner.

En dépit de son esprit méthodique et de ses certitudes de philosophe éclairé, en dépit de son culte de la vérité, de la science, mon mari avait plus volontiers recours aux tisanes d'Aurore qu'aux remèdes français. Il s'adressait à elle de préférence à Cadet dès qu'un mal le tourmentait. Les breuvages qu'elle lui servait fumants ou froids selon l'effet qu'elle voulait obtenir, ou les emplâtres qu'elle lui apportait, soigneusement enveloppés dans des feuilles de *mombin*, venaient toujours à bout de ces échauffements ou refroidissements soudains, de ces inflammations fréquentes, de ces fatigues répétées dont il était, comme nous tous, victime. Mais il interdisait à Aurore de répandre ses soins hors de la Grand-Case et avait ordonné une fois pour toutes à Cadet la seule charge de l'hôpital. Il ne tolérait d'exception à cette rigoureuse répartition des tâches que pour les piqûres et morsures de reptiles ou d'insectes venimeux, confiées à notre cuisinière. Car dans ce domaine, Cadet semblait voué à l'échec : le plus doux des venins était chaque fois plus fort que la thériaque. Ce souci que Julien avait de garder pour lui seul les soins d'Aurore ne lui était pas dicté par l'égoïsme mais par la prudence. Une ordonnance royale interdisait en effet aux sujets du royaume tout recours à la médecine africaine et punissait sévèrement les entorses à cette loi. Ce qui se déroulait dans la Grand-Case était à l'abri des regards. Mais un malheur fût-il survenu à un libre ou à un esclave de la main d'Aurore, Julien aurait eu à répondre devant le juge de sa désobéissance à la parole du Roi. Il aurait encouru un blâme, voire une amende sur ses terres pouvant aller juqu'à la suspension de la concession qu'on lui avait accordée. Bien que nous n'en ayons jamais parlé ensemble, je crois que ce n'était là qu'une des raisons de sa prudence et la moins importante à ses yeux. Il craignait davantage, selon moi, les lubies d'Aurore. S'il avait une confiance illimitée dans les dons qu'elle lui prodiguait avec un amour singulier et désintéressé, mon mari n'en était pas pour autant aveugle. Il savait qu'Aurore pouvait haïr aussi démesurément qu'elle aimait. Avec la même passion. Elle aurait pu sans nul doute pervertir ses dons, et de la même main sûre qui dispensait la guérison, infliger la mort. Julien préférait ne pas prendre de risques. Et laisser Cadet offrir ses services et s'exercer sur les pauvres malades que nous étions. S'ils ne valaient pas ceux d'Aurore, ses soins n'étaient nullement maléfiques, dans l'intention. Si le mal en découlait, ce n'était pas par la volonté du Gascon mais par quelque incompétence ou maladresse de sa part. Avec la science qu'elle possédait, Aurore, elle, pouvait tuer comme ressusciter. Elle possédait des secrets que Cadet ignorait.

L'affaire de Macandal avait rendu suspecte aux Blancs la médecine des Noirs à laquelle ils avaient précédemment recours en toute confiance. La crainte de mourir empoisonné hantait, depuis, les consciences blanches. Les puits gardés de jour comme de nuit, les cuisines interdites aux esclaves comme aux domestiques de la Grand-Case et réservées au seul cuisinier que le maître avait choisi : toutes sortes de précautions étaient passées dans les mœurs. Dans certaines maisons, où la panique sévissait, les femmes blanches veillaient elles-mêmes à la préparation des mets ; les chiens servaient de goûteurs, on leur donnait avant les repas un peu de la nourriture des maîtres. Autant que le poison, nous inquiétaient les sortilèges et les maléfices. Les sorciers noirs n'étaient pas seulement des guérisseurs. Ils avaient, croyait-on, partie liée avec le diable, et tout pouvoir pour jeter des sorts. Ainsi les bâtons qu'ils fabriquaient et qui leur servaient de cannes de pèlerins sur les mauvais chemins de l'île, avaient-ils souvent pour vertu d'imprimer une douleur violente et continuelle à la partie du corps ennemi qu'ils avaient touchée, sans qu'on trouvât jamais de remède pour soigner, ni même pour soulager le mal. Celui-ci s'effaçait de lui-même, avec la même brutalité qu'il était apparu, si l'on trouvait l'origine du sortilège, et si un autre sorcier était assez savant, ou astucieux, pour accepter de désensorceler la victime. Sinon, elle finissait par mourir, au terme d'atroces souffrances. On appelait ces instruments, en apparence anodins, des *bilas.* Je ne sais trop ce que le mot voulait dire. Mais il les distinguait des bâtons ordinaires. Il existait toutefois pire châtiment que ces bâtons de sorciers. Les Nègres avaient la passion des poupées. Ils fabriquaient de minuscules fétiches, qui n'avaient apparence humaine qu'à leurs yeux et ressemblaient plutôt, car j'eus plus d'une fois l'occasion d'en voir, à de petits tas de chiffons. A l'intérieur de mouchoirs, tels que nous en donnions aux esclaves pour leur trousseau, ils fourraient des herbes séchées, des os d'oiseaux réduits en poudre, de la bouse et autres excréments d'animaux en poussière, des graines, des plumes, de minuscules bouts de peaux racornis de serpents ou de lézards, et des cailloux extraits d'une pierre calcaire, que je serais bien en peine de reconnaître et à laquelle ils attribuaient des vertus magiques. Ainsi cousus ensemble, puis bénis à leur façon, et placés dans leurs paniers ou dans leurs poches, sous leurs jupons, sous leurs chapeaux de paille, ils ne s'en séparaient plus. Leur attribuant un nom secret, ils s'en servaient tour à tour de talismans, pour se protéger eux-mêmes, ou d'instruments pour vouer aux enfers leur ennemi. La poupée, dans ce cas, désignait la victime qu'ils voulaient torturer ou envoyer à une mort subite. Lorsqu'on trouvait l'une d'elles, perdue au bord d'un chemin, il était recommandé de la laisser sur place, et d'y mettre le feu sans y porter la main. Le mal pouvait en effet se transmettre au simple toucher. Voilà ce que l'on rapportait des superstitions des Noirs dans ma jeunesse. Ce n'étaient ni ragots ni légendes qui leur prêtaient des pouvoirs surnaturels, mais des faits réels, que nous n'avions que trop souvent hélas l'occasion de vérifier. S'ils possédaient les secrets des herbes, les esclaves cultivaient aussi la magie. Aussi vivions-nous dans un climat de menaces. Lorsque les calendas, pourtant interdites, mais tolérées dans la plupart des habitations, retentissaient dans notre voisinage, lorsque nous entendions les tambours et devinions au loin, à la lueur mal dissimulée des flambeaux, les fêtes païennes, les danses sauvages, dont nous connaissions l'existence mais que, pour la plupart d'entre nous, nous n'aurions jamais osé approcher, nous nous demandions quel drame sortirait de tout cela. Quelle folie meurtrière, quelle vengeance occulte ? Nous en devenions nous-mêmes, à la longue, superstitieux.

Qui peut le bien peut le mal, dit un adage. Les ressources inouïes de la nature, ces plantes, ces herbes aux goûts exquis, aux vertus bénéfiques, celles-là mêmes que nous utilisions pour parfumer nos repas et soigner nos corps meurtris par les tropiques, étaient souvent de redoutables poisons. Elles contenaient le bien, elles contenaient le mal dans le même pollen, la même tige, la même graine. Chaque fruit possédait cette double qualité, et de la chair la plus délicate, la plus parfumée, du jus le plus sucré, le plus rafraîchissant, pouvaient découler des effets maléfiques. Ainsi le coco qui nettoie le sang et élimine la bile peut-il, à haute dose, provoquer de graves hémorragies, jusqu'à vider le corps de tout son sang, et, associé à quelques herbes appropriées dont j'ignore l'usage, le priver totalement de vie. L'abricot du pays, dont on fait infuser les feuilles pour préparer les bains destinés aux nouveau-nés qui ont des vers, entre lui aussi dans la composition de ces mystérieux purgatifs qui, comme le fruit du palmier, peuvent sécher un homme. L'ananas a des vertus abortives, comme le gros thym – des femmes enceintes peuvent accoucher prématurément d'enfants mort-nés, après avoir savouré un dessert, une compote ou un délicieux soufflé à base d'ananas. La christophine, le concombre, la figue-banane provoquent, bien macérés, bien cuisinés, bien roulés d'herbes fatales, des refroidissements mortels. Au contraire, le corossol ou la grenade blanche, en décoction, augmentent la fièvre et peuvent, administrés à un individu qui souffrira peu à peu d'une montée subite de la température, le conduire tout en feu à la dernière extrémité. Même la racine de manioc, dont nous fabriquions notre pain, la cassave, a cette double vertu, bonne et nocive. Le suc qu'on en extrait avant de faire la pâte agit en effet tel un poison violent.

La magie est dans la nature même de Saint-Domingue. Elle habite le paysage. Elle est dans chaque herbe, dans chaque caillou du chemin, mais aussi dans les signes qu'un nuage, un orage, un souffle d'air adressent à qui sait les lire, dans un ciel transparent. Ces signes que la nature inscrit dans les quatre éléments tenaient aussi à la main de l'homme, et n'étaient pas moins présents, et pas moins inquiétants autour de nous. Toute l'existence était quotidiennement parcourue de messages que nous tentions de décrypter. Une pelle cassée, un panier en feuilles de latanier brisé annonçaient la colère des esclaves; une croix, placée sur le chemin d'une case, ornée d'une plume et de quelques gouttes de sang, indiquait pour son propriétaire, qu'il fût blanc ou noir, riche ou pauvre, créole ou jeune immigrant, une promesse de mort. Du sang sur le seuil d'une porte augurait un mauvais présage pour l'occupant ; un mouchoir rouge accroché à une branche, un bâton tordu en forme de serpent, deux rameaux enchevêtrés, hirsutes des restes d'un nid d'oiseau, que votre cheval foulait au pied en hennissant, rien n'était insignifiant, tout au contraire recelait un sens. Nous finissions par craindre les hasards les plus naturels, et comme les Noirs eux-mêmes, nous trouvions dans les paysages enchanteurs de notre île, dans ses ciels vides et dans ses pluies soudaines, sur ses chemins de sable, l'écriture de nos propres destins. Nous ne pouvions pas demeurer indifférents à ce réseau de signes où nous nous déplacions, à ces présages, à ces menaces, à ces malédictions qui hantaient notre route, sous le soleil tropical. Quoique nous nous en défendions, l'Afrique marquait nos cœurs et nos consciences. Nous étions malgré nous entraînés dans une autre logique et irrésistiblement attirés par le mystère. Pour moi, rien ne me fascinait davantage que ce monde de la magie noire.

Selon Julien, les plus grands sorciers africains se distinguaient surtout par l'ampleur et la précision de leurs connaissances dans les domaines de l'anatomie, de l'herboristerie, l'observation des espèces et des éléments naturels. C'est de là qu'ils tiraient leurs pouvoirs. Mon mari ne se cachait pas d'admirer la manière dont Aurore, par exemple, soignait les piqûres des serpents et des scorpions ainsi que les morsures des araignées-crabes (ainsi appelées parce que leur corselet est rouge et leur mâchoire armée de serres), ou celles encore de ces grosses fourmis qu'on nomme chez nous « flamants » – blessures qui provoquent d'affreuses souffrances et entraînent souvent la mort. Julien affirmait que les prières, les incantations, les formules magiques des sorciers, leurs danses et leurs transes, ne servaient qu'à mieux installer leur pouvoir sur la communauté. A mieux convaincre et influencer leurs patients, pour qu'à l'aide d'onguents et de breuvages, opère leur sagesse ancestrale. Tant il est vrai que l'incrédulité se révèle un obstacle à toute guérison. Julien, quant à lui, ne croyait nullement aux sorts. Ou refusait d'y croire.

Nul n'ignorait les liens que le monde noir entretenait avec le diable. Impies et sacrilèges, ayant signé un pacte avec Lucifer, communiant avec les démons de sa suite ainsi qu'avec les esprits des morts qu'ils appellent *zombis*, les sorciers africains nous semblaient plus doués et plus malins que les magiciens de France. La Voisin, la Montespan, la Brinvilliers, si férues fussent-elles dans la science des poisons, n'auraient pu selon nous rivaliser avec le talent d'Aurore. Les fils de Macandal – ainsi nommions-nous les sorciers de l'île – n'étaient pas seulement des guérisseurs excellents et des empoisonneurs subtils, mais des jeteurs de sorts. Ils pouvaient influencer le soleil et la lune. Sous leur aspect misérable, leurs oripeaux, leurs guenilles, c'étaient des seigneurs. De dangereux rebelles. Ils exerçaient un pouvoir réel, en marge de l'illusoire despotisme blanc. Nous savions tous – et Julien le savait aussi, malgré son incrédulité –, nous savions tous, au fond de nous, que notre vie de chaque jour, si lumineuse, menaçait à tout moment de chavirer et de sombrer, emportée par un mal soudain, ordonné par une force mystérieuse. Les redoutables damnateurs, dont la noirceur de la peau passait pour refléter l'âme, se distinguaient rarement de l'anonymat mais certains pensaient les reconnaître aux reflets rouges de leurs yeux.

Leurs manigances n'épargnaient pas les esclaves qui pouvaient tout autant que les maîtres se voir jeter des sorts. Les premiers à savoir élucider les énigmatiques messages que la nature leur adressait, ils étaient les premiers à s'affoler en cas de mauvais augures. Victimes non seulement des Blancs et des mulâtres, ils subissaient toutes sortes de persécutions. L'île était peuplée pour eux de mille esprits cachés et malfaisants. Si nos yeux ne les voyaient pas, les leurs traquaient en permanence l'invisible. Ils se savaient poursuivis, observés, jugés, menacés, bernés, joués à chaque instant. Ils appelaient zombis leurs revenants. Le moindre frisson d'air, s'identifiant au souffle des mânes de leurs ancêtres, pouvait révéler leur présence. Mais ces esprits des morts, lorsqu'ils se manifestaient, n'étaient jamais bénéfiques. Ils réclamaient repentance, vengeance, exécution. Ils harcelaient les pauvres Noirs jusqu'à ce qu'ils obtiennent gain de cause. C'était à se demander qui les esclaves craignaient le plus, de leurs maîtres ou de leurs zombis. Des deux côtés, l'obéissance était leur lot. Comment échapper, sinon par une totale soumission, à la menace perpétuelle du fouet d'une part, et du *ouanga* de l'autre. Les ouangas, c'est-à-dire les sorts, frappaient avec autant de cruauté et d'injustice les hommes, les femmes et les enfants d'Afrique, que les Blancs. Nulle vie ne pouvait être épargnée. Nulle vie innocente.

Dans les calendas, leurs prêtres appelaient les esprits, et par toutes sortes de dons, de caresses, de manœuvres de séduction, tentaient d'apaiser leur ire. Lorsque les radas se mettaient à jouer, c'était pour nous, de l'autre côté de la nuit, le signal de tous les dangers. Si les Noirs dansaient et chantaient, nous n'avions d'autre recours que la prière, ou le mépris. Les plus chrétiens d'entre nous suppliaient Dieu de nous épargner les maladies et les supplices des ouangas. Les agnostiques ne voulaient entendre dans la musique d'Afrique que des rythmes sensuels et des accents d'orgie. Ils se moquaient de leurs superstitions mais, sans l'avouer, ils aimaient leurs fêtes au point d'avoir le désir d'en être. Il était presque impossible, en fait, de résister au mirage de cet autre monde, naïf et présent chaque jour, chaque nuit, doublant nos vies d'une épaisseur troublante. Julien avait beau me mettre en garde contre les tentations du monde noir, sa sensualité et ses délires, je ne pouvais en détacher mes regards. Il était si totalement différent de ce qu'on m'avait appris, si mystérieux et intrigant, que je ne pouvais qu'aller vers lui.

Les deux fils de Julien savaient non seulement lire et écrire, ils possédaient des rudiments d'histoire, de sciences et de latin. Mon mari avait veillé personnellement à leur instruction. L'aîné en tirait avantage pour satisfaire son ambition. Le plus jeune semblait n'en avoir que faire. Il était pénétré jusqu'à l'obsession du culte de la nature et des espèces vivantes. Non point à la manière savante de Louis Desmarets, car son instruction demeurait sommaire ; sa personnalité n'était nullement celle d'un lettré. Pierre n'appréciait rien qu'à l'état de liberté sauvage, il ne s'intéressait qu'à voir croître et prospérer les espèces. Il croyait furieusement à la vie. Jamais il n'aurait pu empailler un animal, épingler une sauterelle ou sécher un pétale dans un herbier. Les mammifères, les oiseaux, les insectes, les arbres et les plantes formaient sa vraie famille. Lorsqu'il les désignait, ce n'était jamais dans la langue morte des médecins, apothicaires ou autres botanistes. Il les nommait en créole, de ces mots chantants et délicieux que son père aurait voulu proscrire de son vocabulaire, comme des signes trop évidents de son ignorance ou de sa naïveté, et qui étaient pourtant, colorés, sonores, tout aussi sûrs que les termes latins. Plutôt que d'y renoncer, Pierre évitait de parler, ce qui faisait de lui, la plupart du temps, en société, le plus silencieux des hommes. J'aimais autant son côté taciturne que ses discours soudains et rares où l'île tout entière se reflétait, avec son pittoresque et ses énigmes. Le balai doux et la griffe à chatte, le mirobalan et le mal-dormi, le gros et le petit pompons, le qui-mourra-saura, le qui-vivra-verra, le qui-aura-voudra... la quenette et le petit morin, la langue brûlante, la farine-chaud, il connaissait toutes les herbes magiques, leurs vertus et leurs vices. N'étant pas jaloux de ses connaissances, il les partageait volontiers avec moi. Parmi les adultes qui nous entouraient, j'étais la seule à vouloir apprendre des choses en apparence aussi inutiles que le langage ou les rites des esclaves, ou leur mythologie. D'un naturel curieux et prompt à s'étonner, j'étais également oisive. J'avais donc du temps à consacrer à ce qui ne sert à rien, aux rêves, aux contes, comme aux amours.

J'y vis d'abord une occasion de me distraire. L'ennui est si pesant aux îles ! J'avais un nouveau compagnon, un ami. Pierre connaissait les légendes de Saint-Domingue, celles que m'avaient racontées Amédée peuplaient ses nuits depuis l'enfance. Peu enclin aux palabres, et n'ayant pas le talent de troubadour du fils de Fatousi, il les livrait par bribes, avec parcimonie, mais c'étaient les éclats d'un songe commun, leur royaume secret. Métis, nés l'un et l'autre d'un père blanc et d'une mère esclave, Amédée et Pierre partageaient une hérédité aux contrastes violents. Chez Pierre, l'ascendance maternelle dominait. De même que la couleur de sa peau était sans mélange, toute sa personne portait la trace de l'Afrique, qu'il ne devait jamais trahir. Si Amédée était également imprégné de la culture qui avait marqué ses premières années, Pierre refusait de la réduire à un passé, à une enfance. Il la voulait présente, vivante en lui à chaque instant, et non point reléguée à des contes à dormir debout. Je ne sais si je parviens à expliquer cela à des gens qui n'ont point connu mon île en mon temps : de l'Afrique, les deux hommes tiraient selon moi le meilleur d'eux-mêmes – ou bien était-ce le pire ? –, un désir exaltant de vivre. Mais de vivre autrement. En laissant la nuit venir au jour.

Comme Amédée, demeuré fidèle à la mémoire de Fatousi, Pierre, je ne l'ignorais pas, priait ses dieux noirs, ses déesses d'ébène. Sur la plantation, il menait une vie à part. Sans presque jamais se mêler du travail des maîtres auquel son frère se donnait avec tant d'ardeur, il rôdait du côté des champs et des villages à nègres, les mains dans les poches, avec sur le visage cet air ténébreux que je lui vis toujours. On aurait dit qu'il surveillait les gardes. En période de grosse coupe des cannes, il prit plus d'une fois la faux et accomplit sans rechigner les mêmes longues et harassantes journées que les esclaves, menant souvent le rang mais revenant en arrière pour aider parmi les retardataires une femme épuisée ou un enfant maladroit. Malgré son aspect malingre, il déployait une énergie remarquable qu'il tirait, je crois, de sa rage. La colère l'habitait. Ses yeux noirs jetaient des éclairs sur le cadre injuste, odieux, où nous vivions. Il lui arrivait de disparaître des jours entiers. De retour à Nayrac, il affirmait à son père qu'il était au Port au Prince où il prétendait avoir rendu visite à Vénus. Je doutais que cela fût vrai. Fuyait-il l'habitation pour soulager sa vision quotidienne, torturante, du malheur de la race noire ? Il oubliait dans les mornes sauvages, leurs forêts, leurs broussailles, au milieu de leurs sources, parmi leurs perroquets, les cruelles coutumes de notre société. Allait-il chercher quelque fraternité auprès d'esclaves fuyards, condamnés à vivre en éternels parias pour avoir brisé leurs chaînes? Bien qu'il ne s'en expliquât jamais, Pierre souffrait de son statut de mulâtre. Fils bâtard d'un planteur blanc qui avait fait de lui un privilégié, il jouissait de droits et d'une liberté sans commune mesure avec la couleur de sa peau. Sans doute était-ce là l'origine de sa révolte et de sa mélancolie. En porte-à-faux avec les deux communautés, il avait cependant choisi son camp. Si Amédée tentait d'établir un fragile équilibre entre son existence de planteur, qu'il conduisait avec brio, et ses rêves d'enfant noir, qu'il gardait secrets avec ses zombis, ses loas, Pierre ne parvenait pas à rapprocher les rives profondes de ces deux univers. Quoique souffrant en son sein de leur antagonisme, il désirait vivre au soleil ce qui était, par contrainte, voué à l'ombre.

Notre entente, l'ai-je déjà dit ?, fut quasi immédiate. Nous étions lui et moi inutiles au fonctionnement de l'habitation, lui et moi exilés en nous-mêmes. Deux rêveurs, deux êtres sans vrais repères. Aussi incertains l'un que l'autre de ce que nous avions à vivre. J'étais des deux alors la plus légère, la plus égoïste, sans nul doute la moins morale : je confondais le bonheur avec ce qui flattait mes caprices et mes sens. Je n'avais jamais rien connu d'autre que de petits plaisirs. Il me manquait un grand amour. Pierre, dans ses rêves, était plus généreux, il se souciait d'autrui, il voulait le bonheur des autres.

Il me confia son désespoir. Lorsqu'il disparaissait, des jours entiers, il allait bien au Port au Prince mais sa mère n'était qu'un paravent derrière lequel il cachait ses désordres et ses insoumissions. Dès son adolescence, il avait contracté l'habitude des femmes, il se livrait à des débauches. Ne pouvant fréquenter les maisons que notre île réserve aux seuls plaisirs des Blancs, il avait pour conquêtes des filles, des sœurs, des cousines d'Afrique qu'il ramassait dans la rue et emmenait dans les hôtels réservés aux gens de couleur. Sa peau très noire lui en aurait aussi sûrement interdit l'entrée que celle des maisons de tolérance françaises s'il ne s'était fait connaître, forçant le gérant, ou était-ce la gérante ?, à honorer son rang de mulâtre, « libre » ainsi que nous appelions sur l'île tous les métis affranchis. Les filles les plus pauvres, infirmes, malades, avaient sa préférence. C'est par elles, qu'il avait noué des liens avec le monde de ses origines, ce monde africain fait de rois en exil et d'esclaves enchaînés, dont on avait voulu l'éloigner mais qu'il aimait d'un amour sincère, plus violent encore que pouvait l'être à son égard le mépris de quelques Blancs.

Vénus incitait ses fils à ressembler à leur père mais elle les avait bercés, enfants, de chansons créoles et de rythmes africains. Il lui semblait toujours, me disait Pierre, qu'elle l'appelait. Il ne savait à quoi, vers quoi, mais il me répéta cent fois l'attrait qu'elle exerçait sur lui. Cette musique, c'était la voix de ses racines, la voix de son peuple en exil. Il l'entendait, et son cœur battait à se rompre. Les tambours aradas lui renvoyaient l'écho de ses propres pulsations. Il était lui-même arada, et puisait aux sources inconnues de ce qu'il nommait « Guinée » la force étrange de sa révolte. Vénus devinait, sans qu'il lui eût jamais rien dit, l'influence de ces ancêtres qu'elle n'avait pour sa part jamais reniés mais dont elle avait pour ses fils espéré l'éloignement ou le répit. Elle protégeait le secret de Pierre, elle en nourrissait son âme inquiète. Les mots sont inutiles entre deux êtres qui communiquent avec les mânes. Julien bien sûr ignorait tout : pour quel obscur projet son fils aurait-il voulu renoncer aux avantages qu'il lui offrait ? Il ne voyait en son cadet qu'un esprit faible et lunatique, plus enclin à s'occuper des animaux de l'habitation ou des champs de canne qu'à diriger les hommes. La répartition des tâches entre ses deux fils lui paraissait si évidente que, tout occupé de former l'aîné, il laissait Pierre à l'arrière-plan, négligeant les ombres que jetaient ses grands yeux ou, selon son habitude, refusant de les voir.

Pierre m'avoua plusieurs délits commis contre nos usages – il fréquentait les assemblées des Noirs. Assidu des grandes calendas de l'île, il lui arrivait de monter vers le Nord où elles sont plus fréquentes et plus ferventes que sur notre plaine occidentale, assurément paisible et bien ordonnée. Les plantations du Nord, autour du Cap Français, sont les joyaux de l'île mais, confiées à des gérants souvent brutaux, à des intendants inhumains et injustes au lieu qu'elles sont chez nous, avec des proportions modestes, aux mains des propriétaires eux-mêmes ou de leurs parents, elles ont perdu leur configuration familiale. Elles étaient déjà, dans ma jeunesse, des exploitations sans âme. De grands champs à tortures dont des seigneurs lointains voulaient tirer profit. Au Cul-de-Sac, quoique soucieux du rendement, nous nous gardions des coutumes barbares de ces colons, et les plus sévères d'entre nous ne se seraient jamais permis de mettre à mort un esclave, pour quelque motif que ce soit. Nous en référions toujours à la justice du Roi. Alors que les juridictions du Cap se retrouvaient trop souvent devant des rapports de crimes sauvagement exécutés, que leurs auteurs niaient, imputant leur prétendue défense au poison ou à quelque folie vengeresse du Noir. C'est pourquoi la classe des esclaves était la plus dangereuse dans la grande plaine du Nord, à la fois la plus pitoyable et la plus en colère. Dans les calendas, les Noirs conjuraient la haine. Ils appelaient l'aide précieuse des morts et des ancêtres, leurs seuls recours. Ils reprenaient espoir. Pierre qui cherchait désespérément l'unité, trouvait dans leurs réunions nocturnes, à la lueur rouge de leurs feux, au son rauque de leurs tambours, un peu de la fraternité perdue. Quelque trace de sa propre histoire, sur la rive où il avait décidé d'ancrer le navire, malgré le Code, malgré la Loi.

Il allait à Plaisance et à Dondon, au Trou et à la Petite Anse, là où se tenaient les conciles d'esclaves. Je n'ignorais pas, pour l'avoir entendu dire à voix basse, dans ma propre maison, par des hommes qui ne manquaient pas de courage mais s'inquiétaient de voir s'étendre jusque chez eux ces subversives messes noires, je n'ignorais pas que les Noirs s'assemblaient là-haut par centaines, certains soirs propices aux calendas. A l'écart des habitations, souvent en bordure de bois, ils choisissaient des terres en friche enclavées au milieu des champs, abritées des regards, et y accouraient de tous les villages de la province. C'était toujours par des nuits de pleine lune. La rumeur, disait-on, devançait les tambours qui appelaient les infidèles et ne cessaient plus de jouer jusqu'au lever du jour. Les esclaves savaient où se retrouver et à quel moment favorable. Là où nous nous serions perdus, sans lumière, leurs yeux voyaient. Ils trouvaient les chemins, ils suivaient des traces, aussi sûrs à la lueur pâle de la lune qu'en plein midi. Comme si un guide leur indiquait la route, ils marchaient vers un point connu d'eux seuls où les premiers arrivés allumaient des feux. Non point des feux de ralliement pour éclairer l'assemblée et indiquer son site aux plus lointains d'entre eux, mais des feux secrets, qu'ils camouflaient avec de la terre ou des broussailles. De loin, ils ne paraissaient pas plus inquiétants que les feux de cardasse qui brûlaient sur toutes les habitations autour des cases. Ils délimitaient pourtant un territoire, ils formaient un foyer sacré autour duquel les esclaves se mettaient bientôt à danser, à chanter, sur les rythmes des tam-tams. Leurs prêtres sacrifiaient un animal, une chèvre de préférence ou une poule, dont ils mangeaient la chair, dont ils buvaient le sang. On disait qu'au cours de ces cérémonies interdites, les dieux étaient invoqués pour le malheur des maîtres. Le Mal en personne présidait leur culte. Aussi portaient-ils toujours ces soirs-là, en signe de leur colère, des mouchoirs ou des jupons de couleur rouge. La victime qu'ils immolaient, de plume ou de poil, se devait d'être blanche. Certains affirmaient qu'ils goûtaient particulièrement le « cabrit sans cornes ». Entendez par là la chair d'un enfant.

Lorsque Pierre me confia son secret, ce fut sans détails. Il ne m'apprit rien d'autre en fait que sa présence au sein de ces assemblées noires dont nous autres, colons, nourrissions notre peur. Des dieux méchants, des déesses gourmandes et vindicatives descendaient sur Saint-Domingue pendant ces nuits magiques et leur influence, croyions-nous, ne tardait pas à se faire connaître, par quelques catastrophes prétendument naturelles qui nous frappaient les uns ou les autres. Nous tâchions bien de lutter par toutes sortes de raisonnements, contre cette vague de peurs et de superstitions qui n'épargnait aucun de nous. Mais les plus ironiques, les plus sceptiques, ceux qui distribuaient la Raison comme un baume et voulaient nous convaincre de la prédominance des Lumières sur la nuit, ceux-là mêmes dont les discours m'éblouissaient, dont l'intelligence ne pouvait être mise en doute, seraient bientôt balayés comme nous tous par le vent de l'Histoire. Les feux brûleraient bientôt l'île blanche, et réduiraient en cendres nos vaines espérances.

Ce que Pierre me laissait entrevoir, au cours de conversations où les silences pesaient d'un poids plus lourd que les mots, c'était son drame personnel et c'était sa propre colère. Il refusait, je vous l'ai dit, son métissage. Il rêvait d'un destin en accord avec la couleur de sa peau, d'un destin simple et pur. Sa naissance l'ayant contraint de vivre l'amalgame et le compromis, n'étant ni blanc ni d'Afrique, mais l'un et l'autre à la fois, créole de peau noire, fils de maître et d'esclave, il n'avait pu trouver un peu de paix qu'en effaçant de sa conscience, volontairement, une part de son hérédité. Il avait choisi Vénus contre Julien. Quand je le connus, il y avait encore un adolescent dans l'homme ténébreux et primesautier, qui fuyait à l'évidence la compagnie de son père et s'en allait au nord, chercher sur des territoires inconnus de nous, la trace de ses ancêtres maternels.

Intelligent, également instruit, mais bercé dès l'enfance des légendes de sa tribu, il était rebelle à notre mode de vie. Julien ne put jamais obtenir de sa part quelque discipline que ce fût. S'il ne participait à aucun des travaux des Blancs, il désertait aussi la table de famille. Il mangeait avant ou après les repas, à la cuisine où Aurore le traitait avec beaucoup d'égards. Supposé dormir dans une case qu'il partageait avec son frère, il nous en parvenait souvent des éclats violents de leurs disputes. Julien se rembrunissait mais n'intervenait pas. Sans doute pensait-il que la jeunesse passe par de telles révoltes. Je le vis souvent, à son insu, réprimer sa propre irritation devant les airs furieux de son fils cadet. Fidèle à ses principes de tolérance et aux conseils d'éducation qu'il avait lus chez je ne sais plus lequel de ces philosophes en vogue à Paris, il laissait vivre et se former à sa manière chaotique et brutale, ce fils qui lui ressemblait si peu. Il ne pouvait que ressentir l'hostilité qu'il lui manifestait d'instinct, sans parler, mais de regards pesant leur poids de rancœur inavouée. J'observais l'affrontement, je souffrais pour l'un et pour l'autre. Julien n'étant pas homme à débattre avec quiconque d'un pareil sujet, dont le caractère d'intimité le gênait, et Pierre étant la plupart du temps refermé sur ses pensées amères, j'étais prisonnière entre deux silences. J'aurais tant aimé réconcilier ces deux êtres ! Aussi bons l'un que l'autre, également inaccessibles, leur présence sous le même toit perturbait le calme et l'équilibre. Il me semblait toujours que l'orage allait éclater.

J'apprivoisais Pierre. Pas à pas, j'essayais de l'approcher, il était méfiant, griffes dehors. Je ne le brusquais pas. J'attendais. J'approchais encore. Sa peau luisait sur sa poitrine, dans l'entrebâillement de la chemise blanche. Il avait l'air traqué, tout à coup insolent. Un parfum de braise montait de ses vêtements. Un jour, nous étions seuls tous les deux, dans la Grand-Case. Je ne me souviens plus si le soleil marquait l'avant ou l'après-midi, mais je ressens aujourd'hui comme si c'était hier la foudre de cette émotion. Elle est intacte, elle n'a rien perdu de sa violence. Il faudra que je meure pour l'oublier. Car pour moi, la caresse dure encore. Et j'en éprouve le brûlant toucher : ma main dans celle de Pierre, nos doigts croisés, serrés très fort.

Le tour que prit mon histoire fut dès lors implacable. Il me semble que j'avais attendu cet instant pour vivre, et qu'il justifia ma vie. Que chaque jour passé, que chaque nuit de rêve n'eurent jamais d'autre but que de m'amener là. A ce point de non-retour. A cette folie. Aussi vieille, aussi décrépite et malade que je sois aujourd'hui, je ne la regretterai jamais, dût-elle me valoir l'enfer.

L'habitation ne pouvant abriter notre secret, je retrouvais Pierre à des endroits connus de nous, dans les collines où nous nous rendions séparément pour ne pas être surpris ensemble, le long des chemins de la plaine méridionale. Parvenue à une dizaine de lieues de Nayrac, j'ordonnais à Arès de demeurer sur place, à l'abri de quelque bouquet d'arbres, et d'y guetter mon retour. Nul ne devrait repérer sa présence et s'étonner de l'apercevoir sans la maîtresse dont il était l'escorte fidèle. Il obéissait, sans protester. Je savais qu'il me suivrait des yeux jusqu'à ce que je disparaisse, de ces yeux brillants qui ne savaient décocher aucun reproche. Je voulais être libre, et je voulais aimer. Aimer sans entraves, de toute la passion dont je me croyais capable et dont j'avais rêvé, sans jamais l'éprouver. Elle me donnait des ailes, et faisait peu de cas de mon crime. Les mots qui auraient pu justement la condamner, je refusais de les entendre. La voix qui, au fond de moi, aurait dû s'élever pour me rappeler à l'ordre, était muette. Eût-elle entamé un discours de morale que je l'eusse fait taire et renvoyée aux limbes, d'où elle ne pouvait m'atteindre. Nul n'aurait pu me convaincre que je commettais le mal en courant vers cet amour qui, pour moi, justifiait tout. Simple et fort, il rejetait dans la nuit la liste immonde des sept péchés capitaux. Il l'emportait sur la peur, sur la morale, sur Dieu. Je ne cherchais nullement à lui résister : il se confondait avec ma propre histoire. Il était, et il est encore, le cœur battant de ma vie.

Qu'étais-je alors pour Pierre ? Si notre jeunesse et un sentiment profond de marginalité, ainsi que je l'ai dit, nous unissait, tout le reste aurait dû nous éloigner l'un de l'autre. Pour celui qui demeure dans mon souvenir le jeune homme aux yeux de braise, j'incarnais ses mépris, ses dégoûts. Ma carnation blanche, mes origines métropolitaines, mon éducation bourgeoise et religieuse, mon goût frivole pour les robes, les dentelles, ma manière de commander mes caprices aux esclaves dévolus à mon service, mes mains où le travail ni le soleil ne laissaient de trace, jouaient en ma défaveur. Il aurait dû me haïr. Me haïr surtout pour être la femme de son père, celle qui avait chassé sa mère de Nayrac, la reléguant à jamais à son exil de maîtresse noire. Proche de Vénus, d'ébène comme elle, entretenant comme elle, quoique sans la dissimuler, une ombrageuse fidélité à l'Afrique, c'étaient ces différences-là qui me séduisaient. Au lieu que ma personne aurait dû le rebuter, par un étrange paradoxe, il se rapprocha de moi. Je ne m'interrogeais pas. Le bonheur où me plongeait sa seule apparition me tenait lieu de vérité. Devina-t-il mon désir ? Cela est fort probable. Je ne me contentais pas de prendre sa défense, chaque fois que son père ou l'intendant critiquait vertement sa conduite inconsidérée, mon comportement, mon visage même parlaient pour moi. Je rougissais, je m'agitais, la confusion me gagnait. Il me semblait toujours que la chaleur montait de plusieurs degrés dans la case, quand Pierre y entrait. Sa présence m'irradiait. Je crois qu'il ressentait cette émotion soudaine, ces battements de cœur, ces rougeurs qu'il provoquait ; il dut le savoir très tôt, le deviner, il avait grand pouvoir sur mes sens.

Aujourd'hui, je vois clair et mon histoire prend toute sa signification. Mais il m'a fallu des années, des souffrances, pour parvenir à cette intelligence. L'amour me comblait. Je me donnais sans réfléchir ni raisonner. Je pense néanmoins, à présent, que Pierre ne vint pas vers moi, d'abord, avec autant de simplicité et d'évidence que j'allais vers lui. Cela ne gâche rien de mon histoire passée, n'entame nullement ma mémoire encore sensible, mais je dois à la vérité de reconnaître la part peu flatteuse sinon cruelle de ses sentiments – devrais-je dire de son intérêt ? – pour moi. J'offrais en effet à Pierre, dans mon ingénuité, l'occasion qu'il espérait de venger sa mère, et de punir son père. Ma conquête eut valeur de châtiment ici, et là de réparation. Elle lui fut peut-être dictée par la rancune.

Les mornes de Saint-Domingue cachent des trésors de fraîcheur. Dans les sous-bois où la lumière passe au tamis des branches, coulent des ruisseaux dont l'eau est aussi froide que celle des sources de montagne. Nous nous y baignions nus. Je revois le corps maigre et noir de mon amant, il me semble sentir sous mes doigts la caresse de sa peau, et je retrouve parmi les parfums de l'île celui qui éveillait en moi le plus de sensations, une incontrôlable griserie. Les arbres donnaient à la forêt une sorte de toit en flammes. Je vois nos deux corps enlacés jouer dans les rayons du soleil qui perçaient le feuillage. Et projeter un même reflet à contre-jour, une seule ombre, rouge.

Le mutisme d'Arès, sa discrétion, protégeaient mon secret. Je m'inquiétais en revanche qu'Aurore pût le déceler. Elle avait un flair pour voir sous l'apparence des êtres et des choses les mystères cachés. Combien de temps lui faudrait-il pour débusquer dans un regard, dans un geste, l'indice de mon amour? La trace de ce qui était pour le reste du monde une liaison coupable? Autant que son génie, je craignais sa fidélité : attachée à Julien de toute son âme, esclave consentant à son sort, esclave plus qu'esclave, elle ne pourrait, croyais-je, que nous dénoncer l'un et l'autre. Ou bien préférerait-elle le silence, et nous punir elle-même de trahir son maître, afin d'assurer sa vengeance en lui évitant de souffrir? Dans les deux cas, notre sort serait terrible. Sans aucun pouvoir sur Aurore, véritablement sans défense devant elle, je n'ignorais pas de quel prix la société de mon temps faisait payer l'adultère. L'aggravait encore, en la circonstance, un lien incestueux – n'aurais-je pas dû considérer Pierre comme mon fils? Je me méfiais de sa prescience. Je me gardais de révéler quelque sentiment que ce fût à ses yeux de sorcière, à son instinct de mambo. J'essayais de chasser en sa présence le flux des émotions, j'affichais un masque d'indifférence, malgré la fièvre qui m'habitait. Surtout, j'évitais autant que je le pouvais les réunions de famille et lorsque Pierre se trouvait dans la Grand-Case, de me placer trop près de lui, comme j'en avais le désir, de risquer d'effleurer sa main ou son épaule. J'accordais plus d'attentions à Julien. Mon comportement n'était pas seulement dicté par l'hypocrisie et mon intention de brouiller les pistes : je nourrissais pour lui une affection sincère. Peu à peu, les années passant, elle avait toutefois évolué, transformant insensiblement l'amour conjugal en amour filial. Je considérais plus Julien comme un père que comme un époux. J'avais confiance en lui, je l'estimais. Mais si chaque nuit nous réunissait sous la moustiquaire de notre chambre, je ne me donnais qu'avec la plus grande distraction. Et je dois même l'avouer avec une certaine gêne : nos étreintes avaient pour moi un goût d'inceste. Sans doute notre différence d'âge et l'existence de son autre ménage, étaient-elles responsables du sentiment que j'éprouvais d'avoir épousé un père. Je ne pouvais ressentir de volupté qu'en fuyant ce rapport trop lourd avec l'amour. Loin des bras, loin du toit où je me sentais privée de liberté, de spontanéité et de joie.

Pour détourner la suspicion d'Aurore, au lieu de me réfugier dans ma chambre ou de tenter d'entraîner Pierre dans l'obscurité extérieure, je m'intéressais ou feignais de m'intéresser aux conversations d'hommes qui se tenaient certains soirs à Nayrac, quand des voisins nous rendaient visite ; je demeurais à les écouter débattre de sujets qui ne me tenaient guère à cœur. C'était moins le climat tropical et ses effets sur l'agriculture de l'île qui les préoccupait désormais, l'humidité et la sécheresse menaçant tour à tour, inexorablement, la canne à sucre, que l'atmosphère politique de l'île, où la tension montait. Ils formaient des plans pour affronter l'orage. Je rêvais, sans le moins du monde en avoir l'air, à mes escapades de l'après-midi, à mes bains dans l'eau froide. La gravité des planteurs me pesait. Ils avaient des soucis : des désordres intermittents leur donnaient à penser que leur situation n'était pas aussi fermement établie qu'ils l'auraient souhaité. Il leur fallait la défendre auprès du gouverneur comme auprès de l'opinion. Celle-ci s'agitait en France, remuant des idées contraires à leur état, néfastes à leur suprématie. La philosophie de Julien était passée à l'ordre du jour. Aussi n'en finissaient-ils pas d'en disputer : leurs acquis étaient-ils bien fondés ? Pour moi, j'offrais un visage lisse et un esprit absent. Toutes ces palabres m'ennuyaient. Je revivais d'autres instants. Quelle frivolité fut la mienne, quelle inconscience devant l'importance des événements ! Tandis que mon mari et les voisins de passage s'interrogeaient sur la légitimité de leurs vies sous le soleil de la Grande Isle à Sucre, tandis qu'ils tenaient leurs regards braqués sur un ciel obscurci, j'étais tout simplement ailleurs. La fumée de leurs cigares m'enveloppait d'une vapeur propice aux fantasmagories. Je retournais aux mornes où, quelques heures auparavant, je cherchais la chaleur d'un corps adolescent.

Je savais que mon amour condamnait Pierre et qu'il était encore plus en péril que moi. Si la vérité éclatait, le châtiment serait, pour servir d'exemple, à la mesure du crime. Je serais enfermée dans une prison pour le reste de mes jours, tandis qu'il risquait la peine de mort. Curieusement, alors qu'il demeurait rarement autrefois dans la Grand-Case après-dîner, les conversations qui m'ennuyaient tant le retenaient. Il y assistait, l'air farouche et concentré. Les gens le croyaient insignifiant, fixé sur des chimères. Ils ne voyaient pas qu'il était au contraire attentif à leurs discours, contenant sa colère. J'aurais voulu ne regarder que lui. Oublier les autres. Un soir pourtant, il parla. Et son intervention fit scandale.

Arnaudeau venait de nous raconter la fâcheuse affaire survenue sur l'habitation Guibert. La rumeur s'en était répandue dans la plaine avec la rapidité d'un incendie de saison sèche et l'on ne parlait plus que d'elle. François Guibert, qui avait débarqué avec sa femme le même jour et du même bateau que moi au Port au Prince, le délicat, le précieux Guibert venait de brûler les jambes de deux négresses en sa possession. Il les soupçonnait d'empoisonner ses esclaves et ses bêtes. Une épidémie mortelle décimait en effet l'habitation depuis plusieurs semaines. Pour les punir et décourager les autres Noirs de donner du poison à leur maître et à sa famille, il avait soumis les deux femmes à la question. Elles avaient avoué leurs crimes dans la plus extrême souffrance, devant tout l'atelier assemblé. Puis, il les avait fait jeter au cachot, tandis que quelques-uns des esclaves, effrayés d'avoir à subir le même châtiment, s'étaient enfuis pour aller trouver le juge auquel ils avaient rapporté l'incident. Celui-ci s'était rendu sur place, avec deux brigadiers, pour l'enquête. Les brûlures des négresses étaient profondes, je me souviens qu'Arnaudeau dit qu'elles atteignaient l'os.

« Le Code est formel, protesta Julien. En aucun cas, le planteur n'a pouvoir d'outrepasser la loi qui régit notre île. Au-delà de cinquante coups de fouet infligés à un esclave, il est passible d'une amende et s'il récidive, il peut être déclaré inapte à posséder une main-d'œuvre. Il doit fermer l'atelier. »

Je me souviens qu'il rappela les ordonnances royales qui faisaient défense à tous propriétaires, procureurs et gérants de « traiter inhumainement les esclaves, en les fouettant, en les frappant de plus de cinquante coups de fouet, en les mutilant ou enfin en les faisant périr » – je cite de mémoire. Dans le dernier cas, les maîtres encouraient la peine capitale. Le juge, qui était jeune et fraîchement arrivé de France, plein de fougue et peu encore formé aux mentalités de l'île, avait interrogé les uns et les autres et constaté le triste état des deux femmes, attachées à la barre. Il avait ordonné de les transporter chez le chirurgien du quartier – mon compagnon de voyage Delaventure – puis, de retour au Port au Prince, malgré les avis des notables, il avait ouvert un procès. François Guibert avait vigoureusement protesté : ce magistrat semait chez lui les germes de la révolte. Si l'on désavouait l'autorité d'un maître, celui-ci eût-il outrepassé les conseils du Roi, les esclaves, forts d'un soutien inespéré, n'allaient-ils pas cesser le travail et utiliser leurs fourches et leurs machettes à d'autres fins que de couper la canne ? La colère monte vite chez les Congos et les Aradas, soutenait Arnaudeau, qui semblait partager le point de vue – sinon les méthodes cruelles – du gentilhomme nantais. Le procès public ne manquerait pas d'avoir des conséquences pernicieuses sur toute la province. L'inquiétude des planteurs du Sud avait gagné le Nord, où la révolte fomentait déjà. Certes, François Guibert avait « inhumainement traité » ses deux négresses. On ne pouvait se sentir solidaire d'un tel individu. Néanmoins, Arnaudeau se faisait un devoir de le défendre : une atteinte aux pouvoirs des maîtres ne risquait-elle pas d'être lourde de conséquences ? D'entamer leur prestige et de mettre en péril l'équilibre fragile de la colonie ? « A un contre dix, conclut-il son plaidoyer – entendez par là un Blanc pour dix esclaves, chiffres que nous avait livrés un recensement récent de la population de Saint-Domingue –, à un contre dix, dit Arnaudeau, nous serions vite boutés hors de nos terres si nous n'avions le pouvoir d'être craints. »

Julien désapprouvait la violence. Il fustigea la conduite de Guibert. Tandis qu'il vilipendait les abus des maîtres, indignes de l'être, et déplorait le discrédit que quelques-uns jetaient sur tous, avec leurs méthodes infamantes, tandis qu'il commençait d'ébaucher le tableau d'une société parfaite où un climat de paix et une organisation sereine régiraient les rapports de chacun, je songeais à ce couple, encore presque enfant, qui avait voyagé avec moi à bord du *Belle-Isle* et au médecin qui nous accompagnait. Je n'avais plus entendu parler de lui jusqu'à ce jour. Je revis sa main qui se posait sur le ventre de Marie pour y apaiser les contractions de la grossesse. Je revis son départ, d'un pas lent et sûr, vers les ruelles du port, la trousse fleurdelysée sous le bras. L'exil nous avait séparés. Le jeune marié, qui se comportait avec mièvrerie et se pavanait dans ses dentelles, sur ses talons rouges, s'était mué en tortionnaire. Quoiqu'il eût brûlé les Noires à l'aide de torches enflammées, le juge avait trouvé dans une pièce attenante à l'hôpital d'autres instruments de bourreau, comme des rameaux de mancenillier, qui sont de redoutables fouets. Leurs épines sont réputées pour arracher les chairs et leur suc met aussitôt la gangrène sur les plaies. Les maîtres du Nord, désireux d'impressionner leurs esclaves lorsqu'une rébellion couvait, appréciaient les vertus de cet arbre. De telles vilenies nous déshonoraient, déclara Julien, qui trouvait que la révolte est écrite dans le châtiment.

C'est alors que Pierre parla. Il le fit de cette voix de gorge qui est celle d'un homme silencieux depuis trop longtemps. Bientôt elle s'éclaircit, et gagna en puissance. De quels termes qualifier le ton d'un discours où l'exaltation le disputait à la rage, et la volonté froide de persuader au rythme même de l'emportement ? Comme son père, il conspua le maître, il défendit l'esclave. Mais il ne cita pas les textes. Il dit haïr le Code Noir. Tous les hommes, prétendait-il, méritent les mêmes lois, qu'ils fussent blancs ou métis, et les Noirs comme les autres. Pourquoi seraient-elles différentes selon la couleur de la peau ? Quand l'homme cesse-t-il d'être un homme pour ses semblables ? L'homme n'est-il pas poussière dans la tombe ? Même poussière sans couleur. Il discourut longtemps. Sans permettre à quiconque de l'interrompre, enchaînant les phrases les unes aux autres, soulignant l'importance de ses propos en élevant la voix aux passages qui révulsaient l'auditoire. Arnaudeau s'était levé pour protester, mais Pierre ne lui céda pas la parole, il poursuivit sans perdre haleine, avec fougue, l'exposé de ses critiques, de ses rancunes, de ses haines pour les privilèges des maîtres ; il dit aimer le peuple noir. On aurait cru un avocat, sur la tribune. Il ne lui manquait pas même les effets de manches : ses mains esquissaient dans l'air des gestes qui semblaient danser avec les mots, loin de ce salon colonial, à l'atmosphère étouffante, loin de ce cénacle restreint, à la recherche d'une plus vaste audience. Je me souviens de l'ampleur et de la vigueur de la voix, surgie de ce corps en apparence malingre. Il m'en reste un frisson dans l'âme, et un sentiment éperdu d'admiration. Je n'avais jamais rien entendu de pareil : l'espérance brûlait dans ce discours, elle l'emportait à la fin sur la frustration et sur la colère. Elle avait des ailes de prédateur.

C'est peu de dire que l'apostrophe étonna. A force de silences et de renfrognements, Pierre passait dans tout le voisinage pour un idiot. On le croyait incapable de prononcer plus de deux phrases intelligibles, certains ne lui avaient jamais entendu dire un mot. J'observais Julien. Médusé, il pouvait à peine reconnaître son fils, d'ordinaire effacé, taciturne, et qu'il croyait rebelle à toute intelligence, dans ce tribun populaire. Il avait défendu l'Afrique. Il avait apporté des arguments, et construit sa diatribe sur un raisonnement solide. Mais il s'était également montré capable de convaincre, de faire trembler sur leurs bases les plus ardents défenseurs des maîtres. Il avait assommé l'adversaire, et contraint chacun à l'écouter. Sa passion était plus que contagieuse, elle devait pouvoir mobiliser une foule. Son fils était un dangereux tribun. Sans doute un meneur d'hommes. Où avait-il forgé son art de parler ? D'où tenait-il sa rage incantatoire, son lyrisme forcené ? Qui était-il enfin, ce jeune fils de Vénus, qu'il avait si mal regardé grandir ? Un simple d'esprit, comme il le croyait hier encore ? Ou le brillant avocat, expert en grands chambardements, qu'il découvrait avec stupeur ? Comme Arnaudeau, mon mari semblait étrangement frappé de paralysie, et à court de répliques.

Mais Aurore survint. Et Pierre en profita pour regagner sa case ou quelque autre destination inconnue de nous. Il n'avait que trop parlé ce soir, trop haut marqué son territoire et ses préférences. Il échappa ainsi au spectacle qu'Aurore à son tour nous réservait, et nous passâmes d'un état de stupeur à un autre. L'apparition de la servante fut si inattendue et dégoûtante qu'elle relégua aussitôt au second plan le discours de Pierre, sans laisser au cercle le loisir d'y répondre. Il est probable que sans elle la discussion n'aurait pas tourné court et aurait entraîné de violentes répliques. Aurore portait un plateau où se trouvait – au lieu des habituelles douceurs, des fruits confits, des liqueurs – le cadavre d'un chat. On s'étonna de voir mort ce familier de l'habitation, qui semblait la veille en pleine forme et miaulait avec entrain. On ne manqua pas d'incriminer aussitôt un esclave malintentionné. Il avait sans doute voulu se venger de quelque mauvais traitement qu'elle lui avait infligé, ou de quelque sort qu'elle avait pu lui jeter. Les règlements de comptes étaient fréquents entre tribus, comme au sein d'une même famille d'esclaves, et personne ne doutait qu'Aurore, si puissante fût-elle au milieu des siens, pût y échapper. Le chat habitait la cuisine où il se nourrissait exclusivement du lait et des bouillies qu'elle lui préparait. On le voyait rôder dans les parages, personne ne pouvait l'approcher. C'était une bête sauvage, qu'elle avait apprivoisée et qui lui était aussi fidèle qu'un chien. On voulut consoler Aurore. Mais sa figure ne portait aucune trace de chagrin. Elle avait le regard haineux. Lorsqu'elle déposa le plateau près de moi, juste à mes pieds, moi seule je compris qu'elle avait percé à jour mon secret. Elle savait. Le chat mort n'était qu'un signe de sa malveillance, l'annonce de son intention vengeresse. Qui d'autre à part elle aurait pu sacrifier ce chat insaisissable? Elle avait dû l'immoler de ses propres mains : les dieux ne sont sensibles qu'aux offrandes qui vous sont les plus chères. J'étais sûre maintenant qu'elle avait appelé sur moi – non pas sur mon amant, son dessein était clair – les esprits de la vengeance. Du sang noir coagulait déjà sur la robe blanche, à peine mouchetée, du chat qu'elle avait égorgé.

Nous étions vers la fin du mois d'août. Les pluies se succédaient, répandant sur l'île avec des nuées d'insectes, plus épaisses et plus bruyantes qu'en saison sèche, un climat incessant de moiteur qu'elles ne parvenaient pas à soulager et rendaient au contraire plus lourd, plus malsain à chaque ondée. L'air que nous respirions était chargé de miasmes. L'hôpital était empli d'esclaves qui menaçaient de succomber à leurs fièvres, et les plus solides d'entre nous, les plus aguerris aux tropiques commençaient de se ressentir de cette humidité d'étuve qui n'en finissait pas de nous éprouver. L'île tout entière complotait sa revanche.

Le soir, nous buvions du Godet, un vin de la région de Cognac, réputé pour ses vertus tonifiantes. Quelques bouteilles des dernières vendanges nous étaient parvenues de France cet été-là, en même temps que la nouvelle, déjà vieille de plus d'un mois, de la prise de la Bastille. 1789 : cette date est associée pour moi à un vin d'ambre et à des pluies incessantes. Je ne sortais plus guère de la maison. La boue rendait les chemins impraticables et il fallut interrompre à plusieurs reprises la coupe de la canne. Plusieurs carrés commencèrent de pourrir sur place. Julien était inquiet. Plongé dans la lecture des feuilles et des revues auxquelles il était abonné, il ne levait les yeux que pour regarder le déluge s'abattre sur la plaine, indifférente aux événements parisiens. Les planteurs ne songeaient encore qu'à leurs champs dévastés. Les orages de l'île, traversée d'éclairs tels que je n'en avais jamais vus, et résonnant de coups de tonnerre qui faisaient craindre l'approche d'un ouragan, les préoccupaient infiniment plus que la métropole. La Bastille était loin, si loin que nous n'en apercevions pas le symbole. Les sans-culottes, avec leurs piques et leurs chansons, nous semblèrent d'abord des figures de fantaisie. Les gazettes que nous recevions, imprimées avant le 14 juillet, ne commentaient pas l'événement. Aussi crûmes-nous à des ragots d'équipage. Mais d'autres navires accostaient, porteurs de nouvelles plus fraîches. Malgré les difficultés du transport, les routes changées en bourbiers, la plaine en marécage, Julien décida de se rendre au Port au Prince afin d'en apprendre davantage à son cercle et de tenir informé le voisinage. Les passagers de France qui débarquaient au sud de notre île ne manquaient jamais en effet de s'arrêter au Vaux-Hall, où ils échangeaient les échos les plus récents de la métropole avec les conseils des planteurs. Le comte de Peynier avait voyagé à bord du même bateau que notre vin de Cognac : il succédait au poste de gouverneur au marquis d'Anvoult, rappelé sur ses terres en Poitou. L'intendant – c'était encore Barbé de Marbois – se rendit à sa rencontre. Il fallut quelques jours pour que Julien s'instruise des graves changements survenus dans notre pays depuis le 14 juillet jusqu'à la nuit du 4 août. A son retour, les réunions ne cessèrent plus à Nayrac. Il y eut chaque soir des conciliabules. Chacun tentait de prendre la mesure réelle des événements. Une question surtout obsédait la colonie : l'abolition des privilèges vaudrait-elle aussi pour elle ?

Les consignes du gouverneur étaient claires : dans les jours à venir, la discipline la plus stricte devait être maintenue à Saint-Domingue, où il fallait empêcher autant qu'il se pourrait « et sans affectation », avait-il précisé, les communications et les conférences des libres et des nègres. Dès la prise de ses fonctions, sans doute dûment chapitré en France par son ministre, il nous fit part de son souci de maintenir l'ordre. Les craintes du gouvernement dépassaient largement les nôtres : il pensait, ce dont nous ne doutions guère, qu'il y avait déjà ici un parti pour favoriser les libres et les esclaves et que certains avaient en tête de préparer, conjointement à la nationale, une révolution coloniale. Ces paroles officielles aggravèrent les peurs. Mon mari eut beau défendre avec optimisme la sérénité de ses vues, le gouverneur trouva toujours plus d'interlocuteurs inquiets et de cœurs pessimistes. Ordre fut donné aux propriétaires, intendants et gérants de se tenir sur leurs gardes. Certains, dont notre ami Arnaudeau, augmentèrent leur arsenal de quelques sabres et de quelques fusils. Le gouverneur recommandait qu'il ne vînt point d'esclaves étrangers sur les habitations, en particulier de la Jamaïque ou des autres possessions anglaises, où l'on est toujours friand des malheurs de la France et où des libres-penseurs affûtaient leurs armes par tous moyens et complots. Je me souviens qu'Arnaudeau se vantait de ne plus acheter que des « bossales », c'est-à-dire des esclaves « neufs », à peine débarqués d'Afrique, vierges de toute influence créole et qu'il jugeait à moindres risques que ceux nés ou vieillis sur nos habitations. Dans leur courrier, nos correspondants en métropole se déclaraient préoccupés de l'avenir, et nous prodiguaient abondamment leurs conseils. Je me souviens qu'un cousin d'Arnaudeau l'avisait de ne pas surcharger ses nègres de travail et de les mieux traiter que d'habitude, « afin que, passablement contents de leur sort, ils ne cherchent point à en changer par des moyens violents qui leur seraient peut-être aussi funestes qu'à nous » ! Depuis leurs terres de Vendée, mes parents priaient pour notre salut, mais ils ne pensaient encore qu'à celui de nos biens. Nos vies ne leur paraissaient guère en jeu.

Dès l'automne, la rumeur se répandit que Saint-Domingue vivait ses derniers jours. Nous-mêmes, dans les cas de conflits qui n'avaient pas manqué de se produire auparavant, n'avions jamais osé envisager une telle hypothèse : non plus quelques révoltes sporadiques surtout circonscrites au Nord, mais une révolution. Le mot nous sembla d'abord abstrait. Issu des consciences tourmentées de quelques intellectuels, de quelques avocats de France songeant à une île qu'ils ne connaissaient pas, nous le jugions excessif, voire inepte. Dans les lettres qu'elles envoyaient de France, nos familles appréhendaient déjà que les vues de liberté de la nouvelle Assemblée nationale ne soient fort nuisibles à la survie d'une colonie fondée sur l'esclavage. Elles semblaient craindre que les décrets – elles les nommaient

« impies » – n'y viennent jeter le trouble. Elles nous informaient qu'une Société des Amis des Noirs, sous l'impulsion de l'abbé Grégoire, réunissait des gens dont les noms prestigieux furent soudain portés jusqu'à nous, tels Brissot, Mirabeau, La Fayette ou Condorcet, pour étendre à la population noire de Saint-Domingue ce qu'ils appelèrent bientôt les Droits de l'Homme. L'Assemblée devait tout juste les promulguer, à la fin du mois d'août. Mais leur liste ne nous parvint qu'en septembre, avec ce décalage d'un mois qui fit de nous des attardés de l'Histoire.

« Tous les hommes naissent libres et égaux en droits. » Ce postulat résonna étrangement à nos oreilles. Il réveilla des échos de lectures que nous avions prises pour des utopies. Mais aussi, dans un cercle plus intime, celui d'une voix que nous avions déjà entendue. Tous ceux qui avaient été nos hôtes, lors de la veillée qui précéda le premier orage, veillée funeste et prémonitoire, placée sous le mauvais augure du chat d'Aurore, reconnurent dans les paroles révolutionnaires la propre opinion de Pierre. Le discours, inattendu, féroce, qu'il avait prononcé à la lueur de notre foyer, se trouva ainsi porté par la vague des meilleurs rhéteurs de France et de Navarre. Il apparut en harmonie avec le nouveau catéchisme. Il se confondit avec les arguments violents qu'avançaient les défenseurs de la classe des esclaves, ce quatrième ou ce dernier état. Il résonna fraternellement non seulement avec le premier des Droits de l'Homme mais avec les dangereuses professions de foi des Amis des Noirs. Le propre fils du maître de maison apparut non plus seulement comme un habile orateur, aussi talentueux qu'un avocat de cour, mais comme un de ces agitateurs d'idées, un de ces incendiaires dont les inventions pouvaient mettre en péril l'équilibre de l'île. Julien ne l'ignorait pas : Pierre était un transfuge, il avait choisi l'autre camp, celui qui luttait contre les privilèges du nom, du sang et de la terre. Il ne reprit cependant pas sa parole et, malgré les mises en garde d'Arnaudeau qui craignait comme toujours le pire, malgré les efforts de Jean pour se faire déclarer seul héritier, il protégea son fils cadet. Il n'entreprit rien contre lui. Il ne lui prodigua même aucun reproche. Il le laissa suivre sa route. Cette tolérance aux opinions, aux personnalités diverses, qui faisait sa grandeur l'entraînait à un certain fatalisme. Tout en ne cessant de lutter pour un avenir qu'il décrivait aux couleurs du progrès, il acceptait de se trouver en porte-à-faux de l'Histoire. Pierre fut honni de tous les planteurs du Cul-de-Sac, il devait l'être bientôt au-delà de notre communauté. Hors son père et moi, il ne trouva personne pour entendre ses plaidoiries. La plaine lui tourna le dos, du moins la plaine blanche. Il finit par quitter Nayrac. Sa passion politique l'emportait, elle balaya nos amours. Je crois qu'il dut les oublier comme il les avait vécues, sans y attacher d'importance. Je demeurais, éblouie et tourmentée, incapable de me détacher. Autour de moi, nul ne prononçait le nom de Picrre, Julien parce qu'il souffrait du départ de son fils et de la violence de leur désaccord, les autres pour le vouer au diable. Mais il était vivant. Dans toute l'île, sa voix courait plus vite que le vent. Je savais, comme nous savions tous, que l'écho de ses discours avait largement dépassé les limites de notre habitation, qu'il s'était partout répandu depuis notre vigile à l'occident jusqu'aux plaines du nord. Il s'était joué des bois les plus denses et des rivières en crue, comme des milices blanches. Il avait traversé les savanes, trouvé les gués, contourné les gens d'armes et les propres troupes du gouverneur. Il échapperait bientôt aux embuscades des premiers régiments de gardes nationaux. Il avait rejoint les mornes où, debout autour de feux interdits, armés de bâtons, grimés de mouchoirs rouges, les esclaves appelaient leurs dieux noirs à des conciles de la révolte. Sa voix se mêlait à ces prières païennes, elle se confondait avec elles, parfois s'en détachant pour répéter haut et fort ce qu'aucun ici, qu'il fût maître ou esclave, ne pouvait croire sans efforts, que les hommes naissent tous libres et égaux en droits.

Mon histoire personnelle m'inquiétait cependant davantage que l'Histoire en marche. Je craignais d'être empoisonnée, je soupçonnais notre cuisinière et je cessai de boire ses tisanes. J'en versais chaque soir le liquide bouillant dans la terre d'une orchidée jaune qui développait ses branches d'or au pied du lit conjugal. Je l'y avais apportée moi-même d'un coin de l'île proche de Léogane, où poussent à profusion les ophrys. Habituée à plus de douceur depuis sa captivité, luxueuse et joyeuse, elle commença par perdre sa belle teinte de soufre, elle se décolora. Puis elle blanchit, elle grisonna. Elle flétrit, enfin mourut. Julien attribua sa mort aux orages, à l'excès des pluies – il avait d'autres soucis. Mais Aurore comprit. Elle ne m'apporta plus ces boissons aux herbes, savantes et très sucrées, censées me fortifier et m'acclimater comme une plante rebelle, qui avaient provoqué la mort de mon orchidée et dont je me demandais comment j'avais pu résister si longtemps à leurs sucs maléfiques. Sachant que les sorciers ne renoncent pas lorsqu'ils ont lancé un envoûtement, je me méfiais. Sans doute Aurore préparait-elle un autre piège. J'étudiais à la dérobée les plats qu'elle servait, persuadée qu'elle avait mis au point une recette pour m'occire. J'attendais patiemment que Julien goûte avant moi aux aliments – Aurore, j'en étais convaincue, n'attenterait jamais à sa vie. En son absence, je ne me nourrissais que des fruits que je cueillais moi-même ou du pain de la veille que je mettais en réserve au fond d'une armoire, sous une pile de linge. Je vécus plusieurs semaines traquée, attentive à chacun de ses gestes et de ses regards, en vain. La malédiction d'Aurore n'était pas de me faire mourir. Elle se trouvait dans l'effet inverse de celui qu'elle avait précédemment obtenu avec les tisanes de sa façon... Lorsque Cadet me confirma, après examen, que j'attendais un enfant, je compris qu'elles m'avaient jusque-là rendue stérile. En cessant de les boire, j'étais sortie du cercle du sortilège, mais c'était pour entrer dans un autre cercle infernal. J'allais enfanter parce qu'Aurore le voulait bien. Le piège que j'avais cru déjouer se refermait sur moi : en me laissant procréér, Aurore me vouait à la vérité. J'allais mettre au monde un enfant dont j'ignorais s'il serait blanc ou noir, ou bien l'un et l'autre ensemble, un quarteron ainsi que nous disions. Il allait naître dans la tempête.

Dans les premiers temps, je vécus dans la peur de cette naissance : j'imaginais les risques qu'elle comportait. Chaque jour, la crainte de la révélation s'ancrait en moi. L'idée des humiliations, des risées, des châtiments possibles qui m'attendaient, peu à peu me faisait prendre conscience d'une faute que pourtant je n'avais pas le sentiment d'avoir commise. A force de songer aux peines que la société allait m'infliger, je commençais de me sentir vaguement coupable. J'avais beau me sentir justifiée par l'amour, je me persuadais que je n'échapperais pas à une punition. Je ne pouvais en détacher mes pensées : cette hantise me persécutait. La présence du malheur qui devait inexorablement s'abattre sur moi m'habitait.

Ce sentiment pourtant, étrangement, se dissipa et laissa bientôt la place à une sorte de paix. Dès que je sentis vivre mon enfant, je ne pensai plus qu'à lui : les angoisses disparurent, je ne perçus plus le mal. Je m'abandonnai à un destin inexorable : non seulement les conséquences de ma faute ne m'importèrent plus, mais je n'eus plus même le sentiment d'avoir commis une faute. Ne comptait que cette vie en moi.

Jean Camus lança un coup de pied au chat qui avait soudain bondi contre ses jambes. Interrompant sa lecture de manière inattendue et brutale, le contact de ce corps hérissé contre son mollet lui avait donné une sensation des plus désagréables, alors qu'il lisait tranquille, à la lueur d'une pâle ampoule, sous le ciel de la véranda, les suites de son feuilleton. L'attaque sournoise du chat ne visait qu'à lui rappeler une préséance : le visiteur usurpait la chaise longue, il n'était ici qu'un intrus. L'antipathie du maître des lieux était évidente, elle exaspéra Camus. Excédé par l'inconfort du site et par la perspective de la soirée qu'il avait à passer sans autre compagnie que des visions de tropiques, il s'était vengé, par simple réflexe de mauvaise humeur, sur le minou. Poussant un miaulement rageur, celui-ci ne fut pas long à lui répondre. Lui sautant sur le ventre, d'un coup de patte ajusté comme un crochet du droit, il lui lança une griffe acérée au visage et lui déchira la joue. Tout cela se déroula en moins de temps qu'il n'en fallut à Camus pour retrouver ses esprits. En s'enfuyant, son adversaire avait apposé sa signature sur l'une des pages du livre qu'il avait fait tomber par terre de surprise, et de douleur. Une goutte de sang, comme un pâté d'encre rouge échappée de sa griffe, indiquait le chapitre où le manuscrit s'était ouvert pendant la chute ; cette découverte le surprit. Le chat avait en effet souillé le paragraphe où Aurore apportait sur son plateau d'esclave le cadavre de son presque semblable, le chat aristocratique, mort depuis déjà deux siècles, dont lui, le chat de la campagne profonde, chat bâtard, plus de mille fois croisé, chat gris, métissé, chat du Sud, chat basané, pouvait envier la belle robe blanche. Camus ne décolérait pas. Mais il était également troublé, ne pouvant s'empêcher de se demander si ce chat n'avait pas lui aussi un aïeul dans le récit. Descendait-il d'une lignée de chats créoles ? Partageait-il à sa façon un peu de l'histoire des colons de Saint-Domingue ? Son pedigree pouvait-il remonter aux temps révolus de la royauté ? Jean Camus n'avait jamais envisagé son ascendance. Ses propres ancêtres étaient-ils Jacobins, partisans des Droits, futurs artisans de la Terreur à cette époque-là ? Il se savait des affinités avec la Révolution française. D'esprit, de cœur, il se rangeait du côté de Danton, de Robespierre. Né dans le tiers état, allergique aux privilèges des nombreuses castes qui continuaient d'exister en France, ardent défenseur de l'Egalité et de la Fraternité, il tenait par-dessus tout au premier de ces principes, le plus beau, le plus indispensable à ses yeux. La Liberté le rendait farouche. Et tout ce qui la menaçait, furieux. Or, depuis qu'il lisait ce livre, une double voix se faisait entendre en lui. D'une part, le républicain à tous crins se révoltait contre le clan des privilégiés qui, si bien intentionnés fussent-ils, payant de leur personne, de leur santé, de leurs fièvres tropicales, leur dur et fastueux exil, exploitaient pourtant la colonie française et s'accordaient des droits qu'ils interdisaient à la masse, méprisée et exploitée. D'autre part le pied-noir, qui n'entretenait guère, dans ses souvenirs, la flamme de l'Algérie française, revivait les déchirures de sa famille, et la violence de la dépossession. Il comprenait parfaitement pour avoir vécu à quelque deux cents ans de distance une situation comparable, le drame de l'arrachement forcé à un paysage. Les pieds-noirs d'Algérie comme les colons de Saint-Domingue, ceux du moins qui y jouaient un rôle au quotidien, avaient en commun d'être ou d'avoir été absolument incompris. Incompris des continentaux et de la métropole dans son ensemble, étrangers à leurs passions et qui caricaturaient leurs vies. Pour Jean Camus, les droits de l'individu étaient clairement apparus alors, au moment des « événements » comme on disait pudiquement en France, dans leur extraordinaire, ou fort ordinaire relativité. Vérité en France, mensonge à Alger, répétaient ses camarades d'université, en paraphrasant Pascal. Vérité à Saint-Domingue, mensonge en France, songeait-il maintenant en ramassant le livre, où rien d'autre n'était pourtant écrit qu'une petite vie particulière, drame sans conséquences à l'échelle planétaire, mais capable d'éveiller en lui, malgré la carapace, un cœur somnolent, battant au ralenti.

Au point où il en était de ces réflexions qui bousculaient sa nuit, et puisque le rêve et la réalité semblaient condamnés à se rejoindre à travers sa personne, ou par son entremise, il porta le manuscrit comme une relique jusqu'à sa voiture, et s'enferma. A chacun son domaine... Se moquant pas mal de troubler le sommeil de ses hôtes qui l'avaient abandonné avant même le crépuscule, à l'heure où se couchent les poules, et qui faisaient peut-être l'amour en ce moment dans la grange, à deux pas de lui qui se rongeait les sangs, il fit ronfler le moteur, alluma la veilleuse et poursuivit sa lecture. Quelque chose – il ne savait pas quoi, et ce ne pouvait être seulement le fait qu'elle lui rappelait l'Algérie française – l'empêchait de l'arrêter là. D'abandonner à leur passé, à leur roman, des héritiers dépranocytosés, et de filer à l'anglaise pour retourner à Maguelonne. Il avait envie d'en savoir plus. Quant à la dame, mais aussi quant à lui-même... La lecture, il en était convaincu, mais il n'en avait encore jamais éprouvé l'effet, la lecture n'est pas un loisir innocent.

Reprenant la page où le chat l'avait surpris, il songea que les femmes sont diaboliques, en repensant à celles qui l'avaient trahi, et à celles qui l'auraient fait s'il leur en avait laissé le temps. La manière dont l'héroïne du récit, découvrant avec une ingénuité stupéfiante ou une feinte candeur, le résultat de ses amours, annonçait sa grossesse sans l'ombre d'un remords, avec le naturel et la simplicité d'un bonjour, l'avait indigné. Elle lui avait rendu d'instinct les vieux réflexes hérités du Moyen Age et des siècles suivants, quand l'homme se représentait la Femme sans âme, ou au mieux avec une âme noire. Sorcière, suppôt de Satan, soupçonnée d'entretenir des relations secrètes avec le Mystère, sa légende n'était pas tout à fait morte, puisqu'elle pouvait renaître, en un clin d'œil, d'une pauvre phrase d'un manuscrit.

Malgré sa liberté de vues, de mœurs, de vie, malgré ses incartades, ses lâchetés, et les mille ruptures qu'il avait provoquées, cherchées, appelées, désirées ou (moins souvent) subies, malgré ses chaos, ses travers – il n'était pas un saint –, malgré tous ses défauts, Jean Camus distinguait le bien du mal. En dépit de ses efforts, il souffrait même d'une tendance à la culpabilité. La belle dame paraissait si totalement dépourvue de ce complexe, elle était si sereine dans le péché qu'il ne savait plus s'il n'aurait pas dû au contraire l'admirer, et tâcher de l'imiter. Il avait beau juger « diabolique » sa trahison, le ton insignifiant sur lequel elle avouait sa faute, sans déchirement, sans tragédie, lui en imposait. Coupable d'avoir commis quelques forfaits que la Bible n'est pas la seule à condamner, l'adultère, l'inceste, le mensonge, la dissimulation et la double vie, elle ne semblait pas du tout accablée par leur poids. Une absence de préjugés moraux ou une allergie profonde aux principes qui régissent le monde rendaient cette âme infiniment coupable, infiniment légère. Où est le mal ?, semblait-elle lui demander par-delà les siècles.

Camus se devait de le reconnaître : sa propre vie enregistrait des records de fuites, de promesses non tenues, de baisers volés. Avait-il jamais aimé ? Certes, il avait fait l'amour, avec entrain, avec conviction, de toute sa sensualité de taureau solaire, avec plus ou moins de réussite ou d'inspiration, toujours avec technique et frôlant les prouesses, mais non, jamais il n'avait aimé. Du moins jamais comme elle, avec ce naturel, cette absence de jugement, cette tranquillité d'âme, cette non-violence, cet abandon. A cinquante ans, pour la première fois, il s'apercevait de ce manque. Et de cette vérité. La crainte d'être joué, celle plus grande encore de se retrouver prisonnier d'un foyer l'avaient empêché de vivre pleinement, d'éprouver, de donner pleinement.

Peut-être, si Jean Camus avait été capable de

s'oublier lui-même, s'il avait mis moins de volonté à toujours tenir la barre, moins de prudence dans le choix de sa route et de ses circuits, moins d'entêtement à se garder de tous les pièges, s'il avait fait un peu plus confiance à la vie, peut-être aurait-il pu lire l'aventure de cette femme avec détachement, ou même avec le sentiment d'une amitié complice. Se mettant en marge d'un petit monde sûr, se livrant corps et âme à son plaisir, sans nul besoin de se justifier, sans nul besoin d'excuse ni de pardon, occupée seulement à raconter – sinon à revivre – cette passion qui avait mis longtemps à venir mais qui avait enflammé sa vie et continuait d'enchanter ses souvenirs, elle le stupéfiait. Il sentait à cause d'elle, de sa manière légère et gourmande d'accepter le destin, quelque chose lui remonter à la conscience... Quelque chose de sombre et de douloureux, qu'il ne parvenait pas à définir, qu'il ne parvenait pas même à saisir, qui se fondait dans les ténèbres. Qu'était-ce donc ? Blessure, regret, remords, ou tout autre chose ? Il luttait pour amener au jour cette espèce de fantôme, mais l'ombre se dérobait. C'était comme de chercher un mot qu'on connaît bien mais qui vous échappe et laisse en vous un vide, impossible à combler. Il le traquait en vain. Ce quelque chose existait-il, ou n'était-ce qu'une impression passagère, une illusion de l'esprit ?

L'héroïne ne l'indignait plus. Il s'abandonnait à la voix qui l'entraînait aux tropiques. L'héroïne le séduisait. Il marchait à sa rencontre... Il se demandait si elle était belle. Il aimait assez les grandes filles blondes dont la peau claire se dore au soleil où elle prend des nuances de caramel, mais garde sa vraie blancheur aux endroits qu'elles protègent. Il adorait la trace des maillots de bain, l'été, sur leur ventre et leur dos et, quand elles se déshabillaient, le contraste de cette blancheur avec le caramel était pour lui propice à des rêveries érotiques. Avait-il lu quelque part qu'elle était blonde ? Il était souvent un lecteur pressé qui courait d'une page à l'autre, le détail avait pu lui échapper. Elle était peut-être brune, après tout. Il ne savait pas davantage si elle était grande. Ou petite. Elle n'avait pas dû juger nécessaire de le préciser. Aussi l'imaginait-il en toute liberté, selon ses fantasmes : oui, blonde, plutôt petite, pas trop mince... Il modelait à sa guise ce rêve de femme. Un parfum tropical, mélange de fruits et d'épices, où il lui sembla reconnaître la cannelle et la mangue, emplit alors ses narines comme si, traversant les pages, un peu de l'air de Saint-Domingue lui parvenait, à moins que ce ne fût l'odeur même de la peau de l'héroïne qui éveillait à la fois ses sens et son appétit. Car c'était un parfum gourmand, un de ces parfums qui n'entêtent pas, ne sont nullement capiteux ou fleuris, mais en appellent autant au goût qu'à l'odorat. Gourmande devait être la femme qu'il enveloppait.

Le corps, Camus en ébauchait le dessin avec la fièvre d'un sculpteur. Il en voyait les pleins, les déliés, il tâchait d'en fixer les nuances dorées, les courbes, là où il les aimait, et puis l'allure. Comment était-elle, l'allure ? Sans doute réserve et timidité au premier abord, puis leste, un peu désordonnée comme celle d'une adolescente. Il hésitait. Tantôt il apercevait une amazone, droite et fière cavalière, du genre qu'on ne dompte pas. Tantôt une de ces créatures douces et souples, appelons-les Bilitis, qui ne pensent qu'à l'amour. La silhouette était déjà plus qu'une esquisse, elle s'approchait. C'est l'éditeur qui maintenant traversait le miroir. Il n'avait plus le sens de l'heure, ni celui de l'endroit réel où il se trouvait. Assis de travers sur son siège, appuyé au volant d'acajou, pour mieux capter la lumière de la veilleuse, prenait-il pour un écho des tambours africains le ronronnement de l'Alfa ?

Il prit tout à coup conscience qu'il ignorait comment son mirage s'appelait. Oui, il l'ignorait. Nulle part, à moins que ce ne soit au détour d'une page qu'il avait oublié de tourner, la mémorialiste n'avait donné son nom de jeune fille, seul le blason vendéen de sa famille lui revint en mémoire. Alors que tous les personnages autour d'elle possédaient une identité complète, précise, elle demeurait anonyme. Comment ne s'en était-il pas rendu compte auparavant ? On ne connaissait même pas son prénom. Jean Camus désespérait de lui en trouver un. Blanche, songea-t-il, rêveur. Il la baptisa Blanche. Sans doute parce qu'il la voyait blonde. Par contraste avec le peuple noir des esclaves, parce qu'elle appartenait à la classe des colons, il l'appellerait Blanche, comme une reine ou comme une fée. Camus associait ce prénom à la pureté – une pureté à la fois révoltante et fascinante que son inconnue gardait jusque dans la plus profonde et désinvolte immoralité. Mais elle aurait pu tout autant s'appeler Sophie, Anne, Marie, Laure ou Béatrice, pourquoi pas ? Les prénoms étaient simples dans l'ancienne France. En vérité, l'héroïne du récit le narguait : tout en racontant son histoire et en menant le lecteur au cœur de sa vie privée, elle ne dévoilait que ce qu'elle voulait bien. Très féminine en cela – féminine en diable, Camus faillit-il penser –, elle semblait sincère. Pourtant, elle ne révélait pas tout.

On frappait à la vitre. C'est du moins ce que crut entendre l'éditeur du fond de sa lecture. De petits coups cognés d'une main délicate éveillèrent d'abord son oreille, encore absorbée par l'écho de la cavalcade, à l'orée du rêve dont il était pris. Il avait du mal à distinguer les bruits du réel de ceux qu'il imaginait, émanant du manuscrit. Où était la frontière ? De quel côté se réveiller ? Le jour se levait. Non seulement sur l'île saccagée où l'héroïne fuyait un paysage macabre et, selon lui, la promesse d'une mort certaine, mais aussi sur le domaine albigeois dont il était l'hôte de passage, sinon aussi vulnérable qu'elle mais plutôt mal en point. Ses yeux, soudain meurtris par la lumière qui pénétrait à flots dans le véhicule et rendait inutile – il s'en apercevait enfin – l'usage de la veilleuse et le ronflement du moteur, refusaient de s'ouvrir. Il frotta longuement ses paupières douloureuses avant de retrouver ses esprits. Il se sentait sale et courbatu. Il n'avait pas dormi. Il s'était assoupi, il avait somnolé, il avait surtout voyagé : le texte l'avait transporté et forcé à suivre son rythme. Il avait l'impression d'émerger d'un avion après une traversée de l'Atlantique, perclus, mal rasé, hirsute et souffrant des signes évidents d'un profond décalage horaire.

Il avait d'ordinaire des réveils rapides, sans acclimatation. C'est qu'il vivait dans l'urgence. Pressé de se lever, pressé d'agir, ne s'accordant un peu de repos que vers le soir, homme du jour, homme des petits matins énergiques, il aurait volontiers réglé le monde sur les performances, déjà anciennes mais toujours étonnantes, de son Alfa Romeo – performances qu'il se plaisait à pousser à bout sur les autoroutes, quand il n'était pas en train de rouler bêtement sur des départementales à vitesse réduite, entre deux sous-préfectures, et d'y rêvasser en se demandant quel serait le sort de l'héroïne, qu'il appelait maintenant Blanche... Il répétait avec volupté ce nom caressant.

Camus passa la main sur ses joues. Il devait avoir une tête à faire peur, comme autrefois après ses nuits de bamboche. Il songea qu'il n'avait pas tenu de femme dans ses bras depuis des lustres et que son corps n'avait plus bamboché depuis plus longtemps encore... A force de vouloir la paix et la solitude, il les avait trouvées. Mais le désir en lui n'était pas mort, ni le goût de la fête. Et de sentir ce parfum de mangue, d'entendre cette voix de cristal lui raconter les drames dont elle avait été la victime, de voir cette silhouette et même – il devait l'avouer – d'imaginer ce corps nu, qui ne pouvait être selon lui que tel qu'il le rêvait, pâle et plein, sans résistance, acceptant les jeux, s'y prêtant avec des soupirs de (feinte) pudeur, oui, tous ces fantasmes lui rendaient la femme vivante. Il les aurait volontiers échangés contre une bonne chair consentante. Les mirages de son demi-sommeil lui faisaient éprouver la douceur, la tiédeur de Blanche, comme d'une maîtresse qui aurait passé la nuit dans son lit et près de laquelle il se réveillerait lentement, sans violence, son corps tendu contre le sien moelleux.

Jean Camus abaissa la vitre et huma une bouffée d'air matinal, des odeurs de campagne. Le foin et la lavande, rien de plus exotique... Lorsqu'il consentit à sortir de son rêve, lorsqu'il regarda enfin au-dehors dans ce qui était supposé être aux yeux de tous le bon côté du miroir, lorsqu'il découvrit, à quelques pas, l'origine des petits coups frappés d'un doigt léger à sa vitre pour lui rappeler peut-être le monde des vivants, un monde où le vent est vent, où la lavande a des racines bleues, où les enfants ont des jambes pour courir et jouer... bref, où tout n'est pas que mots sur du papier, il fut non seulement dégrisé d'un coup. Encore moins joyeux d'émerger des limbes. Mais horrifié, dans le sens concret qu'avait ce mot autrefois – tous ses poils, tous ses cheveux qu'il avait épais et noirs malgré son âge, se hérissèrent, même la broussaille de ses sourcils se souleva de son front. A une dizaine de mètres à peine, sur le tronc du platane non loin duquel il avait hier garé sa voiture, il crut distinguer le corps gris du chat, crucifié. Il s'attarda sur cette vision effrayante, avant de tenter de l'élucider, se sentant malgré lui solidaire de cette victime. L'étaient-ils ensemble d'une vengeance ou d'un assassinat ? Camus délirait-il ? Etait-il fou ? Ou bien la vie qui exigeait chaque jour son lot d'atrocités, lui adressait-elle un signe ? Ce n'était pas une hallucination : peu à peu le dessin à l'encre, irisé des lueurs métalliques du jour, se précisait. Camus n'en fut pas pour autant réconforté. Car la main maladroite qui était l'auteur de ce dessin stylisé, semblable à un hiéroglyphe, avait représenté le corps d'un serpent. Il était transpercé d'une flèche, où Camus crut d'abord cru voir une croix.

En retrait de cette effigie de Damballah – comment n'y pas reconnaître en effet le dieu qui préside à toutes les catastrophes ? –, il découvrit alors la femme de son hôte, comme un fantôme blanc. Dans une longue chemise de nuit qui tombait jusqu'à ses pieds nus et l'enveloppait comme un suaire, son corps décharné semblait flotter. Camus ne pouvait en détacher les yeux, sa maigreur le fascinait. Sous le voile de soie ou était-ce de nylon, il aperçut des seins flasques, un ventre en creux sous la saillie des côtes, mais surtout – c'est cela surtout qui le captivait – un vide entre deux maigres cuisses et au-dessus de ce vide l'ombre du pubis, si noire qu'elle paraissait percer le linge. Il fit un effort pour en détourner le regard. La femme le fixait, sans expression. Son visage était parfaitement calme. En d'autres circonstances, Camus serait sorti de sa voiture, il serait allé à la rencontre de son hôtesse en chemise, il aurait émis des mots de politesse ou banalement un bonjour ! Il aurait en somme adopté un comportement normal. Il aurait tendu la main, chaleureusement serré celle de son hôtesse. Mais le corps qui se dressait devant lui évoquait trop la mort. Un spectre lui faisait face. Et lui souriait, de ses minuscules dents de petit carnassier.

Le souffle manqua à Jean Camus. Incapable de bouger, il avait envie de remonter la vitre et de remettre le contact. Fuir... Fuir cette habitation – que dire ? – ce mas à l'évidence maudit, où rien de bon ne pourrait jamais survenir. Il était paralysé, sous le joug de cette blême apparition. Il faisait jour. Où pouvait être le réel ? Dans le cauchemar que Camus croyait vivre ? Ou dans ce qui s'offrait à lui comme le reflet d'une véritable souffrance, l'indice d'une vérité cruelle ? Il entendit alors claquer une porte, une voix mâle appeler, et la petite silhouette s'enfuit en courant vers la grange à la bougainvillée. Il sembla à Camus que les os, fins comme ceux d'un agneau, pareils à ces osselets auxquels il jouait enfant, dans la cour de l'école communale, s'entrechoquaient. Le bruit de la course éperdue lui rappela les sonorités sèches que produisaient les petits bouts d'os, lorsqu'on les prenait dans la main et qu'on les secouait avant de les jeter sur le sable.

Dès la fin du mois d'août, Amédée arborait la cocarde tricolore et se dénommait « du Tiers ». L'espérance de ses congénères fut immense. A la mesure des promesses qu'ils entendaient proférer à Paris et qui sonnaient haut et clair l'égalité des hommes. Les désordres ne tardèrent pas à surgir. Ils vinrent non point des esclaves, gardés dans l'ignorance de ce qui se passait en France, mais des libres au milieu desquels Amédée joua bientôt un rôle prépondérant. Emancipés depuis une ou plusieurs générations, sachant lire et écrire, la plupart d'entre eux étaient assez instruits pour suivre dans les gazettes le compte rendu des événements surprenants qui se déroulaient à la métropole, bouleversant un équilibre qu'ils avaient cru comme nous tous éternel. Ils se réunirent en de multiples comités, où ils débattaient entre eux des décrets que la colonie se montrait rétive à adopter. Je ne cessais de songer à Pierre. Je ne pouvais ignorer quel camp était le sien. Mais comment vivait-il ces tentatives d'un bouleversement de nos institutions, le coup sévère porté à la hiérarchie de l'île comme à ses mentalités ? Un soir qu'il nous rendait visite, j'interrogeai Amédée. Il ne savait pas ce que devenait Pierre. Il ne l'avait vu qu'une seule fois, à Saint-Marc où se préparait la future assemblée. Il ne voulait pas se mêler aux disputes qui montaient Blancs et mulâtres les uns contre les autres à propos de la reconnaissance de leurs droits, me dit Amédée. Il a sans doute mieux à faire, ajouta-t-il narquois, en me jetant un regard si plein de sous-entendus que j'en tremble encore – un regard de voyant. Avait-il deviné ce qui me tourmentait et à quel point Pierre alors me manquait ? Je vivais chaque instant en pensant à lui, j'avais la nostalgie de nos étreintes. Mais Amédée ne me dit rien de ce qu'il savait ou de ce qu'il pressentait. La complicité que nous avions partagée naguère était morte, aspirée par le mouvement politique, ou rendue caduque par mon nouvel amour. Il me tourna ostensiblement le dos, je ne connaîtrais plus jamais d'ami, de confident tel que lui, mon enchanteur dans les nuits solitaires. Il venait voir mon mari. L'heure était aux sentiments d'hommes. Leurs voix me parvenaient depuis la bibliothèque à propos du principal sujet qui divisait l'île : fallait-il permettre aux gens de couleur de figurer parmi les députés de la nouvelle assemblée ? Julien leur était favorable et Amédée, fort de son appui, voulait qu'il intercède auprès de ses amis blancs en faveur de l'octroi de quelques sièges à des députés métis. Ils étaient en effet nombreux à pouvoir prétendre participer aux assemblées provinciales qui venaient tout juste de se créer pour suivre les efforts de l'Assemblée nationale, mais les caciques de l'île, les « seigneurs », les avaient fait exclure. Et ils frappaient en vain à leurs portes, qui leur restaient fermées. La colonie refusa d'abord d'appliquer les consignes de Paris.

Place des Victoires, dans la capitale, le Club Massiac qu'avait fondé un propriétaire de l'Artibonite, le marquis Mordant de Massiac – je ne le vis jamais à Saint-Domingue, il gouvernait son domaine depuis Paris –, veillait jalousement sur les traditions de l'île. Comptant de grands noms, recrutant ses membres parmi les seigneurs, il tâchait de tenir tête aux révolutionnaires. C'était le bastion de la vieille garde. Mon mari, quoique détenant lui-même de belles terres, et vivant selon des traditions dénoncées, désapprouvait son hostilité au dialogue. Partisan des Lumières dont la Révolution avait fait son message, il plaidait pour une émancipation progressive, élaborée avec soin, de la population servile. La fièvre avait gagné notre province et nous pensions à tort pouvoir donner notre avis. Les excès, les prises de décision intempestives, les verdicts de la métropole avaient chez nous des répercussions violentes : la plupart des députés français ignoraient les réalités de la colonie. C'est devant une assemblée furieuse que Julien évoqua un jour l'esclavage, proposant simplement d'ouvrir un débat à ce propos, en contradiction flagrante avec les droits déclarés pour tous. Le tollé fut général. Mais même à Paris, capitale de toutes les audaces, il fallut près de cinq ans aux révolutionnaires pour en arriver à un décret d'abolition.

« Le prix en est exorbitant ! » avait rugi Arnaudeau, membre du Club Massiac depuis ses premiers jours et qui, de voir l'un de ses voisins et camarades plaider la cause des Amis des Noirs, en perdait son flegme. « Nous n'y survivrons pas ! éructait-il (c'est Julien qui m'avait raconté cela). L'économie tient à l'esclavage, comme... comme... comme... – il n'avait jamais été un orateur inspiré et cherchait l'image appropriée – comme l'huître au rocher. » De tels arguments fondaient la résistance des colons, quels que fussent d'ailleurs la blancheur de leurs origines ou le degré de leur métissage. Car les Blancs, à de rares exceptions près, et presque tous les métis, s'ils étaient partisans de l'égalité civique, ne l'envisageaient cependant que pour les libres. Les esclaves n'entraient pas dans la catégorie de ceux qui pouvaient bénéficier des droits de l'homme. Ils n'étaient pas des citoyens.

Les libres et les métis, eux, l'étaient. Du moins ils l'étaient à Paris, et Amédée le répétait à qui voulait l'entendre, d'après la loi du peuple souverain. L'autorité de l'île, qui calquait encore ses positions sur celles du Club Massiac, refusait en revanche de les reconnaître pour tels. Ils protestèrent, rien n'y fit. Ils défilèrent, on les dispersa par la force. Ils envoyèrent des émissaires, on les chassa. Ils tentèrent de faire entendre leur voix à l'Assemblée nationale, on égara leurs lettres, on dérouta leur navire, on en enferma quelques-uns pour plus de sécurité, dans des cachots où l'on perdit leur trace. Ils firent corps. Ils s'assemblèrent de plus belle, protestant au nom des droits et de la propriété. De fait, hormis les sucreries, dont ils n'étaient que les gérants ou les économes, ils possédaient la plupart des caféières et des indigoteries de l'île, que les « grands Blancs » tenaient pour peu de chose et avaient abandonnées aux mulâtres et à ceux qui étaient pour nous les « petits Blancs ». Ces derniers, solidaires dans l'humiliation, rallièrent assez rapidement les libres, dont les rangs se renforçaient chaque jour. Si Amédée disait vrai, et je n'en doutais pas, connaissant la puissance de son regard de mage, Pierre n'était donc pas parmi eux. Je supposais qu'il attendait son heure, sûr que le débat encore restreint à quelques hommes dans un cercle étroit d'intérêts, s'étendrait bientôt à tous, sans distinction. Je connaissais sa haine, son mépris des colons, je connaissais aussi la mission qu'il s'était donnée, qui était de venger le peuple noir. Etait-ce mon état qui me donnait cette assurance ? Je savais que son heure viendrait. Tout ici allait changer, tout changeait déjà...

Dès l'hiver, l'agitation monta. On aurait dit qu'une houle secouait l'île, sous un ciel redevenu bleu et calme, indifférent à nos déchirements. Les mulâtres recrutèrent des troupes parmi les esclaves, qu'ils débauchaient non seulement des caféières mais des grandes plantations où ils comptaient de nombreux alliés parmi les artisans et les intendants. Les Noirs qu'ils enrôlaient, ils les appelaient leurs « suisses ». Amédée avait monté à Pierrefonds, à deux pas de chez nous, une véritable armée de suisses en haillons. Ils commencèrent d'avoir leurs héros, leurs martyrs. Les Blancs aussi se coalisèrent. Sentant monter le danger, voulant protéger leurs biens, refusant de partager leurs pouvoirs et de renoncer à leurs privilèges, ils créèrent des milices, ils armèrent les gérants, les économes et les propriétaires, tous ceux que le mélange des sangs n'avait point atteints et qui bénéficiaient, seuls encore, du droit d'élire et d'être élus. A Paris, le Club Massiac ripostait à chaque coup que portait l'Assemblée à leur caste, à leur suprématie. Il tenait en échec tous les projets de la Société des Amis des Noirs. Sans guère de mal, il est vrai. De ces derniers, tout le temps que l'Assemblée légiféra, il ne fut point question. Ou s'il en fut question, par la voix de Mirabeau ou de Brissot, par celles de Condorcet, de La Fayette, les arguments avancés furent vite écartés et le silence s'installa. Un silence gêné, contrit, mais aussi virulent qu'un acte : la Révolution ne fit d'abord rien pour les esclaves. A ses yeux, ils n'étaient point encore des hommes.

Sur l'île, ils demeuraient tranquilles. Tandis que les libres manifestaient leur mécontentement et tâchaient de faire appliquer les lois de l'Assemblée, ils cultivaient la canne, et effectuaient leurs travaux habituels, inconscients de l'enjeu. Dès le début de l'année 90, la Constituante ouvrit les assemblées provinciales aux propriétaires de l'île ou, à défaut, à ceux qui payaient une contribution dans la paroisse depuis au moins deux ans. Les mulâtres qui, tel notre ami Amédée, répondaient à ces critères de sélection, purent présenter des députés choisis parmi leurs rangs. Bien sûr, Amédée en fut. Mais, à la prestation du serment, des colons blancs, partisans de la tradition à tout prix, exigèrent d'eux, fort illégalement, le renoncement à leurs droits civiques et qu'ils promettent le respect à leur caste. Julien assistait à cette confrontation, qui s'acheva par une empoignade puis par un choc d'armes. Les milices blanches et les milices noires se trouvèrent pour la première fois face à face. Il y eut des morts, plusieurs blessés, puis chacun se retrancha dans son camp. Ce fut à Saint-Domingue le début de la guerre civile. Elle commença par quelques actions d'éclat.

Connaissant les positions d'Arnaudeau, les mulâtres s'en prirent à lui alors qu'il sortait du Vaux-Hall et le forcèrent à monter sur un âne, la tête regardant l'arrière, et à tenir sa queue entre les mains. Ils le promenèrent assez longtemps dans cette position ridicule au milieu des huées et des insultes, et l'auraient sans doute ramené de la sorte chez lui si une petite garnison de ses amis ne l'avait délivré. A cause des convictions politiques de Julien, ou grâce à l'amitié d'Amédée, nous pûmes échapper d'abord aux humiliations dont cette dernière n'est qu'un exemple et à la vague de représailles qui commença de submerger la province. Ainsi, à quelques jours du premier épisode, les Guibert virent-ils leur habitation pillée de fond en comble. Des mulâtres que nous ne connaissions pas, domiciliés pour la plupart à Jérémie, bourgade proche de leur domaine, avaient conduit l'assaut – je dois préciser qu'Amédée, partisan de procédés légalistes, désapprouvait ces actions aussi inutiles que disparates. Les mulâtres de Jérémie et des alentours délogèrent François qu'ils mirent tout nu dehors, devant ses esclaves assemblés pour le spectacle. Ils enfermèrent Marie et ses enfants dans la grange – mon cœur battait tandis que j'entendais ce récit, que nul n'aurait pu imaginer il y a quelques semaines à peine. Ils enlevèrent les meubles auxquels ils mirent le feu, s'emparèrent des chevaux, égorgèrent par dizaines des moutons et des chèvres et installèrent les cochons dans la Grand-Case. Les esclaves, encore incapables de comprendre ce que signifiait pour eux ce désaveu du maître, étaient, paraît-il, saisis de stupéfaction. Ils ne bougeaient pas, ils regardaient seulement, l'idée de se venger ne leur venait pas. Ou leur semblait encore sacrilège. Sans l'intervention des troupes qui, par chance, patrouillaient dans les alentours, et que l'économe en s'enfuyant avait pu alerter, Julien pensait que la violence se serait déchaînée. Et que François, que Marie, leurs enfants mêmes auraient servi de premières victimes expiatoires.

On pendit haut et court les bandits qui brûlaient les

plantations, quand on parvenait à les prendre. Mais le gibet, puis la roue que les autorités laissèrent continûment en place Vallière, prête à rompre vifs les incendiaires, n'y purent rien. Le feu se propageait. Lentement certes, et sans aucun plan d'ensemble, mais de point en point, ne s'éteignant ici que pour se rallumer là. Il faisait flamber les peurs qui couvaient dans l'île. Si les Guibert, réfugiés au Port au Prince organisaient déjà leur retour en France, nous voyions débarquer de la métropole de nombreux propriétaires qui avaient jusqu'alors placé leurs terres en gérance mais qui, inquiets de la tournure des événements, venaient sur place les contrôler et veiller personnellement à leur protection. C'est ainsi que la famille Pierrefonds délégua un de ses fils sur le domaine que gouvernait Amédée. Celui-ci, quoique ayant excellement administré l'habitation, n'avait plus leur confiance – les Pierrefonds connaissaient son sang et ses alliances. Ils voulaient le dédommager et l'évincer avec prudence, mais ils ne le purent : leur délégué mourut six semaines à peine après son arrivée sur l'île, terrassé par les fièvres qui ne manquaient jamais de mettre nos visiteurs à l'épreuve. Le suivant périt en mer, dans une tempête. Le troisième se fit prendre dans une échauffourée, au sortir de l'église où il avait déjà remis son âme à Dieu. Puis le péril se fit sentir en France, si fort que les Pierrefonds, tout occupés de sauver leurs vies des manœuvres sanguinaires des Marat, des Robespierre, abandonnèrent peu à peu leurs prétentions. La rumeur courut parmi nous que Fatousi protégeait son fils... Pierrefonds fut, en attente d'une décision qui ne venait pas, une sorte de citadelle, où flottait le drapeau des rebelles – ainsi certains d'entre nous nommaient-ils les partisans des nouveaux credo –, mais sur laquelle soufflait aussi l'esprit de l'ange noir.

Seul de tout le voisinage, Julien gardait un lien avec le maître des lieux, devenu un des chefs du parti des libres. Il éprouvait une sympathie sincère pour la cause que défendait Amédée– l'égalité accordée aux mulâtres était pour lui la première des étapes vers l'émancipation générale de l'île. Il craignait tout de la morgue et du refus de concertation qui déjà, en France, avaient perdu la noblesse et il mettait beaucoup d'énergie à convaincre les seigneurs de notre province des nécessités d'une négociation. Devant la difficulté de leur présenter comme une concession nécessaire et juste l'octroi des droits civiques aux citoyens de couleur, il leur fit valoir que cette mesure pourrait être une habile manœuvre pour s'attacher les mulâtres, si l'on ne voulait pas les voir prendre la tête de la rébellion des esclaves. En Martinique, où plusieurs venaient de se produire, des Blancs avaient été massacrés, d'autres rentraient ruinés en France.

L'esprit conciliant et d'avant-garde de mon mari, dont la voix se mêlait à tous les débats de l'assemblée de Saint-Marc pour y défendre ses convictions philosophiques, ne nous mit cependant pas à l'abri des vengeances. A Nayrac, avant le printemps, des piles de bagasse prirent feu sans que Julien ni aucun de ses lieutenants, ni son fils aîné pourtant prompt aux interrogatoires, pussent déceler les coupables. Quelques jours plus tard, comme par une malédiction, la foudre tomba sur une pièce de cannes et y leva un second feu que nos esclaves eurent bien de la peine à éteindre. Ces incidents en apparence anodins, dont nous ne sûmes jamais s'ils furent des accidents ou faits exprès, affectèrent presque toutes les habitations dans la plaine, tandis que le Nord flambait déjà du Fort Dauphin au môle Saint-Nicolas. Nos esclaves disaient que le feu tombait du ciel.

Le mauvais état des affaires ne laissait pas de donner bien des soucis aux colons. Il les détourna pour quelque temps de la politique, chacun s'occupant à garantir ses biens de la faillite. Les prix du sucre et du café chutaient. Il devenait presque impossible de vendre notre production, tant les bateaux se faisaient rares sur nos côtes. Les banqueroutes se succédaient dans le négoce à La Rochelle, à Bordeaux, au Havre. Sur l'île, la disette de farine mit le pain à un sou l'once, et nous barricadions avec prudence nos entrepôts de provisions. Malgré cela, plusieurs, sinon le nôtre, brûlèrent avant le Nouvel An. Les désordres de la ville, moins spectaculaires qu'à la campagne où l'air véhiculait déjà nos cendres, accusèrent la confusion. Envoyé par la Constituante, Blanchelande succéda à Pleynier au poste de gouverneur. Assailli de toute part de quêtes et de requêtes, il décida de dissoudre par la force des armes, comme un repaire de rebelles, notre assemblée de Saint-Marc : aux yeux de Paris, un nid d'indépendantistes. Beaucoup de Blancs – et tous les mulâtres, quoique pour des raisons différentes – aspiraient à s'affranchir du joug de la capitale. L'anarchie se dessinait derrière les volontés contradictoires, qui se disputaient Saint-Domingue au nom d'intérêts particuliers. Pétitions, députations, fêtes patriotiques, résolutions indépendantistes se succédèrent pendant des mois au Port au Prince, sans que l'on puisse apercevoir une issue raisonnable – l'équilibre et la paix de demain. Julien suivait avec passion les chances et les chaos de l'Histoire en marche. Il ne pouvait s'empêcher de vibrer pour cette ère qui s'ouvrait, avec ses belles promesses. Il avait depuis longtemps souscrit à son idéal et refusait de le tenir seulement pour un rêve. Il soutenait les efforts de ceux que nous appelions les Pompons rouges, qui étaient les colons partisans de la Révolution, de ses Lumières. J'assistais à la discussion qui amena mon mari à se brouiller avec la plupart de nos voisins. Arnaudeau, les veuves Chantérac et Baroche, Adrien Jouve et ses fils, comme les trois quarts des grands propriétaires de la plaine du Cul-de-Sac, comptaient désormais parmi les Pompons blancs – ou royalistes.

L'île était déchirée. Les Blancs étaient partagés entre factions rivales. Les métis se battaient pour faire reconnaître les droits que l'Assemblée nationale leur avait votés et que leur refusaient âprement les anciens maîtres de Saint-Domingue. Un an après la prise de la Bastille, l'horizon demeurait confus. La nouvelle saison des pluies semblait prolonger le marasme où nous vivions. La Révolution marqua un temps d'arrêt quand le colonel de Mauduit, gentilhomme breton, chevalier de Saint Louis, défit par les armes les troupes de ceux qui voulaient une île libre, c'est-à-dire affranchie de la métropole, égale et fraternelle – ces deux épithètes ne concernaient bien sûr que les communautés des Blancs et des libres, à l'exclusion des Noirs. Les meneurs s'enfuirent pour la France à bord du vaisseau *Le Léopard*. Quelques jours plus tard mon mari, se trouvant heureusement au Port au Prince, put échapper par miracle à la vindicte qui frappa les sympathisants des Rouges – sa présence au club effaça les soupçons. Il osa cependant mettre en garde, parmi ses amis, les plus conservateurs contre une fausse victoire. Il y avait désormais à Paris une ligue renforcée du parti qui luttait contre leurs avantages ; la violence, leur promit-il, ne tarderait pas à se retourner contre eux. Sa voix souleva un hourvari général, de sorte qu'après la séance, au Vaux-Hall changé en consistoire, Julien s'en revint à Nayrac, sûr que l'île était désormais perdue. Tout dialogue semblait impossible. Prudemment retiré à Pierrefonds et tâchant de se faire oublier, Amédée disparut quelques jours puis revint. Il put ainsi échapper à un exil forcé ou à un châtiment brutal et continuer d'organiser ses réseaux, ses complots, en fin politique. Il croyait à la ruse, à la force et aux feintes des mots. Le désordre les favorisait. Personnage sulfureux et inquiétant aux yeux des colons blancs, nous étions sans doute mon mari et moi les seuls à respecter sa mission, qui était de rendre leur dignité aux métis, et sa liberté à une île que la métropole exploitait à ses dépens. Je connaissais par cœur ses arguments, par cœur sa plaidoirie, mais sa voix qui me captivait et me convainquait chaque fois me rendait nostalgique d'une autre voix et d'un autre discours. Il y avait dans sa manière de moduler les phrases et de chanter ses anathèmes quelque chose de réellement prenant, de mystérieux ou d'inexprimable qui envoûtait. Ce n'étaient pas les arguments qui portaient mais le ton lui-même, ce ton qui lui venait d'un ailleurs dont je ne pouvais dire s'il était enfoui au plus profond de lui, ou plus lointain encore, tombé d'un monde surnaturel. Et je ne pouvais m'empêcher de souligner la ressemblance : comme Amédée, Pierre possédait un don de parler, de convaincre. Il ne s'adressait pas à la raison mais aux sens, à ces sens qui pour moi étaient entièrement acquis, entièrement à lui.

Quant aux esclaves, des bandes rivales se les disputaient. Engagés en petites troupes dissidentes, armés de bâtons, de coupe-coupe, mais pour la plupart tranquilles, rivés aux plantations, nul ne songeait à les arracher à leur condition. Ils continuaient à servir et les Blancs et les mulâtres qui se faisaient la guerre, dans l'ignorance la plus totale, abusés par les uns et par les autres, les plus vils des serfs malgré la loi. Julien lui-même, convaincu de l'avenir radieux qui se dessinait, et soucieux de me le faire partager, gouvernait l'atelier d'une main de fer, veillant au calme et à la soumission de ses Africains. Les premiers temps de la Révolution française, il les vécut dans l'enthousiasme, plus naïf ou plus aveugle qu'aucun de nous. Puis je le vis s'attrister, perdre peu à peu ses espoirs. Il lutta, il participa aux assemblées, il tenta de ramener les gens à la raison, il prôna la paix et les vertus du dialogue. Mais il se sentait seul à mener un combat que bientôt il jugea dérisoire. La majorité de ses pairs allait à une bataille dont il condamnait l'issue. Dès lors, il ne voulut plus quitter Nayrac. Sauver ses terres devint son obsession. Il ne voulut plus entendre parler de rien d'autre.

Pour moi, le moindre nuage de poussière qui annonçait un visiteur à l'entrée de notre habitation éveillait mon espoir. Tandis que la politique occupait les esprits, j'attendais le retour de Pierre. J'attendais même que quelqu'un veuille prononcer son nom. Mais il avait disparu, je n'avais pas de nouvelles. Sa trace s'était effacée sur tous les chemins que nous avions suivis ensemble il n'y a pas si longtemps. Certains le croyaient mort.

J'avais la sensation qu'il vivait. Julien, inquiet de son sort, mais ne sachant où ni comment poursuivre ses recherches, soupçonnant qu'il avait rejoint dans les mornes les rangs des esclaves rebelles, s'interrogeait parfois devant moi à voix haute. Je ne pouvais lui répondre. Je ne voulais rien trahir des sentiments que j'éprouvais. A dire vrai, rien d'autre sur l'île ne m'importait, ni des uns ni des autres, que ces deux choses mystérieuses et merveilleuses, si peu en accord avec les drames du moment, mon amour et mon enfant.

Ma fille naquit au printemps. Elle avait la peau blanche, les cheveux comme ailes de corbeau, et des yeux tout ronds, tout noirs, aussi brillants que du jais. La même sage-femme qui accouchait les négresses, venue du Port au Prince, l'avait mise au monde. Aurore l'assistait. Je l'ai nourrie moi-même, refusant de confier ce soin à une nourrice, comme c'était l'usage. J'éprouvais le plus grand bonheur à tenir le petit corps dans mes bras, et je croyais ainsi le protéger des intentions méchantes. La déception de Julien, à me voir mettre au monde une fille, s'estompa. Je n'étais que bonheur. Je craignais pourtant les manigances d'Aurore, qui ne désarmait pas. La grimace qu'elle fit en prenant l'enfant dans ses mains à sa naissance me persuada de son hostilité. Aurore l'observa longuement et la palpa avec soin comme un fruit qu'on veut dévorer, mais elle ne put que constater la couleur blanche de la peau. Elle marmonnait, elle bougonnait, furieuse d'ajourner ses plans et de ne pouvoir m'envoyer en enfer, avec mon enfant. Elle ne rêvait que de reprendre son hégémonie, ou à tout le moins de ramener à ma place la reine noire de l'amour, injustement évincée.

L'enfant grandit, en santé et en force. Lorsque je pense à elle, à chaque minute de chaque jour, elle est ainsi dans mes rêves : un être sur lequel la vie n'a pas de prise et près duquel je puise ma force.

Je vécus sur un nuage ces années de désordres et de confusions. J'avais l'illusion d'un bonheur immortel. La maternité me comblait. J'en oubliais le reste – la politique, l'Histoire, mais aussi mes propres désordres, mes propres confusions. Je voguais au-dessus des contingences. L'enfant simplifiait tout. Il était pour moi le centre du monde. Il était le sens de tout.

La révolte de Bois-Caïman changea brutalement les cartes de mains. Julien ne s'y trompa point : il me fit souvenir de la légende de Macandal, pour me dire qu'elle n'était point morte, que ses vengeurs l'avaient ressuscitée. Ce fut dans la nuit du 22 août 1791, que Saint-Domingue s'enflamma. Cette nuit-là, les esclaves du Nord, rassemblant plusieurs ateliers, prêtèrent serment au lieu dit Bois-Caïman, isolé aux confins d'une des grandes habitations de la plaine nordique, celle de Lenormand de Mézy. Puis ils se déchaînèrent. L'esclave Boukman mena l'insurrection. Le feu prit partout, sans exception. Des centaines de sucreries, de caféières, des hectares et des hectares de cultures, les granges, les greniers, les cases partirent en fumée. En quatre jours, la plaine ne fut plus qu'un monceau de cendres. Ou un fleuve de sang : plus de mille citoyens furent égorgés, éventrés, décapités, au coupe-coupe ou à la hache, plongés dans du sucre bouillant ou jetés vifs sur des bûchers. Hommes, femmes, enfants, la vengeance ne connut pas de quartier.

Au Sud, chacun tremblait au récit de ces épisodes funestes et nous nous résignions à ce que la révolte gagne notre province. Mais elle se fit attendre. Nos esclaves mirent longtemps à s'éveiller. Les propriétaires s'efforçaient de les tenir dans l'ignorance des nouvelles atroces qui nous parvenaient. Les plus sévères – ou les moins justes – traitaient maintenant leurs gens de manière à gagner leur reconnaissance, pour éviter que la rancune ne s'étende et que d'autres serments ne se scellent dans la haine comme à Bois-Caïman. Ce fut en pure perte – à peine avaient-ils gagné du temps. De peur de tout ce qui allait en effet advenir, ils se réconcilièrent. Puis, ils signèrent des pactes avec les gens de couleur. Les mulâtres avaient fort à craindre de l'explosion de l'île – ils n'étaient guère plus nombreux que les Blancs, et ne passaient pas eux-mêmes pour être des amis des Noirs. Bien plutôt des transfuges, ou des traîtres à une cause qui aurait pu les rassembler, ils risquaient autant que nous les représailles. A l'exception de ceux qui, comme Pierre, avaient depuis les premiers jours défendu les esclaves, et considéré qu'ils étaient des hommes à part entière, ils s'étaient compromis avec le pouvoir blanc. C'est ainsi qu'Amédée, le plus habile de tous ses congénères, put partir pour la France. Investi du titre officiel qu'on lui avait si farouchement contesté, de député à la Constituante, il allait enfin représenter Saint-Domingue à Paris, où son allure, sa superbe lui vaudraient quelque temps l'estime des Jacobins. J'ai souvent imaginé, depuis mon île, l'arrivée souveraine de mon ami, dans son nouvel habit de révolutionnaire et les jabots de dentelle auxquelles il restait fidèle malgré l'époque, et qui formaient un halo de blancheur autour de son beau et brun visage. J'ai souvent imaginé sa voix de miel envoûtant la Chambre, comme jadis Nayrac, quand il me contait ses légendes noires. Je suis sûre qu'il s'y trouva à son aise et qu'il sut avec autant de talent que Brissot et que Condorcet, que Lafayette, que même l'abbé Grégoire dont les Blancs avaient brûlé l'effigie place Vallière, plaider non seulement pour les mulâtres mais pour tous les laissés-pour-compte des nouvelles lois. Je sais, par des gens qui l'ont suivi en France et qui nous ont écrit avant la catastrophe, qu'il a été un tribun extraordinaire, jouant de la douceur, dc la poésie, et de ce charme qu'il tenait bien sûr de Fatousi. Sa mère devait inspirer ses discours, comme elle continuait d'habiter son âme, et elle lui souffla plus d'une fois, semble-t-il, les ruses et les incantations par lesquelles il échappa à la guillotine. Je n'avais nulle peine à croire nos correspondants : il y avait en lui des dons surnaturels et une capacité réelle d'envoûtement. Il fallait être Robespierre ou Marat pour ne pas se laisser prendre aux pièges caressants du mage. Quoi qu'il en soit, il échappa aux carnages de Saint-Domingue comme à ceux de la métropole. Il devait achever sa vie en Amérique. Mais sa présence amicale nous fit cruellement défaut. Après son départ, il n'y eut plus personne pour s'interposer entre le monde noir et nous.

La nuit était tombée tôt, à son habitude, en ce soir d'automne où, finissant de donner le sein, je couchai l'enfant dans son berceau. Je le regardai s'endormir en lui murmurant des mots tendres. Julien était dans la bibliothèque, occupé à résoudre les soucis que lui procuraient l'habitation, la chute des prix du sucre, les restrictions du commerce, et à évaluer nos chances d'un avenir à Saint-Domingue. La question le tourmentait, depuis l'embrasement du Nord. La lumière qui éclairait la pièce où il travaillait, traversait faiblement le salon où Aurore après le dîner avait éteint les bougies, pour s'arrêter à l'entrée de ma chambre. Un mince rai, passé sous la porte, y projetait une faible pénombre, tandis qu'au-dehors on ne distinguait rien, ni ombre, ni relief. Par un phénomène qui survenait sur l'île en certaines saisons, et qui ne laissait jamais de m'étonner, la lune ni les étoiles, ce soir-là, ne brillaient. Le ciel était d'encre. Derrière ma fenêtre ouverte, tombait un épais rideau de nuit. Ipestéguy, Markus et les artisans mulâtres devaient monter la garde à tour de rôle, et patrouiller alentour. Nous craignions bien sûr la contagion de la révolte, mais toutes les menaces s'arrêtaient pour moi au-dehors, à la porte de cette chambre où je regardais mon enfant s'endormir. Baissant peu à peu la voix, je cessai bientôt de chanter mes berceuses, mais je demeurai près d'elle. Je guettais ses sourires d'ange et je respirais à son rythme, doux, profond. La paix nous enveloppait. J'éprouvais un tel sentiment de plénitude qu'il m'arrivait souvent de m'endormir, la main sur le bord du berceau, repue d'amour. Pourtant ce soir-là, je levai la tête. J'étais distraite, tout à coup inquiète. J'essayai d'observer ce qui pouvait me troubler, et m'empêchait soudain, de manière tout à fait imprévue, de partager le sommeil de ma fille. C'est alors que je remarquai le silence... Un silence inhabituel régnait en effet sur l'habitation. Les nuits ordinaires – toutes les nuits – de Saint-Domingue étaient sonores. Elles bruissaient non seulement des mille insectes volant autour des moutiquaires, et du grillement de leurs ailes sur les flammes des feux qu'Aurore allumait à l'extérieur, à quelques mètres de la véranda, mais de cris d'animaux, de cris d'enfants, de plaintes, de soupirs des hommes et des femmes qui vivaient nombreux autour de nous. Elles bruissaient sans discontinuer. Elles roulaient le son des tambours jusqu'à l'aube, parfois l'écho des chansons des tribus. Elles se découvraient à nous plus ou moins vibrantes, plus ou moins habitées. Mais jamais elles ne furent ainsi désertées de toute présence, de tout souffle, jusqu'au plus ténu ou au plus étouffé. Le bruit de l'habitation, la nuit, nous était familier, alors que l'étrangeté de ce silence eut le pouvoir de m'alerter. Il ne dura, je crois, que quelques secondes. Mais il fut total. Si absolument privé de la moindre étincelle de son, de voix, ayant perdu jusqu'à ces minuscules clapotements qui, à défaut de paroles humaines ou de chants d'animaux, proviennent au moins des insectes, du vent ou de la rotation du monde, il me parut tellement anormal, ce silence, qu'il m'épouvanta. Il me sembla qu'il avait avalé la vie extérieure.

Des ténèbres – le mot n'est pas trop fort –, je vis Arès bondir par la fenêtre – sa souplesse était d'un chat – et atterrir devant moi. Je n'avais pas bougé, je ne poussai pas même un cri. En eussé-je eu le désir, qu'il m'en aurait empêchée : il posa sa main sur ma bouche et m'intima ainsi l'ordre de ne pas parler – c'était le premier ordre qu'un esclave me donnait. Je lui obéis et suivis chacune de ses instructions sans réfléchir. Je me fiais à son instinct, et aussi à la peur qui me serrait la gorge et me conseillait de fuir. J'avais la conviction, irraisonnée, qu'un malheur allait survenir. Arès souleva ma fille endormie et la mit dans mes bras, puis il m'aida à repasser après lui par la fenêtre. Je ne distinguais toujours rien. De la véranda jusqu'aux bâtiments les plus proches, tout était plongé dans la nuit la plus noire qui puisse exister. Aucun feu ne brûlait, ce qui me parut bizarre – je n'avais pas noté l'extinction des torches et des foyers de cardasse. Je serrai plus fort mon enfant contre moi. Arès me fit un signe, et je me mis à courir sur ses talons. Je sentis l'herbe, puis la terre sous mes pieds nus, comme une aveugle qui devine la route à la nature du terrain. La moindre racine aurait pu me faire tomber. Mais Arès, comme ses semblables, avait le don d'y voir même la nuit – souvent, dans leurs voyages, les propriétaires de l'île se faisaient ainsi précéder par des esclaves porteurs de torches, mais si les torches s'éteignaient, ils pouvaient être tranquilles, les yeux des Noirs perçaient l'obscurité. Je calquai ma course sur la sienne.

Le silence dura tout le temps que je mis à fuir sur les pas d'Arès, ma fille endormie dans les bras. Puis il se fracassa. Il explosa dans un tumulte de cris et de coups de feu. Le brouhaha me figea sur place, des éclairs déchiraient le ciel, des flambeaux surgirent derrière nous. Sans Arès, je serais restée là à attendre mon sort. Mais il m'entraîna. Quelques mètres à peine nous séparaient de l'écurie, dont j'apercevais maintenant à la faveur des lumières le bâtiment, l'entrée des stalles et même, par intermittence, les gros anneaux de fer plantés sur chacune d'elles. La nuit était orange. On aurait dit que se levait déjà le crépuscule du jour. Arès me bouscula à l'intérieur et je me retrouvai, assise sur une botte de paille, aux pieds du gros cheval qui servait au cabrouetage et s'appelait, par je ne sais quelle fantaisie de scribe, Antipatros. Aussi paisible qu'un bœuf à l'ordinaire, il présentait les signes les plus inquiétants de la peur. Malgré son âge avancé et sa panse lourde, il se cabrait comme un étalon et tirait furieusement sur son mors, à se déchirer la bouche. Je n'étais pas loin de partager sa terreur. Je m'efforçai de le calmer, caressai sa robe trempée de sueur et obtins au moins de l'empêcher de ruer. Puis, je me réfugiai dans un coin, à sa tête pour éviter les fers, et suivant en cela les consignes d'Arès, me dissimulai le mieux que je pus dans la paille. Ma fille s'étant réveillée, je lui donnai le sein pour que ses pleurs ne signalent pas notre présence. Et j'attendis. J'attendis si longtemps, qu'une vie entière me parut s'écouler. Le tumulte du dehors me parvenait comme l'écho d'un cauchemar. Tantôt lointain, je l'entendais se rapprocher ou s'éloigner. Les cris, les coups de feu, les bruits de course, et les bris de toute sorte s'entremêlaient. Autour de moi, les chevaux hennissaient. Que se passait-il ? Quelle bataille se livrait-on ? Le souvenir des cruautés qui s'étaient produites dans le Nord il y a quelques semaines ou celui plus ancien des horreurs commises à la Martinique me revinrent avec leur lot de précisions macabres, de tortures, de massacres, de supplices. Ce qui ne fut pas pour me rassurer. J'entendis distinctement, à plusieurs reprises, les voix familières, celles d'Ipestéguy, de Markus et de Cadet, celle surtout de Julien, qui plus que tout autre me faisait battre le cœur. Tant que je l'entendais, c'est qu'il était vivant. Mais pour combien de temps encore ? Des hurlements traversaient l'atmosphère, et couvraient le tapage. C'étaient des voix d'esclaves que je reconnaissais sans peine, à leur fidèle accent de Guinée, mais qui avaient perdu la nostalgie, la douceur envoûtante de celles dont les chants rythmaient autrefois notre vie. Montés des jardins de cannes ou naissant à l'improviste sur quelque point de l'habitation où les esclaves travaillaient, ces chants accompagnaient nos journées mais ils berçaient aussi nos nuits, lors des fêtes noires, autorisées deux ou trois fois l'an sur leur village. Or, parmi ces voix, chargées maintenant de haine, certaines possédaient une force et une rage particulières et je compris que rien ni personne ne leur résisterait. C'étaient des voix de généraux, des voix de vainqueurs. Elles l'emportaient déjà sur les ordres que lançaient âprement les voix blanches. Elles dominaient le tumulte... Je les entendais, le cœur battant, commander l'assaut et j'imaginais, la peur et la tristesse au ventre, tout ce qui se passait dehors, à deux pas de moi. Je tremblais pour Julien, je tremblais pour les miens – j'avais abandonné Clio et Thalie dans la Grand-Case. Elles ne pouvaient que se trouver maintenant dans la tourmente, peut-être étaient-elles mortes, assassinées, ainsi que les rumeurs nous avaient informés qu'il en était du sort des gens de maison, quand les esclaves se révoltaient. Ils subissaient les mêmes châtiments que leurs maîtres. Avant de repartir, Arès avait fermé à clef la porte de l'écurie. Les premières odeurs me parvenaient de feux qui devaient prendre à plusieurs endroits du domaine, on courait, on criait au feu !, j'entendais des grésillements tout proches et de la fumée pénétrait déjà jusqu'à moi. Antipatros, affolé, reprit ses ruades et ses tentatives désespérées pour s'arracher le mors. L'idée que j'allais brûler vive, prise au piège de ce bâtiment tout en bois, couvert d'essentes et fourré de paille, le plus propice à s'enflammer, me précipita jusqu'à la porte. Je me souviens que je protégeais le nez et la bouche de ma fille avec ma main. L'air devenait irrespirable. Je cherchais une issue, coûte que coûte. Toute autre mort me paraissait préférable à ce supplice. Dans une cavalcade, plusieurs chevaux passèrent tout près de moi au galop. Puis Arès ouvrit ma prison et je l'entendis, couvert de cendres, le visage et les vêtements déchirés, me dire ces mots simples : « Maître mort ! Toi partir. »

Il parlait du fils aîné de Julien : la première victime de l'assaut des esclaves. Ils l'avaient égorgé au coupe-coupe puis taillé en pièces. Son cadavre gisait sur le seuil de sa case, abandonné. J'en aperçus de loin, à la lumière des flammes, le tas sanglant et disloqué.

Cadet aussi était mort : les esclaves lui avaient fait payer chèrement ses soins et son imposture. Ils avaient toujours subi sa médecine comme une torture, tant il est vrai qu'il en guérissait peu et qu'il en empirait beaucoup. Ils lui avaient à lui aussi tranché la gorge, avec une telle violence qu'ils l'avaient même décapité. Il était étendu dans la cour, là où il était tombé, et ses mains tenaient encore les deux pistolets inutiles à sa défense, qui pendaient de chaque côté de son buste, tandis que sa tête, retournée sur la face, avait volé à quelques pas, la perruque arrachée, les cheveux épars. Markus, appuyé sur la margelle du puits, livide, perdait son sang. Une criblée de plomb l'avait atteint à la jambe – les esclaves n'avaient pas tous des armes à feu, d'après ce qu'on racontait depuis les révoltes du Nord. Seuls les chefs, qu'on pouvait ainsi reconnaître, d'autant qu'ils étaient affublés de vestes de gentilshommes et certains de perruques blanches, maniaient la poudre et le plomb. Je connus bientôt les détails de l'assaut à la lueur de quelques explications qu'Ipestéguy, indemne, jugea bon de me donner.

« Ils ont volé les fusils de chasse », me dit-il. Le choc avait rendu loquace le Basque ténébreux. Il criait en parlant, débitant plus de phrases qu'il n'en avait dites devant moi en dix ans de colonie. Et d'ajouter : « Pour la plupart, ce sont les Anglais qui les ont armés. » Sa vieille anglophobie se déchaînait dans la rancune. Les feux des bâtiments qui finissaient de brûler et qu'on avait laissés aux flammes – on ne pouvait éteindre avec des seaux cinq ou six incendies allumés ensemble – éclairaient d'une lumière rouge le champ de bataille. Sur le chemin de l'écurie à la Grand-Case, des corps de

Noirs portant d'affreuses blessures, certains blessés d'autres déjà morts, côtoyaient ceux des mulâtres dont on ne savait de quel camp ils étaient, ni s'ils étaient battus pour nous ou contre nous. Malgré l'horreur que j'éprouvais, j'essayai de reconnaître parmi les gisants les familiers de notre habitation. Et j'en reconnus plus de dix. Certaines des victimes avaient travaillé aux champs, d'autres à la fabrique de sucre, ou à la distillerie. Certaines étaient des esclaves des jardins, d'autres des artisans qui avaient pour la plupart obtenu leur émancipation mais qui continuaient de travailler pour nous, de leur plein gré – leurs rêves, comme le nôtre, étaient brisés. Quelques-uns de ces morts m'étaient étrangers : soit que leurs blessures les défigurassent, soit que je n'eusse jamais croisé leur chemin ou porté mes regards sur eux – près de cent cinquante individus œuvraient sur l'habitation –, soit enfin qu'ils appartinssent à des domaines voisins, ou des troupes dont nous savions qu'elles préparaient leur revanche dans les mornes. Je ne pouvais cependant rester indifférente à leur sacrifice. C'était un spectacle révoltant. Tant de vies perdues ! Ces troupes sans uniformes, pour la plupart en haillons, ne permettaient pas qu'on les distingue. Qui s'était battu pour qui ? Pourquoi ? Les corps, ouverts comme du bétail sacrifié, mêlaient leur sang. Je ne pouvais détacher mes yeux de ces victimes, amies ou ennemies, tombées sur notre sol. Quel était le sens de tout cela ? Comment, sur l'île bienheureuse, en étions-nous arrivés là ? Je me livrais malgré moi au recensement des morts. Je revoyais les visages rieurs ou sombres des uns, et j'entendais leurs voix répondre à l'appel du matin, quand Ipestéguy lançait à l'aurore leurs noms de dieux et de héros. Ils étaient là, Bacchus et Cupidon, Neptune et Achille, Ulysse, Apollon... Je refusais de voir, parmi les esclaves fidèles, des ennemis de notre famille, ou quelques soldats de « la horde des barbares ». Notre ami Desmarets, accouru trop tard à notre renfort avec quelques-uns de ses hommes au moment même où je sortais de mon abri de planches et de paille, appelait ainsi nos attaquants. L'assaut avait été aussi bref que violent. Survenu au milieu de la nuit, et n'ayant pas duré plus de temps qu'un orage, il avait porté le sang et le feu au cœur de notre oasis. Nous n'avions perçu que la face heureuse de l'île, et voulu ignorer les démons obscurs qui la gouvernaient. Des ressentiments aussi vieux qu'elle, fondés sur l'hostilité du clan qui s'y était bâti une citadelle, venaient tout à coup d'éclater.

Je retrouvai Julien sur la véranda où Aurore agonisait. Il était penché sur elle et lui tenait la tête. De l'écume rouge s'échappait en bouillons de ses lèvres. Son ventre n'était qu'une plaie béante. Thalie et Clio sorties de je ne savais où, sanglotaient à côté d'elle, près de la chaise à bascule où j'avais l'habitude de paresser en regardant la plaine au large, et dont la présence, rappel des heures douces, jurait avec la gravité de l'heure et l'horreur de la situation. Elle oscillait comme si quelqu'un venait tout juste de se relever après une sieste. Dès qu'il m'aperçut, Julien se précipita à ma rencontre et m'enlaça – sans doute avait-il pu me croire morte. Il prit mon enfant et la pressa contre lui. Tandis que tout n'était autour de nous que ruines et brasiers, mort et souffrance, la petite fille, à peine éveillée, avait gardé la respiration du sommeil. A la vue de Julien elle ébaucha un sourire radieux. Il était tellement inattendu dans la circonstance, tellement pur et innocent, ce sourire d'enfant, si plein de confiance dans la vie, qu'il lui arracha une larme. Je vis pleurer mon mari, pour la première et la dernière fois, d'amour autant que de tristesse. Sa chemise déchirée, le visage et les bras ensanglantés, la larme traça un sillon dans la poussière qui couvrait ses joues. Il me tenait par l'épaule, et portait l'enfant contre lui. Je crois qu'il puisait un réconfort dans notre présence, et que nous représentions alors pour lui, à cet instant où tout semblait détruit, par ce contact simplement chaud et vivant de nos deux corps, la chance d'un avenir. Nayrac qui avait été la vraie passion de son existence était mort. Mais il le rebâtirait de ses mains, il lutterait encore, puisque nous étions ensemble à ses côtés. Je sentais l'amour inonder ce grand corps, qui m'entraînait vers la véranda, les épaules voûtées mais déjà redressant la tête, tout à l'espoir qui renaissait. Ce fut un moment unique, mais qui ne dura guère, un moment de communion. Je compris que Julien m'aimait. La clarté se fit en moi, tandis que nous effectuions lentement ces quelques pas qui nous séparaient de la Grand-Case. Le sortilège qui m'avait aveuglée et rendue insensible, s'éloignait; je retrouvai la lucidité. Elle ramena le sentiment de la faute. Tandis que tout flambait et se consumait autour de moi, soudain la honte me submergea. J'avais jusqu'alors menti à cet homme et je l'avais trompé jusque dans le lien le plus sacré, sans me sentir jamais coupable.

Si nous n'étions pas arrivés tout près d'Aurore, il est probable que j'aurais avoué mon crime. Mais Julien me rendit ma fille et se pencha sur la vieille servante. Incapable du moindre mouvement, déjà paralysée, ses yeux lançaient des éclairs qui me clouèrent sur place, puis tout le regard se voila d'ombre. Je la vis, cette ombre, approcher puis lentement éteindre la haine, et finir de couvrir d'un brouillard aussi opaque que la nuit passée, l'expression maléfique de la sorcière. Julien ne devait pas manquer de s'en étonner – Aurore n'avait jamais eu pour lui-même qu'infinie bonté. Alors qu'elle allait de toute évidence expirer, la paix se refusait à elle qui se débattait pour garder ses dernières forces, et livrer son dernier message. Je vis ses lèvres esquisser un début de murmure, je les vis tenter de se rejoindre et de s'organiser, et sa bouche lutter pour empêcher le rictus de la mort de la fermer tout à fait. Elle lâcha des bruits de gorge et, dans un effort, proféra clairement ceci :

« Tu n'es plus l'homme. »

Dans un soupir d'épuisement, elle exhala ces derniers mots comme un râle : « Ton fils... »

Ce fut le testament d'Aurore.

Julien lui devait la vie. Elle s'était jetée devant lui au moment où, assailli par trois noirs soldats arborant des cocardes tricolores et le bonnet phrygien, il allait être transpercé de part en part à l'épée, au sabre ou à la machette – les trois armes se levaient à la fois contre lui. Jaillissant de son antre, avec un cri d'animal semblable à celui d'un chat en colère, elle s'était interposée, et en hurlant, avait lancé aux trois hommes une série d'imprécations. Incompréhensibles à des oreilles non créoles, moins habituées que les nôtres au langage des Africains de l'île, Julien y reconnut sans peine les paroles mêmes de la prière chrétienne des morts. Mais c'était une prière détournée ou inversée, une prière de haine, qui invoquait les dieux du mal, et conjurait le Serpent – elle disait Damballah –, le dieu suprême, de venir les mordre ou les étouffer, de les tordre de douleur, de ne plus relâcher son emprise, de les torturer à vie, eux, leurs femmes et leurs enfants à plusieurs générations. Les trois hommes s'étaient figés, leur figure portait les stigmates de la plus grande peur. C'est que, comme tous leurs congénères, et comme nous autres aussi, Blancs de la colonie, ils respectaient les sorciers et craignaient plus que tout les mambos, ces prêtresses du culte de la nuit. Ils croyaient en leurs dires, prophéties ou malédictions, et redoutaient leur colère, qui pouvait vouer au malheur sur plusieurs âges, des familles entières. Deux d'entre eux abaissèrent leur bras et inclinèrent la tête pour éviter de tomber sous le charme des yeux diaboliques. Mais le troisième, le plus noir, le plus jeune et que nous ne connaissions pas – Julien avait reconnu dans les deux autres des mulâtres de Pierrefonds, experts en ouvrages de terrassement – eut plus de cran ou plus d'inconscience et il ouvrit d'un coup de sabre sacrilège le ventre de la mambo. Avant de s'effondrer, dans un hurlement – un cri de bête se jetant sur sa proie, me dit Julien –, elle lança ses doigts crochus contre eux et dessina dans l'air le corps sinueux de Damballah. Les trois hommes reculèrent ensemble sous le coup du même effroi. Puis ils tournèrent les talons et s'enfuirent en courant. Le dernier avait lâché son arme. La fuite éperdue des trois chefs entraîna celle de leur troupe, mettant fin au carnage qui, sans cela, aurait continué, nous livrant tous à une mort certaine. Nous fûmes sains et saufs grâce à Aurore, qui s'était sacrifiée pour son maître. Elle avait expiré en essayant d'éclairer encore le long chemin qu'il aurait à parcourir sans elle, si folle d'amour qu'elle avait préféré sa propre mort à la sienne.

Julien veilla à ce qu'elle fût enterrée, non point dans la fosse commune assignée à tous les esclaves qui s'étaient battus avec ou contre nous mais, enveloppée dans un suaire rouge, dans une tombe séparée, entre celle de Cadet et celle de son propre fils. Je l'avais vu se recueillir près de Jean et tenter de rapprocher les morceaux dispersés de son corps meurtri. L'enterrement eut lieu, pour les uns comme pour les autres, de la manière la plus sobre et la plus laïque. Julien ne prononça pas même quelques mots. Il organisa les soins sur place et confia à Markus, qui de toute façon ne pouvait se déplacer, le soin de rassembler la garde. Les esclaves qui restaient et qu'il avait fait rassembler, soigner et nourrir, pouvaient être comptés pour fidèles. Dans les prochaines heures, aucun autre assaut ne surviendrait. Les assaillants, mal armés, avaient eux-mêmes perdu beaucoup d'hommes et devaient laisser un peu de repos à ceux qui leur restaient. On pouvait aussi compter sur Desmarets qui, retourné sur ses terres afin de ne pas se laisser surprendre à son tour, avait promis d'apporter son aide. Il maintenait ses troupes sur le pied de guerre. Chacun de son côté assurerait désormais une veille renforcée. Pour nous, ces mesures venaient trop tard, mais Nayrac n'était pas totalement détruit. Quelques bâtiments avaient échappé aux flammes et les chevaux au moins étaient indemnes, bien que toutes nos réserves de sucre et la plupart du matériel, ainsi que les volailles et les moutons eussent cependant brûlé. Trois vastes pièces de cannes avaient également été incendiées. Quant aux esclaves, plus d'une moitié avait rallié le maître et proférait des paroles vengeresses contre les assassins. La mort d'Aurore nous servait : respectée et crainte dans toute la province, son autorité se faisait encore sentir par-delà la mort et inspirait à ses ouailles un même sentiment de crainte. Ils ne pourraient plus avant longtemps communiquer avec les mystères. La sorcière partie, le dialogue était coupé avec les morts, avec les dieux. Sa disparition les laissait orphelins. Aussi se regroupèrent-ils, tout peureux, autour de Julien, que la servante avait voulu sauver, et qui leur semblait tout à coup investi d'une parcelle de son aura. Ils continueraient à servir, fidèles à son exemple, sûrs qu'elle les espionnait déjà depuis l'autre monde. Mais nous savions qu'ils ne tarderaient pas, obscurément, à se chercher plus tard un autre maître, investi de pouvoirs magiques et plus capable qu'un Blanc d'intercéder pour eux auprès des seuls esprits qu'ils vénérassent, ceux des ténèbres.

La vigilance n'en était que plus nécessaire – tel fut le sens de l'ordre que donna Julien. Il décida de me conduire avec l'enfant au Port au Prince pour assurer notre sécurité. Il retournerait ensuite à Nayrac avec des armes et du renfort. « Il faut tenir », avait-il dit à Ipestéguy. Le Basque, nerveux, semblait ne pas récupérer son sang-froid. Nous partîmes à cheval, accompagnés d'Arès et de deux mulâtres de l'atelier qui, sachant manier un fusil, nous firent une petite escorte. Le jour se levait.

Le long de la route, jadis bordée de champs tirés au cordeau, les foyers dispersés de l'incendie avaient ravagé la plaine comme des termites géantes. Des trouées noirâtres défiguraient les jardins de cannes. Celles que les flammes avaient épargnées agitaient mollement leurs têtes vertes et ressemblaient à des éventails inutiles. Laissées à l'abandon, elles n'allaient plus tarder à rejoindre les herbes folles et à se fondre dans la végétation tropicale. Les efforts des planteurs, sur deux ou trois générations, avaient abouti à ce désastre : la terre brûlée ou en friche, la canne ne produirait plus de sucre avant plusieurs saisons. Nous avancions à la lenteur d'un cortège funèbre. Des fumées montaient des cendres encore chaudes, tandis que celles qui s'échappaient autrefois des chaudières s'étaient taries autour des bâtiments en ruine. L'aqueduc qui apportait l'eau de la montagne jusqu'à nos plantations du bord de mer avait été détruit, et ses arcs interrompus, ses têtes de pont décapitées ne dominaient plus qu'une plaine désolée. De loin en loin, des habitations intactes, avec leurs façades blanches, leurs vérandas à colonnes, leurs tuiles roses rappelaient les temps heureux. Mais la plupart des ateliers, quand ils ne gisaient pas à terre, étaient déserts, comme les champs, comme les halles et les corrals. L'absence de vie frappait cruellement les spectateurs de cette campagne où circulaient jadis des cabrouets, où se croisaient les attelages, et qui résonnait sans cesse des chants des esclaves au travail. Des villages noirs, dont les cases semblaient inhabitées, figées dans la poussière, ne s'échappait aucun bruit. Nulle animation. Parfois un enfant nu poussait un cri en nous apercevant, ou bien une vieille femme assise devant sa porte, une calebasse entre les jambes, proférait une plainte où il me semblait entendre le désespoir et l'angoisse de chacun de nous. Les hommes partis, les uns ralliés aux marrons et aux mulâtres, les autres enrôlés dans les troupes du maître, les enfants, les femmes, les vieillards attendaient leur sort, résignés au pire, en se terrant chez eux. En passant à quelques lieues de Bellevue, dont la Grand-Case était intacte mais où nous ne vîmes pas âme qui vive, puis devant les propriétés de nos amis, dont les plantations nous parurent de loin à l'abandon, nous ressassions en silence notre amertume. Chaque lieue parcourue accentuait encore notre mélancolie. Dans un village, nous croisâmes une vieille. Plus noire que charbon, plissée comme une goyave séchée au soleil, la poitrine découverte, elle ouvrit sa bouche édentée pour marmonner je ne sais quelles paroles. Elle avait l'air moins résigné que méchant. Sa hargne, qu'elle ne cherchait nullement à dissimuler, son mépris, qu'elle affichait avec cran, eurent pour principal effet de tirer Julien de l'espèce d'apathie qui l'avait saisi après que nous eûmes quitté Nayrac. Jusque-là absorbé dans ses pensées, courbant le dos devant le paysage que nous traversions, il dut se remémorer d'autres paroles, prononcées sur le seuil de notre case. Car il se tourna vers moi et, pour la première fois depuis qu'Aurore lui avait livré son ultime et sibyllin message, il plongea ses yeux clairs dans les miens. Ils me scrutèrent longtemps. J'eus peur d'être découverte. La vérité – ma vérité – pouvait-elle rester secrète ? Aurore avait parlé, mais ses paroles de pythonisse gardaient assez de mystère pour être interprétées de diverses manières et me permettre d'échapper à un verdict. Si Julien n'était plus l'homme, si son propre fils était une menace, que pouvait-il penser d'autre sinon qu'il était trahi – c'était le vrai sens du message – tel un roi détrôné ? Par qui d'autre aurait-il pu l'être que par celle que lui montraient les yeux encore pleins de haine d'Aurore, et ses doigts de sorcière, raidis par l'approche de la mort ? Sa propre femme, son propre fils... Quel lien y avait-il entre eux ? Je vis toutes ces interrogations dans le regard de Julien, dont la clarté me déchirait comme le fer, mais où affleurait le doute, et où je vis peu à peu grandir l'inquiétude et percer la souffrance.

Ma fille s'était rendormie dans mes bras, bercée par le rythme régulier du cheval qui avançait au pas, le nez sur la croupe de celui d'Arès, et le flanc pressé contre celui que montait Julien à ma gauche. C'est en sentant le poids et la chaleur de ce corps d'enfant que je trouvai la force d'affronter son regard. Je ne baissai pas les yeux. Je ne montrai aucun trouble. Je n'affichai aucun des sentiments qui pourtant, au fond de moi, se bousculaient, me torturaient, et menaçaient de venir exploser à la surface... Non seulement je ne laissai rien paraître, mais je souris. Et je mis dans ce sourire toute la candeur dont je me savais capable. Au moment où Aurore, dans un suprême effort, avait tenté de dévoiler son secret, je compris que jamais je n'avouerais mon crime. Il devint mon âme même.

Au Port au Prince, par grand contraste, régnait l'agitation. Une poussière, que je pris d'abord pour un épais brouillard, s'élevait plus haut que les maisons et nous enveloppa dans son nuage. Des hommes, en veste et en chapeau, des femmes vêtues avec recherche, escortées de négrittes ou de négrillons, se bousculaient sur les trottoirs de planches comme, dans les rues encombrées, les charrettes et les attelages. La saleté, le tapage et la fièvre faisaient du Port au Prince un enfer. Ses dimensions modestes, l'architecture basse des maisons, l'étroitesse sans grâce de ses prétendues avenues apparentaient la capitale du sud de Saint-Domingue à une bourgade, un jour de marché. Les gens s'y connaissaient tous. Ils s'apostrophaient de loin ou se faisaient des signes, sans cesser de s'agiter. Seule la place Vallière, rebaptisée de la République, avait grand air. Partout, l'atmosphère trépidante et colorée était celle d'un port de commerce. On transportait à dos de mulets des ballots, des sacs et des malles, que de nombreux esclaves chargeaient ou déchargeaient. Je remarquai à chaque coin de rue, des groupes d'hommes armés : la ville était le fief des colons, qui se montraient unanimement d'humeur jalouse, prêts à défendre leurs prérogatives contre tout assaut venu, par voie de terre ou de mer, attenter à leur prospérité. Quoique le Port au Prince ne fût pas une place forte, la mentalité y était celle d'une citadelle assiégée.

La maison de Vénus était une demeure sans faste, comme celles qui l'entouraient. Construite dans une de ces rues étroites et sombres où le Port au Prince loge commerçants, artisans, médecins, notaires, apothicaires, dans la plus gênante promiscuité, elle abritait une esclave affranchie mais personne n'y trouva jamais à redire – la ville respectait les libres, qui y vivaient nombreux. La population des affranchis, Noirs ou métis, allait et venait en toute liberté, à condition de ne pas empiéter sur les privilèges des vrais citoyens – tous blancs – qui refusaient d'appliquer ici les lois de la nouvelle République. Vénus nous accueillit sur le seuil, du haut de la véranda qui donnait sur la rue. C'était une grande femme, telle que je l'avais vue en rêve, avec un impassible visage d'icône noire. La sensualité de ses traits à la bouche grassement ourlée, aux narines épatées, aux pommettes larges, jurait avec un regard sans expression, aussi serein qu'un masque. De ses longues mains aux ongles en amande, elle attacha les rênes du cheval de Julien à l'un des pylônes qui soutenaient la véranda, puis elle se tourna vers moi et sans me regarder, ou plutôt sans me fixer vraiment, de ce regard indifférent que je lui connus toujours, elle s'approcha d'une démarche élégante, un peu dédaigneuse, de souveraine en exil. Je crois que je n'avais jamais vu de femme aussi belle. Elle tendit ses bras nus vers l'enfant et je le lui donnai intinctivement, sans aucune crainte. Elle l'emporta avec une surprenante douceur.

Nous la suivîmes. La nouvelle de notre infortune était allée plus vite que nos chevaux et Vénus, à l'évidence, savait déjà ce que nous avions vécu la nuit précédente. J'espérais qu'elle ignorait encore la mort de son fils aîné mais je n'en étais pas sûre – elle portait mon propre enfant comme une relique, et semblait trouver dans ce geste maternel, en le pressant sur son sein, un réconfort étrange. Soupçonnait-elle mon histoire, d'une simple intuition de femme ? Ou bien, devineresse d'Afrique, l'avait-elle pressentie dans des conversations avec les ombres ? Que savait-elle de mon amour interdit ? De même qu'Aurore n'avait eu nul besoin de me dire qu'elle avait percé à jour mon secret, il me sembla, dès qu'elle m'apparut, que Vénus avait elle aussi accès aux mystères.

De sa démarche de reine, elle précéda Julien dans la maison et m'en fit les honneurs, ma fille dans ses bras. Elle me montra ma chambre à l'étage, une toute petite pièce en soupente, meublée d'un lit et d'un berceau sous une même moustiquaire. Alors que nous ne l'avions pas prévenue de notre arrivée, elle avait, à l'évidence, préparé notre installation. Un balcon surplombait la rue, dont le spectacle animé me parut préférable à la solitude quasi monacale où j'allais être enfermée. A travers la poussière, je distinguai de l'autre côté, me faisant face parmi une rangée de maisons dont me séparait à peine une dizaine de mètres, l'échoppe d'un épicier. Le marchand, de type mulâtre, disposait ses articles sur le trottoir. Vénus sortit avec moi sur le balcon, je la sentis fière de me faire partager un pareil point de vue. Le marchand nous ayant aperçues, je le vis non sans surprise s'incliner profondément et, tourné sans nul doute possible vers Vénus, adresser son salut à la maîtresse des lieux.

Je serais seule à l'étage, avec ma fille. En bas, les pièces n'étaient pas plus vastes que ma chambre. L'une servait de salon, l'autre de cuisine. Clio et Thalie se virent attribuer un cagibi qui les enchanta. Elles n'avaient jamais eu chez nous de pièce à leur usage, puisqu'elles dormaient dans la case d'Aurore ou bien dans ma chambre, lorsque Julien quittait Nayrac. Ce cagibi sans fenêtres jouxtait un garde-manger auquel, à leur grand étonnement, elles auraient libre accès, comme d'ailleurs à la cuisine. Leurs habitudes changeaient pour le meilleur. Quant à Arès, il dormirait dans une cabane au fond de la cour, entre le poulailler et le clapier à lapins – nul risque ici de mourir de faim. Vénus entassait les vivres avec une prodigalité dont nous avions perdu l'usage depuis que la révolte des esclaves nous avait coupés du monde. Du linge de femme séchait sur une corde, mais la cour était fermée aux regards qui ne pouvaient découvrir que la façade principale. Une porte, d'aspect vétuste, donnait sur une autre rue, à l'arrière.

Proprement meublée, la maison ressemblait plus à une bicoque qu'à la garçonnière de maître que mon imagination jalouse avait embellie des séductions de la maîtresse noire. L'orgueil avec lequel Vénus me fit visiter son abri de fortune, presque aussi misérable qu'une cahute malgré son escalier à rampe, me surprit. Une odeur puissante, mélange de poivre et d'épices, se répandait dans la maison tout entière. J'en cherchai l'origine et en approchai le centre, lorsque Vénus, de cet air distrait et souverain dont elle ne se départait pas, entrebâilla une porte et m'indiqua à l'intérieur sa propre chambre. Nul autre que Julien, dit-elle, n'avait le droit d'entrer dans son domaine privé. J'entrevis des murs rouges, un tapis rouge et un baldaquin de draps rouges dressé au-dessus d'un lit énorme, qui me parut conçu pour des orgies de princes. Julien préparait déjà son voyage de retour à Nayrac. En sa présence, Vénus n'aurait peut-être pas ouvert cette porte ni décelé cette chambre où me furent jetées à la vue, avec une calme violence, les amours de mon mari. Mais elle ne se priva point de la joie de le faire devant moi qui étais ou qui fus sa rivale, autant qu'elle l'était ou le fut pour moi. C'est de cette chambre rouge que se diffusait l'odeur, à la fois âcre et voluptueuse, qu'il me semblait avoir déjà goûtée, déjà connue, ailleurs. Elle me plaisait, elle me grisait, comme un charme.

Quand Julien repartit avec les deux mulâtres en armes qui nous avaient escortés jusqu'ici, il ne me laissa pas seule avec ma fille à Vénus ; restaient Arès et les deux jeunes filles, avec deux chevaux qu'il fit conduire et attacher dans la cour. J'eus ordre de ne pas sortir – les rues n'étaient pas sûres en cette époque de troubles ; les gens craignaient que des querelles intérieures à la ville où plusieurs factions politiques se livraient bataille, n'explosent en rixes imprévisibles. Julien nous quitta sans adieu : je le devinai anxieux de retrouver sa terre.

Les jours passèrent sans que je pusse les distinguer dans leur cruelle monotonie. Je vécus avec l'enfant, recluse comme un otage, dans la maison embaumée. Je ne quittais ma chambre que pour les repas. Vénus les cuisinait elle-même et nous les prenions ensemble, entre femmes, autour de la même table, avec Thalie et Clio, qui se trouvaient ravies de notre installation. Arès s'obstinait à manger dehors, sur les marches de la véranda qui ouvrait au sud sur la petite cour. Il préférait la compagnie des poules, des lapins, des chevaux. Il paraissait abattu, plongé dans une tristesse que rien ne venait distraire. A table, nous parlions peu, ou n'échangions que des banalités, tandis que les jeunes filles pépiaient. Vénus touchait à peine aux plats délicieux qu'elle préparait mais je ne craignais plus comme autrefois de mourir empoisonnée. Cette femme m'inspirait confiance. Je m'étonnais seulement qu'avec si peu d'appétit, elle fût si opulente. Ses seins tendaient le tissu de sa robe et ses cuisses, qui se dessinaient sous des jupes plus étroites que la mode ou les convenances ne l'autorisaient, évoquaient des troncs d'arbres. Massive et sculpturale, Vénus affichait cependant une nonchalance et des langueurs tout à elle : elle passait des heures, elle aussi, dans sa chambre. Alors que j'y étais contrainte et que j'avais la nostalgie de la liberté, elle semblait se plaire dans cette réclusion volontaire. Elle sortait rarement. J'appris qu'elle était propriétaire de l'échoppe où chaque matin je voyais, depuis mon balcon, le marchand s'incliner vers son soleil – quand à l'une des fenêtres d'en bas, Vénus devait apparaître. Il lui apportait ses comptes une fois par semaine, obséquieux et l'air apeuré. Elle le recevait en tête-à-tête après notre dîner, à la table prestement débarrassée. N'ayant pas d'autre distraction que notre maisonnée, j'appris vite à en reconnaître les rites. A l'aube, la sonnette du marchand d'eau annonçait l'éveil de toute la rue; l'agitation propre au Port au Prince pénétrait jusqu'à nous, avec ses grincements d'essieux, ses chocs de roues, ses cris de passants furieux. Dans la cour après le chant du coq, un cheval s'ébrouait ou hennissait, puis Clio et Thalie commençaient à se disputer. Des bruits de friture et de craquements de feux montaient de la cuisine avec les odeurs qui annonçaient le repas.

L'après-midi, une brève douceur, piquée du seul vrombissement des mouches, nous portait jusqu'au soir. La nuit je ne dormais pas, ou du moins très peu. Je somnolais pour me réveiller aussitôt, incapable de retrouver dans cette ville trépidante, à laquelle le coucher du jour n'apportait presque aucun répit, la paix des nuits d'autrefois. Les redoutes se déchaînaient et amenaient sous nos fenêtres des ribambelles d'hommes ivres, qui déambulaient en riant, en jurant. J'écoutais les gens vivre. Aussi ne fus-je pas longue à remarquer que Vénus attendait souvent la nuit pour quitter la maison. Je l'entendais marcher certains soirs jusque très tard dans la chambre au-dessous de la mienne, déplacer des objets, des meubles, je l'entendais ouvrir et fermer des portes, je suivais son trajet à l'oreille, je l'entendais partir. Son retour me réveillait, avant le marchand d'eau, aux premières lueurs de l'aube.

Julien ne donnait pas de nouvelles. J'ignorais ce que pouvait être sa vie dans Nayrac dévasté. Il fallait reconstruire, replanter, et réorganiser le travail avec la moitié de la main-d'œuvre. J'envoyais souvent Arès au port. Il m'achetait des journaux, souvent vieux de plusieurs mois, et tâchait de glaner des échos de ce qui se passait en France, ou dans le nord de l'île, dont nous étions également coupés, presque aussi étrangers que si nous habitions des îles éloignées. Des matelots ou des capitaines que l'alcool rendait bavards, assez ivres pour parler à un esclave, lui confiaient le peu qu'ils savaient ; il était difficile d'y reconnaître la part de fables. Arès acceptait de se faire mon messager parce qu'il me voyait souffrir du manque d'air et de vie même, mais il détestait le port, comme les gens qui en fréquentaient les abords. Il n'était pas rare que ses semblables y soient rossés, qu'on leur bourre le dos à coups de pied pour éprouver leurs forces – la Révolution française n'avait aucunement mis fin à ces combats d'esclaves, propices à des paris dont le montant donnait le vertige ; l'île en était presque aussi friande que de combats de coqs. Grâce à Arès, j'étais informée, quoique de manière décalée et souvent fragmentaire, des événements qui se bousculaient sur l'île comme à la métropole, lesquelles furent rarement en harmonie. Je dévorais les gazettes. Il me semblait que Saint-Domingue allait comme un navire fou, à contre-courant du flux de l'Histoire. Les colons tâchaient de résister aux lois qui, depuis la France, mettaient en péril leur hégémonie et la structure même de leurs existences. Les intendants, les gouverneurs se succédaient, à peine nommés. L'un évinçait l'autre. Tantôt poussés dans les rouages de l'autorité coloniale par les vétérans du Club Massiac, attentifs à sauvegarder les privilèges des grands propriétaires de l'île, mais vite rappelés à Paris dès que leurs actes s'opposaient trop clairement à la Révolution en marche, ils s'enlisaient dans les querelles locales et finissaient par y perdre de vue le sens de leur fonction – on en vit quelques-uns édicter de leur propre chef des décrets, comme des rois africains. Ni le présent ni l'avenir n'étaient clairs. Certains, à Saint-Domingue, jaloux des traditions, prédisaient le désastre prochain des révolutionnaires dont la victoire nous sembla longtemps une extravagante chimère. D'autres prêchaient au contraire, avec ardeur, le changement ; ils mettaient tous leurs espoirs dans les nouvelles qu'apportaient, avec de plus en plus de retard, les navires qui osaient encore accoster à nos ports. Ce n'est qu'à la fin de l'été 1791 que j'appris la fuite du Roi et de la Reine à Varennes, et leur reconduction aux Tuileries comme des voleurs entre des gendarmes. Quant au serment que le Roi dut prêter à la Constitution, et aux querelles des Feuillants et des Brissotins autour de la couronne, tout cela venait troubler nos esprits, et nous inquiétait d'autant plus que dans le climat de l'île, de moins en moins sûr et de moins en moins un éden, nous en percevions les chaos. Dès la fin de l'année, Saint-Domingue transformée en vaste champ de batailles, des troupes en désordre, menées aux cris contradictoires de Pompons blancs et rouges – les Blancs de la colonie –, alternaient avec celles des mulâtres, également déchirés entre eux, dont les uns penchaient vers le pouvoir révolutionnaire blanc, et les autres vers le clan des esclaves. Lesquels ne savaient pas encore pourquoi ni pour qui ils se battaient. Au milieu de l'anarchie, les planteurs – du moins ceux qui avaient le courage de rester sur leurs plantations pour protéger leurs terres – s'efforçaient malgré tout de cultiver les champs. La production de sucre et de café, dans la pénurie desquels nous serions tous immanquablement ruinés, tenait désormais du prodige. Pour les habitants de l'île, la politique était devenue la pire des menaces – nous avions appris à la craindre plus que les pluies diluviennes et plus que que les crises de sécheresse qui avaient tour à tour hanté nos cauchemars. Pour moi, réfugiée en ville, à l'abri des commandos qui, après la nuit de Bois-Caïman, ne cessèrent plus de mettre à sac les habitations que lors de répits illusoires, je tâchais non point d'y voir clair – entreprise au-dessus de mes forces –, mais de ne pas perdre espoir. Ma prison n'était pas si lugubre que je pusse me plaindre et j'avais mon enfant près de moi...

Il fallut plus de deux ans pour que la Déclaration des Droits de l'Homme, sitôt applaudie des mulâtres, parvînt à la conscience noire. Nous entendîmes parler pour la première fois de Toussaint Louverture au moment de la fuite à Varennes. Le futur héros de la cause noire portait ce nom curieux en guise de panache : il parvint en effet à rassembler des factions rivales d'esclaves, et put se vanter à juste titre d'avoir fait « l'ouverture ». Ancien palefrenier de l'habitation Bréda et ayant appartenu jadis au comte de Noë, on disait que Toussaint, une fois affranchi, s'était rendu propriétaire de quelques terres et d'esclaves pour la cultiver. Je n'en sais guère plus, sinon qu'il était vieux et très habile, puisqu'il réussit à prendre sous sa coupe, comme un enchanteur dans son cercle magique, les autres chefs de la rébellion noire, des plus sanguinaires et des plus redoutables, tels Biassou ou Jean-François. Si Boukman – le héros criminel de Bois-Caïman – fut brûlé par les colons, l'automne 1791 vit les premiers règlements de comptes africains : ainsi Jean-François, peut-être sur le conseil de Louverture, fit-il fusiller Jeannot – le plus assoiffé de sang de tous les grands chefs noirs. Lorsque Toussaint nous fut connu, je ne pus plus regarder Arès avec les mêmes yeux tranquilles : il exerçait après tout le même métier, nous le disions esclave auprès des chevaux. Mais il semblait insensible à l'appel des Noirs en colère et demeurait calme et soumis ; il ne montrait aucun signe de révolte apparente. Sa tristesse m'inquiétait. Depuis que nous habitions au Port au Prince, il avait un masque terne et grimaçant d'animal blessé au lieu de son bon visage et il passait ses journées à ne rien faire, assis dans la cour tel une statue de pierre. A quoi pouvait-il bien songer ? Je craignais qu'il ne tombe malade. Vénus elle aussi l'observait.

Un soir où elle me croyait endormie, elle vint lui parler et ses chuchotements montèrent jusqu'à ma chambre, par le petit œil-de-bœuf qui l'éclairait côté cour. Je ne distinguai pas ce qu'elle lui dit mais le lendemain, Arès retrouva son entrain. Il étrillait les chevaux, et il me sourit quand je marchai à sa rencontre. Je l'entendis, plusieurs autres soirs, se livrer à un remue-ménage, je devinai qu'il sellait les chevaux, dont les naseaux frémissaient et dont les pieds frappaient le sol, malgré les précautions que je le supposais prendre. Ces mêmes soirs, Vénus elle aussi s'agitait dans sa chambre, et au bruit que faisaient ses pieds nus, au son des portes qu'elle ouvrait et fermait avec ménagement, maniant les poignées avec des doigts délicats, je ne pouvais me tromper : elle rejoignait Arès dehors, portant des sacs et sans doute alourdie, car son allure était d'une lenteur à désespérer. Sans qu'aucune parole cette fois ne monte jusqu'à moi, j'entendais grincer la porte de la cour, et glisser loin de la maison endormie le pas sourd des montures. Il est probable que mon fidèle compagnon enveloppait leurs pieds dans des chiffons, car leurs fers ne résonnaient pas sur les pavés qui tapissaient la rue de derrière. Je les entendais rentrer à l'aube, ensemble, et répéter leur manège, sans que j'y comprenne jamais grand-chose, ni que j'ose interroger Vénus sur ces étranges activités nocturnes.

Peu de temps après l'assaut de Ouanaminthe, quand esclaves et mulâtres livrèrent ensemble leur premier vrai combat, peut-être en mars ou en avril de l'année 1792 –

ma fille allait fêter son deuxième anniversaire –, Julien revint au Port au Prince. Il profitait en fait d'une accalmie dans le cours de la révolte et voulait me ramener avec notre enfant à Nayrac. Il prenait un début de conciliation pour un retour à la paix. L'assemblée coloniale de Saint-Marc venait d'être dissoute. Et avec elle, sinon dissoute, au moins dispersée, la résistance des colons les plus irréductibles, arc-boutés sur leurs convictions ségrégationnistes, esclavagistes et autonomistes, s'en trouva affaiblie. Une loi, promulguée par la Convention, ou était-ce la Constituante ?, accorda enfin les droits civils et politiques à tous les libres sans exception et fixa la dissolution des corps populaires formés sans leur participation. Voilà pourquoi Julien était plein d'espoir : le dialogue retrouvé et l'égalité donnée aux mulâtres ne pouvaient selon lui qu'amener l'île à sceller dans la paix un nouvel équilibre. Vénus et moi l'écoutions, sans l'interrompre, nous fournir ces explications, destinées davantage à se convaincre lui-même qu'à nous demander un avis. Nous le regardions, assis tous les trois à la table de famille, dévorer un repas avec un appétit inhabituel. Je le trouvai amaigri – sans doute ne mangeait-il pas à sa faim. Les campagnes manquaient en effet de vivres. Les moutons, les vaches, les poules, volés par dizaines chaque jour, ou bien tués, brûlés, les greniers pillés, les potagers détruits, l'opulence d'autrefois avait cédé la place à la disette. La proximité du port et les solides appuis de Vénus dans la colonie noire (j'étais sûre qu'elle allait la nuit chercher ce qui nous manquait, en échange de mystérieux services) nous valaient de ne pas faire maigre. Des rides s'étaient creusées sur le visage de Julien et il y avait sur son regard un voile noir. Pourtant il voulait encore croire en notre avenir sur l'île de Saint-Domingue. Il campait sur les bases de sa philosophie heureuse. Le gouverneur de Blanchelande venait de convaincre le chef des esclaves du Nord, Hyacinthe, de ramener ses hommes sur les plantations moyennant une centaine d'affranchissements, nous disait-il pour nous prouver que la paix approchait – car nous lui semblions sans doute l'une et l'autre trop peu enclines à partager son optimisme. Dans le Sud, Blancs et mulâtres réconciliés feraient bientôt front commun. Le Port au Prince allait accueillir dans toutes ses administrations les gens de couleur. Chacun aurait sa place dans un monde humanisé, plus juste et plus clément...

Vénus se leva alors et je la vis pour la première fois renoncer à son calme. Je vis briller dans ses yeux indifférents des éclairs. Elle se dressa de toute sa haute taille devant Julien et développa les arguments qui selon elle valaient qu'il y réfléchisse à deux fois avant de se lancer dans ce qu'elle nomma, sans ambages, une folie. Elle affirma que les esclaves, loin de désarmer, gagneraient bientôt la partie et que les Blancs seraient refoulés de l'autre côté de la mer. Oui, c'est bien ce qu'elle nous dit. Sa voix, d'ordinaire monocorde et placide, montait crescendo dans une psalmodie. Je supposai que Julien ne l'avait jamais, pas plus que moi, entendue s'exprimer de la sorte : tout son être cloué sur place révélait la même stupeur avec laquelle il avait écouté son fils, il y a seulement quelques mois. Il la laissa jusqu'au bout dérouler sa partition, avec une fougue et un art indéniables. Vénus combinait la passion qu'elle déployait souveraine, dans des tonalités apocalyptiques, à la douceur. Chaque mot gardait dans la transse sa caresse. Ce qu'elle dit, je ne peux le reproduire avec exactitude car c'était la musique qui parlait, c'était elle qui soutenait, mieux qu'un exposé logique, cette étonnante plaidoirie chantée. Lorsqu'elle abandonna ses prédictions de Cassandre et le ton exalté sur lequel elle les annonça, elle me donna l'impression de tomber de haut, parmi le commun des mortels. Mais elle n'en avait pas fini. Je me souviens avec plus de précision de ce second acte du discours. Il fut moins envoûtant, mais me parut percuter de plein fouet sa cible. Vénus reprocha à Julien de ne songer qu'à la terre : tout autre est le destin d'un homme, lui disait-elle. Il appartient aux airs, aux nuages et au vent. Rien n'est à nous ici-bas, tout est aux dieux et aux esprits des morts. L'île n'est qu'un passage. Elle martelait cette sorte d'adages. Un séjour humain n'est qu'un peu de temps volé à l'éternel exil, poursuivit-elle. Elle parla de Damballah qui décide pour nous de la vie et de la mort.

« Ton fils te ressemble », murmura Vénus en baissant la voix et en s'adressant à Julien. Ma plume est incapable de reproduire cet accent où j'entends encore rouler les eaux chantantes d'un torrent. Car elle parlait vite et avec sûreté, employant le vocabulaire précis et imagé des créoles. Je le traduis en français – non pas pour plus d'intelligence, mais parce que je ne me souviens plus aujourd'hui du langage naïf de l'île, ce langage que je comprenais à l'époque, que je parlais un peu, mais que j'ai voulu oublier, par esprit de sauvegarde. Je ne le reparlerai jamais.

« Ton fils te ressemble, répétait Vénus. Il aime trop la terre. Et trop les gens d'ici... »

A ces derniers mots, Julien sursauta et retrouva la voix. « Que sais-tu de lui ? » lui demanda-t-il avec l'autorité du maître. Sa question sonnait comme un ordre. Elle exigeait une réponse. Mais Vénus contourna habilement l'obstacle. Oui, elle avait revu Pierre. C'est même lui qui lui avait annoncé la mort de son frère, cette mort qu'elle n'ignorait pas mais que nul n'avait eu le courage de lui apprendre, pas même Julien, pas même le propre père de son fils, insista-t-elle. L'accusa-t-elle de lâcheté ? Il me semble m'en souvenir... Avant de revoir son fils cadet – en un lieu qu'elle n'avouerait pas sous la torture – une vision lui avait révélé la mort de son aîné. Elle croyait que cette vision s'était produite la veille de la nuit où son corps avait été mis en pièces, injustement déchiqueté par ses frères de race parce qu'il partageait la morgue et la blancheur de peau des maîtres. Elle n'avait pas pleuré alors, elle ne pleurait pas davantage en évoquant les faits, comme si elle les avait vécus avec nous à Nayrac. Car elle communiquait avec lui, nous expliqua-t-elle, plus souvent mort que vif. Pour Vénus, Jean n'était pas vraiment mort. Il lui apparaissait presque chaque nuit dans la chambre rouge, et ils partageaient de longs moments de paix. Elle le consolait d'être mort. Il refusait encore d'être un ange... Ces mots me frappèrent. J'en éprouvais la souffrance autant que le mystère. C'était ce pouvoir qu'avait Vénus de faire reculer les frontières des mondes vivant et mort qui me fascinait. Personne ne m'avait parlé comme elle de l'existence future et j'espérais qu'il y aurait un jour quelqu'un pour m'enseigner l'au-delà et pour me rassurer au moment du grand passage, comme elle s'acharnait à le faire auprès de cette âme rebelle de son fils préféré. Saurais-je moi-même, si j'étais par malheur prématurément séparée de ma fille, entretenir avec elle ce lien miraculeux, à la fois ténu et puissant, ce lien d'amour que la mort ne peut détruire ?

Il m'apparut ce jour-là que Vénus en savait plus que Julien malgré sa science. Elle parlait comme une mère : son message me touchait. Tandis que Julien n'y entendait que superstition et refusait autant de s'en pénétrer que d'abdiquer sa raison souveraine, il était pour moi d'une clarté fulgurante. Aucun maléfice, j'en étais sûre, ne pourrait jamais venir d'une mère. La générosité, la vaillance de Vénus m'imposaient non seulement le respect mais une confiance que rien, me semblait-il, n'entamerait. Contrairement à Julien qui, de toute évidence, peinait à suivre la voie qu'elle avait ouverte, et devait juger décousu et fumeux ce discours de femme, je compris d'instinct qu'elle poursuivait depuis le début un dessein et que les méandres de sa démonstration n'avaient d'autre but que de nous y amener. Il m'apparut qu'elle voulait sauver Julien d'une mort certaine. Mais aussi empêcher le dénouement tragique d'une histoire dont elle possédait depuis le début tous les éléments et par avance la fin.

Le destin était plus fort qu'elle. Il avait été plus fort que Fatousi et plus fort qu'Aurore, c'est lui qui déjouerait à son tour ses plans et sa ruse, ses dons et ses pouvoirs. Il était déjà en marche et Vénus, humblement, le savait. Elle tenta cependant l'impossible et réussit une petite partie de son plan. De celle-là, je lui serai éternellement reconnaissante : elle sauva en effet ma fille. J'acceptai de la lui laisser plutôt que de l'emmener avec moi à Nayrac. Mon mari m'en fit le reproche et s'étonna du peu d'empressement que je mis à le défendre, quand il voulut, contre l'avis de Vénus, organiser notre retour sans plus perdre un instant. Mon chagrin à la séparation fut d'une violence extrême, car je crus sincèrement ne jamais revoir le petit être qui donnait son plein sens à ma vie. Mais mon amour acceptait le sacrifice : sans même avoir besoin de réfléchir, ou de soupeser les risques, je fus immédiatement convaincue que ma fille serait plus à l'abri ici avec Vénus, que sur les ruines encore fumantes de Nayrac. J'exigeais seulement qu'Arès ainsi que Clio et Thalie demeurassent au Port au Prince. Il m'était moins pénible de l'abandonner au milieu de ceux que je considérais désormais comme ma seule famille. Je pleurai en silence le long du chemin qui nous ramenait dans ce qui fut un havre autrefois, et ne me serait plus qu'un exil plein de tristesse. La vie sans ma fille n'avait ni cœur ni raison.

La prémonition de Vénus s'accomplit. Nous n'arrivâmes point à l'habitation. Une horde d'une vingtaine d'esclaves, à cheval, en armes, hurlant, vociférant, tomba sur notre convoi. Ils criaient « Vive le Roi ! » et « A nous Louis XVI ! ». Je m'en souviens parce que cela me frappa en ces temps de République, ils arboraient un drapeau où étaient maladroitement peintes des fleurs de lys. Leur troupe se voulait fidèle aux splendeurs de l'Ancien Régime. En habit militaire, surchargé de galons et de décorations, le plus grand d'entre eux, qui était un géant, faisait tournoyer une épée au-dessus de sa tête ; comme il semblait commander les autres, je pensai qu'il était leur général. Julien n'ayant avec lui que cinq hommes, nous fûmes bientôt dépassés par le nombre et encerclés. Le combat fut d'une violence foudroyante. Les cris, le choc des armes blanches, les coups de feu ne durèrent pas, mais ils résonnèrent longtemps à mes oreilles, bien après qu'ils se turent. Je vis briller les lames au soleil, le sang gicler, les corps s'empoigner, les bouches se tordre de haine. Les uniformes d'Ancien Régime prirent rapidement le dessus, tandis que j'assistai impuissante à la tuerie. Au milieu du tourbillon, prise au piège de l'inextricable corps à corps et harcelée par les mouvements désordonnés des chevaux, je m'étonnai d'être encore vivante. On m'arracha le pistolet dont j'aurais certainement fait usage, si je n'avais été empoignée soudain par trois escogriffes, malgré les coups que Julien leur porta. Un Noir en veste d'officier et en caleçon d'esclave, saisit mon cheval par la bride et m'entraîna, laissant aux deux autres le soin d'abattre mon principal défenseur. J'eus le temps de voir derrière moi Julien s'écrouler, criblé de plus de balles et percé de plus de coups de couteaux qu'un gibier en pourra jamais recevoir. Mourut-il plus tard ou aussitôt tombé, je l'ignore, je n'assistai pas à son agonie. Je ne sais ce qu'il advint de son corps, dont la vision abandonnée dans la poussière demeure mon pire remords. J'ai grande peine de n'avoir pu lui dire adieu.

La troupe ramassa prestement, parmi les six cadavres, le butin dont je faisais partie au même titre que les armes, les chapeaux, les chevaux, puis elle repartit au galop, dans la direction opposée à Nayrac, vers le morne des Platons. Pendant le trajet, parcouru à bride abattue, je me préparai au pire. Sans doute serais-je violée, torturée et enfin éventrée, dépecée, jetée vive sur un bûcher ou dans le feu des chaudières – tout cela se produisit plus de cent fois depuis les premiers jours de la révolte de Saint-Domingue. Devant moi, un cavalier, la chemise en haillons, portait le chapeau de cuir de Julien. Un second, qui collait ses étriers aux miens et tenait solidement les rênes de mon cheval, avait mis son sabre en bandoulière comme le sac où jadis les esclaves fourraient les herbes ramassées sur la route, au retour des champs. Il montait l'alezan préféré de Julien, celui qui portait le nom du dieu du vent parce qu'il pouvait couvrir des lieues entières à la vitesse d'un souffle d'air. Ce cheval était le fils de celui qui, tout jeune encore à mon arrivée, m'avait conduite dans l'attelage depuis le port jusqu'à Nayrac. Preuve que les colons ne savaient plus défendre leur province, sur notre chemin, aucune patrouille hélas ne nous inquiéta. Je remerciai en secret Vénus d'avoir gardé près d'elle mon enfant et mes amis. Je ne doutais pas qu'ils seraient tous morts à cette heure, ou comme moi en péril. J'attendis mon sort avec angoisse. Encadrée par la troupe, botte contre botte avec les diables d'hommes, je suivis la course, ou plutôt mon cheval la suivit pour moi. A chaque lieue parcourue, à chaque tournant de la route, à chaque bouquet d'arbres que je voyais d'abord se profiler contre le morne, puis se rapprocher, montrer ses couleurs, jusqu'à étendre son ombre sous nos pieds, quand nous le dépassions au rythme furieux des cavaliers, j'étais résignée aux supplices et certaine qu'ils ne tarderaient plus. Mon cœur, étonné de battre encore, était étreint.

Autour de moi, le paysage retournait à la barbarie. De loin en loin, quelques jardins mal entretenus, des habitations qui menaçaient ruine, rappelaient encore les temps d'une prospérité disparue. Les herbes folles gagnaient sur les cultures et les palmiers, les buissons de sapotilles, les flamboyants, toutes ces merveilles naturelles aux tropiques poussaient désormais en désordre, avec une profusion qui, sans les cendres encore fumantes, aurait pu évoquer le paradis. Combien de jours, combien d'années faudrait-il pour que des cultivateurs redonnent à l'île son lustre agricole, combien de jours, combien d'années pour qu'elle nourrisse sa population d'autres nourritures que des baies ou du gibier sauvages ?

Au rythme infernal des chevaux, que la sueur couvrait d'écume, nous parvînmes au quartier général des esclaves. Des cases de paille et de boue, certaines en branches et en feuilles, formaient un cercle autour d'un foyer éteint. A cet endroit du morne, d'une altitude peu élevée, mais aux profondeurs insondables, où nulle caféière n'avait pu entamer à son profit le sous-bois, le camp jouissait d'une position imprenable ; protégé par l'écran des arbres, invisible depuis la plaine, je ne le découvris qu'au moment où j'y pénétrais. Il assurait une clandestinité parfaite. Deux esclaves armés de fusils et de couteaux de chasse, dos à dos au milieu du cercle, comme s'ils dormaient debout et ne tenaient ainsi qu'en se soutenant l'un l'autre, en étaient, me sembla-t-il, les gardes. Le cavalier qui portait le chapeau de Julien et jouait à l'évidence le rôle d'éclaireur, les houspilla. Ils détalèrent. Puis le prétendu général me fit descendre de mon cheval et me conduisit jusqu'à une case en retrait des autres. Il m'ordonna d'y rester. Un homme, en vareuse bleue, dévolu à ma surveillance, s'installa comme un piquet devant ma porte, si l'on peut appeler ainsi l'ouverture étroite et basse que fermait un rideau en feuilles de latanier. Cueillies de frais, elles dégageaient un parfum acide et à certaines d'entre elles perlaient des gouttes de lait.

Je me laissai tomber sur la terre grasse du morne, l'un des moins explorés de cette partie de l'île. J'aurais peu de chances qu'on m'y retrouve. Je songeai à Julien, à ma fille, à tout ce qu'avait été ma vie. Je tentai de me convaincre que la mort venait à son heure me libérer d'un remords dont je commençais de subir la torture. Je n'avais plus prié depuis que j'avais quitté ma Vendée natale et, cherchant un secours, je portai ma main à la médaille de mon baptême. Elle n'était rien de plus pour moi qu'un bijou, discrètement attaché sous mon corsage, moins qu'un talisman en somme. Je n'y trouvai nul réconfort. Aucune prière ne sortit de mes lèvres, aucune aide céleste ne se manifesta. La vie païenne que j'avais menée avec la plus franche insouciance m'avait à ce point possédée que j'en avais perdu ma foi de chrétienne. Au moment de mourir, mes pensées allaient encore à des détails profanes. Quel serait mon supplice ? Allais-je beaucoup souffrir ? J'étais tout aussi soucieuse du destin de ma fille, songeant qu'elle serait élevée sans père ni mère, dans une famille d'esclaves, qu'elle ne pourrait compter que sur Vénus ou Arès. Je pris conscience que si elle survivait à la tourmente, ce dont je ne doutais pas, ayant placé ma confiance dans la femme qui serait sa mère adoptive, et dans mon esclave fidèle, elle aurait à souffrir d'être blanche. Sa peau rappellerait la classe honnie des maîtres. Je ne sais quelle espérance me donnait pourtant la vision du visage de la négresse qu'aima Julien, le souvenir de ses yeux impassibles, mais capables de passion, et de sa bouche d'ogresse s'ouvrant sur des paroles d'or. D'elle irradiait une force, dont je captais jusqu'ici les puissants rayons. Oui, elle prendrait soin de ma fille, pensais-je, elle la mènerait à l'âge de raison, elle ferait d'elle une femme, elle lui donnerait l'énergie de résister au désespoir. Et peut-être même qu'avec cette mère noire, respectée et honorée pour ses dons, poursuivrait-elle sa vie à Saint-Domingue, une vie qu'on avait refusée à ses parents. Ce qui m'aidait à me convaincre qu'un sort plus clément que le mien échoirait à ma fille, c'est que j'en avais la certitude : Vénus croyait trop au don précieux de la vie pour en gâcher ne fût-ce qu'une étincelle.

J'en étais là de mes pensées, tremblante et peu encline à croire à la chance, lorsqu'un galop se fit soudain entendre. Un nouveau groupe de cavaliers arriva au campement. A leurs cris, au piétinement de leurs chevaux, je compris qu'ils devaient être plus nombreux que ceux qui m'y avaient conduite. J'entendis des hourras. Un chant de guerre dont je ne compris pas les paroles s'éleva, lancé d'abord par des voix isolées. J'imaginai les hommes s'assemblant autour du feu, pour joindre leurs voix et former cercle autour des inévitables radas, qui sont l'âme des villages noirs. Des mains se mirent en effet à frapper les tambours et bientôt une musique féroce, fondée sur un rythme obsédant et monotone, envahit la case et m'arracha à ma méditation. Les chants, graves et profonds, parés de la même tristesse dans la victoire que ceux des esclaves, quand ils travaillaient aux champs, me transportaient. La musique me pénétrait, plus rien n'existait que les tambours. Pendant quelques instants, qui me parurent arrachés au temps, je vibrai avec l'incantation, j'en fus un morceau vivant. D'abord hurleur, vengeur, défiant la haine, l'appel se transforma en une mélopée, et me sembla conjurer mieux que tous les mots pieux que l'on m'avait appris, la peine et les malheurs.

Puis le silence retomba. Nul ne bougea au-dehors, jusqu'à ce qu'un homme en donne l'ordre. Calme et sûr de lui, il avait l'onctueuse autorité d'un chef d'Eglise. Sa voix, je l'identifiai aussitôt, et de toutes mes fibres. Je l'aurais reconnue entre cent, entre mille.

« C'est Sonthonax, commissaire de la République en 1793, qui, de son propre chef, outrepassant les pouvoirs que la Convention lui avait accordés, a aboli l'esclavage à Saint-Domingue. »

A la question que Jean Camus, guère à l'aise dans les méandres, coups et contrecoups de la révolution antillaise, lui avait posée, son hôte répondait avec moult détails. L'Histoire, de toute évidence, le passionnait et il l'abordait en spécialiste – sa manie du détail en était un symptôme. Il connaissait par cœur son sujet et avait exploré et fouillé avec soin la toile de fond sur laquelle s'était écrit le destin de sa famille. S'il n'avait trouvé ici même, dans ses murs, matière à satisfaire sa curiosité pour le passé, il est probable que ce paysan-berger aurait fait un excellent chartiste.

Le petit déjeuner, servi dans la même pièce où ils avaient déjeuné la veille, et l'odeur du café fraîchement moulu réconciliaient Camus avec la vie, avec ses hôtes. Le chat s'était éclipsé et, dans la cuisine, celle qui fut, la nuit précédente, l'instant d'un bref cauchemar, un spectre à demi dévêtu, avait elle aussi renoué avec les réalités. De ses doigts de cordon bleu, elle devait préparer des œufs, car un agréable fumet émoustillait les papilles gourmandes de l'éditeur. Il éprouvait encore de la rancune à l'idée qu'on lui avait fait sauter le dîner. La jeune femme ne se pressait pas et, en attendant qu'elle les sustente, il écouta son hôte lui retracer les péripéties multiples et compliquées qui avaient mené Saint-Domingue jusqu'à l'indépendance. De Sonthonax – qui devait finir guillotiné après son retour en France – à Toussaint Louverture – vieillard chenu que ses anciens compagnons de la plantation Bréda surnommaient « Fatras-Bâton » parce qu'il était chétif et difforme –, l'historien amateur, à dire vrai plus érudit qu'un universitaire en train de potasser un doctorat d'Etat, ne lui épargna aucun portrait et lui fit un récit circonstancié de « l'orage ». Il s'attarda sur Dessalines, lieutenant de Toussaint, qui lui succéda à la tête de l'armée des esclaves lorsque celui-ci fut fait prisonnier. C'est lui qui proclama l'indépendance de l'île en 1804, et lui rendit son premier nom indien : Haïti. Cela voulait, paraît-il, dire « île boisée » ou peut-être « île chevelue ». Sacré empereur l'année suivante et devenu pour son peuple Jacques Ier, Dessalines se distingua par des exactions et des assassinats en série, que Camus, essayant en vain d'interrompre son hôte pour lui redemander du café, finissait par trouver monotones dans l'horreur. Plus tard, car le tyran fut à son tour assassiné, d'anciens seconds de Toussaint Louverture, l'un noir, l'autre mulâtre, Christophe et Pétion, devaient se partager, dans de nouveaux flots de sang, son héritage. Camus, plus agile en mathématiques qu'en héraldique – l'hôte se lançait dans la description du blason et de la devise de Jacques Ier –, calcula qu'il avait fallu plus de dix ans – treize en fait, depuis Bois-Caïman en 1791 – pour que l'île obtienne son indépendance : treize années de désordres, de débats, de guérillas, de crimes et de batailles particulièrement meurtrières. L'abolition de l'esclavage par le seul Sonthonax, un an tout juste avant le décret de la Constituante – le 16 pluviôse an II –, n'avait guère été suivie. Mais elle avait enflammé la résistance des esclaves et mis un terme définitif aux espoirs des colons. Plus tard, Bonaparte supprimerait le décret et repartirait à la conquête de l'île... Son hôte avait rassemblé de nombreux livres qui traitaient de la nature et de l'histoire de Saint-Domingue, de la botanique et des cultures, de sa médecine, de sa religion comme de ses contes, dans une petite pièce qu'il nommait pompeusement bibliothèque et ressemblait plutôt à un réduit encombré. Des caisses empilées servaient à la fois d'étagères et de malles à trésors. Il en extirpa devant Camus, sans hésiter, parmi ce bric-à-brac de bouquins en désordre, où il possédait ses repères, quelques solides références. Deux ou trois volumes de Moreau de Saint-Méry, témoin capital de la Révolution, né sur la colonie, puis député de la Martinique, avant son exil en Amérique, où il devait connaître et fréquenter Talleyrand, et devenir éditeur ; de Descourtilz, *Voyage d'un naturaliste en Haïti 1799-1803*, récit fondamental, car il décrivait l'état de l'île où son auteur avait été assez fou pour revenir, afin de tenter de sauver ses terres, aux pires années de la reconquête, n'échappant que par miracle – sur un signe de détresse maçonnique – à un carnage de Blancs ; enfin, une thèse contemporaine de Jacques Cauna publiée en 1987 par les éditions Karthala, spécialistes des terres exotiques, *Histoire d'une plantation de Saint-Domingue au XVIIIe siècle*, s'empilèrent sur la table du petit déjeuner, à côté du beurre et de la confiture d'abricots aux amandes – l'une des spécialités, celle-là culinaire, de la maison. Le trouvant plutôt ignorant, et peu au fait de cet épisode de l'histoire mondiale, l'hôte se réjouissait de faire valoir sa science, et de trouver devant lui, sans doute habitué à ne dialoguer qu'avec les archives, un auditeur tout ouïe, et peu contestataire. Jean Camus n'avait pas grand-chose à répliquer : il songeait au tableau naïf qu'il avait rapporté à Maguelonne, où trois officiers noirs, en uniformes napoléoniens, tiennent une conférence au sommet ; ce ne pouvaient être que Dessalines ou Toussaint, peut-être Pétion, ou un de leurs lieutenants. Il ne s'était jamais posé la question. Ce qu'il aimait dans ce tableau, c'était la fenêtre ouverte sur un mur rose, par où transparaissait l'ébauche d'un paradis terrestre – un ciel bleu, une branche de palmier que le vent caresse, et l'ombre d'un oiseau.

L'hôte ne semblait pas décidé à en rester à quelques portraits phares. La tête appuyée sur la main, les yeux perdus vers cet ailleurs, aussi vivant pour lui que la ferme albigeoise où il avait échoué après la longue errance des siens, il essayait de revivre, et de faire revivre à Jean Camus, la lente émancipation des esclaves. D'abord alliés aux Blancs contre les mulâtres, puis aux mulâtres contre les Blancs, ainsi que l'avait rapporté fidèlement son aïeule, ballottés d'un camp à l'autre, leur désir de liberté n'avait pas explosé en un jour ; il avait mûri, dit-il, comme un fruit dans un pays où le soleil est rare, jour après jour, sur des centaines de jours. Il leur avait fallu entendre, les nuits de calendas, ou d'autres nuits sans lune, autour des feux cachés dans la savane, des discours, des harangues, des exhortations, innombrables et successifs, pour les convaincre qu'ils n'avaient pas seulement eux aussi des droits, ces droits que les maîtres avaient eux-mêmes déclarés à tous depuis la France, mais qu'ils étaient des hommes. Il leur fallut longtemps pour le croire. Ainsi Toussaint, selon l'hôte de Belle-Isle, était-il lui aussi allé à petits pas, marquant des pauses et des hésitations, s'offrant même des détours, des alliances machiavéliques avec l'Espagne ou avec l'Angleterre, pays esclavagistes, vers cette proclamation de liberté et d'égalité qu'il n'osa pas aussitôt, pas plus qu'aucun d'entre eux, s'appliquer à lui-même. Ni fougueux comme Jean-François, ni furieux comme Biassou, ni sanguinaire comme Dessalines, il respectait le Roi, comme tous les esclaves de Saint-Domingue. Il ne devait jamais pardonner aux révolutionnaires la mort de Louis XVI – pour en convaincre Camus qui levait les sourcils, sarcastique, l'hôte cita Pierre Pluchon, éminent historien haïtien, et en contre-thèse l'écrivain Jacques Thibau, ancien ambassadeur, tous deux auteurs de biographies de Toussaint. « Oui, continua-t-il, cela peut surprendre. Toussaint était partisan d'un ordre colonial. Il a même cherché auprès des Espagnols, avant de comprendre sa méprise, un appui en somme réactionnaire : il a combattu les armées révolutionnaires. C'était un pragmatique. Il se méfiait des idéalistes de Paris. Il nc s'est que très lentement et méthodiquement imposé comme un libérateur. Ses manœuvres politiques, depuis la métropole, ont dû paraître incompréhensibles, engendrant désordres et anarchie. Toussaint n'est pas simple : à force d'agir au jour le jour, en guettant le vent, en tâchant de jouer des rivalités, des haines et des rancunes locales, il apparaît souvent comme un général sans plan de bataille, sans vue généreuse, sans projet à long terme. Mais, si l'on y regarde de plus près, il n'a jamais dévié de sa route. Il est le vrai libérateur des esclaves, malgré sa défaite. C'est lui qui les a rassemblés, et leur a donné l'audace de relever la tête. » L'hôte semblait vouloir réhabiliter le personnage, victime de trop de caricatures. Il expliqua que Dessalines usurperait sa victoire, mais que le vrai Bolivar des esclaves, c'était évidemment Toussaint. Camus apprit aussi que Toussaint avait fait interdire les cérémonies vaudoues. Pour donner l'exemple, il se rendait tous les dimanches à la messe sur la paroisse où il se trouvait avec ses troupes. Nomade par prudence, pour éviter d'être pris par les Blancs ou assassiné à la va-vite par des Noirs rivaux – aussi paranoïaque que les anciens colons, Toussaint avait développé jusqu'à la panique la peur du traquenard –, et n'ayant par conséquent aucune résidence fixe, ses contemporains ont pu le voir communier aux quatre points cardinaux de l'île.

Les rudes épreuves que la métropole était elle-même en train de vivre, la vague des Terreurs puis l'alternative des régimes, isolèrent davantage la colonie, malgré les cris d'alarme des colons rentrés en France ou de leurs correspondants, inquiets pour leurs affaires. Une poignée d'hommes défendait les intérêts de Saint-Domingue, qui fut peu à peu livrée à elle-même et où le pouvoir blanc, concentré dans les mains d'une infime minorité, s'affaiblit chaque jour. Les mulâtres, en nombre à peine supérieur, ne sachant où donner de la tête, si le salut viendrait du continent, ou d'ici même, du cœur noir de l'île, se divisaient. Certains rêvaient d'un secours des Amériques ; d'autres qui rallièrent les colons se virent tour à tour royalistes, républicains puis bonapartistes, et tâchèrent comme eux de garder le cap de leurs propres intérêts dans les soubresauts politiques – on imagine le décalage : à chaque nouveau régime, il fallait de deux à trois mois pour qu'il nous soit connu. Mais la plupart des libres avaient cependant gagné le parti des Noirs qui était la vraie force révolutionnaire et l'avenir de Saint-Domingue.

« Bien entendu, dit l'hôte, l'abolition de l'esclavage n'a jamais été appliquée sous la Révolution. Quant à Bonaparte... »

Jean Camus l'écouta alors retracer l'histoire du général Leclerc, et de l'expédition qui coûta la vie à tant d'hommes. Bonaparte, Premier consul, envoya sur l'île son beau-frère – le mari de sa sœur Pauline – afin d'y rétablir l'autorité de la métropole et de conforter ce site stratégique, en pleine mer des Antilles ; les Anglais et les Espagnols manœuvraient pour éliminer la France de cette partie du monde ou au moins l'affaiblir. L'hôte conta la capture de Toussaint, par des procédés peu honorables, au cours d'un piège plus digne d'un brigand que d'un chef, et son exil implacable dans une forteresse glaciale du Jura, où il finit sa vie, tel un misérable. Il fit souvenir à Camus qui l'avait oublié, ou l'avait-il jamais su ?, que les armées françaises du Premier consul furent défaites à Saint-Domingue, tout autant par les fièvres que par la persistance de la guérilla – les lieutenants de Toussaint, sitôt après son exil, avaient repris le flambeau de la révolte. Leclerc lui-même succomba sur l'île à l'épidémie de fièvre jaune. « En somme, conclut-il non sans fierté, car il était à l'évidence du camp des assiégés, Napoléon a connu deux échecs cuisants : deux îles lui ont résisté, l'Angleterre et Saint-Domingue. »

En février 1804, Dessalines dont la devise était « La liberté ou la mort ! » ordonna le massacre final. La dame des mémoires était déjà en exil en France lorsqu'il fit assassiner les derniers Blancs, les plus fous ou les plus inconscients, qui avaient jusqu'au bout refusé de quitter l'île. Il prêta serment que jamais aucun colon ni Européen ne mettrait plus le pied sur ce territoire à titre de maître ou de propriétaire.

De 1791 à 1804, la Révolution de Saint-Domingue tua quelque quarante-six mille soldats – des deux couleurs –, chiffre faramineux auquel il convient d'ajouter environ treize mille civils français, c'est-à-dire blancs, et à peu près treize mille civils noirs et mulâtres confondus. Tout compte fait, l'aventure de la dame de Saint-Domingue dont Jean Camus lisait les mémoires en feuilleton, s'inscrivait dans un drame plus vaste. Elle était un épisode sur une longue liste de crimes. Il songeait à la manière pudique et sobre avec laquelle Blanche – il l'appellerait ainsi désormais – revivait son histoire. Son but n'était certainement pas d'apitoyer le lecteur. Encore moins de lui faire valoir le sacrifice français. Il n'y avait ni fougue patriotique dans ce récit, ni esprit amer de revanche d'une classe évincée. Il n'y avait aucune conscience politique chez son auteur. Aucune vue d'ensemble. Ni aucune prétention à témoigner au nom de tous. Tout y était au contraire particulier, infime, sensible, à l'échelle d'un destin unique. Que voulait-elle dire, cette femme d'autrefois ? Quel but s'était-elle donné, alors que très vieille, parvenue à l'orée de l'autre monde – ce monde que Vénus lui peignait tout aussi vivant que le présent, et sa nuit tout entière mêlée à nos jours –, elle s'apprêtait à en franchir la passerelle. Non sans avoir, précisait-elle, avoué à sa fille le secret qu'elle avait si longtemps caché.

Sirotant avec reconnaissance son café noir, Camus regardait évoluer autour de la table la femme de son hôte. Elle avait échangé sa chemise de nuit contre des blue-jeans et portait un de ces pulls de laine blanche à grosses mailles, tricotés en Irlande ou en Ecosse, dont la seule vue irrite la peau et provoque des démangeaisons. Elle posa devant lui puis devant son mari, comme il l'avait prévu à l'odeur qui l'émoustillait déjà depuis un bon quart d'heure, des œufs frits et des tranches de lard, qu'agrémentaient, si l'on peut dire, des lamelles de bananes confites. Camus trouvait à cette jeune femme des airs de zombi. Elle semblait planer et ne poser les pieds sur le sol que par une sorte de distraction. A tourner autour de la table, inutile et agaçante, elle lui collait le vertige. Pourquoi ne déjeunait-elle pas ? Son mari ne semblait pas souffrir de son manège. Il ne disait plus rien et mangeait calmement ses œufs en y trempant de grosses tartines de pain. Sans doute était-il encore à Saint-Domingue, dans quelque épisode qu'il n'avait pas encore débroussaillé. Elle ne le quittait pas des yeux et suivait fixement chacun de ses gestes qui portaient les aliments de l'assiette à sa bouche. Avait-elle faim ? Souffrait-elle d'une radicale anorexie ?

N'y tenant plus, Camus se leva. Il alla chercher une troisième chaise dans un coin de la pièce, et la ramena près de la table. « Asseyez-vous donc ! » dit-il, galant, à la jeune étourdie, en essayant de ne pas trop exprimer son agacement. La réaction du couple le cloua sur place. Le mari planta, d'un coup sec, la pointe du couteau à pain dans le bois brut de la table. Et la jeune femme s'enfuit à la cuisine, comme si elle avait des ailes, ses bras battaient l'air de part et d'autre de son corps de papillon.

Nulle part, dans aucun des multiples livres qu'il avait consultés, son hôte n'avait trouvé trace du fils bâtard de Julien Nayrac. Il est vrai que nulle part dans ses mémoires, son aïeule n'avait indiqué le nom de famille de Vénus – une manière comme une autre de ne pas divulguer tout son secret. Si Pierre Nayrac avait figuré dans le bataillon des chefs noirs, ç'aurait dû être en effet sous le nom de sa mère – un enfant mulâtre n'était pas jugé digne de porter le nom de son père blanc. Nayrac lui-même l'aurait-il voulu que la loi lui aurait interdit de l'accorder au rejeton illégitime de son union avec une femme noire. L'hôte cita pour exemple le général Dumas, père du célèbre romancier. Né à Jérémie (province du sud de Saint-Domingue), il était le fils du marquis Davy de la Pailleterie et d'une esclave, Césette Dumas, dont il arbora sa vie durant le nom modeste. Lequel devint, par ses exploits militaires et par ceux littéraires de son fils, plus glorieux que le vieux patronyme aristocratique. Fidèle à la mémoire de sa mère et à ses racines, Dumas avait refusé de commander l'expédition que Bonaparte confia par la suite à Leclerc. La mémoire des chroniqueurs ni les travaux ultérieurs des archivistes n'avaient enregistré de Pierre, quel qu'il fût, parmi les grands chefs noirs.

Le mulâtre Pierre était sans nul doute un acteur de l'ombre. Jean Camus s'en réjouissait. A l'origine de la maison d'édition qu'il avait créée, se trouvait en effet son désir de ressusciter l'histoire, non pas à travers ses hommes illustres, mais les anonymes, tous ceux qui furent un jour emportés par les folies de plus grands stratèges – ou criminels –, victimes d'ambitions démesurées, de rêves de grandeur. C'était un beau rêve qui avait fait se lever la masse aliénée des esclaves de Saint-Domingue, c'était un beau rêve qui leur avait donné en la personne du vieux Toussaint, un nouveau Spartacus.

Et Blanche dans tout cela ? se demandait-il. De ce témoin qui connut l'orage, il ne restait plus qu'un manuscrit original, au coffre d'une banque. Comme son hôte avait à vaquer à ses occupations, ainsi qu'il le lui dit poliment, Jean Camus se replongea dans la copie dactylographiée, témoin d'une aventure authentique. Tout en tournant les feuillets, il songeait à cet original, dont l'écriture le faisait rêver : il imaginait la main de la femme qui l'avait rédigé, le cœur étreint par le souvenir d'un drame. Ce cœur, Jean Camus s'en était épris au point de l'entende battre, tout contre lui.

Pierre ne commandait pas le détachement des esclaves – celui qui se faisait appeler Général, tout couvert de médailles, se donnait l'allure du prétendu chef suprême –, mais il en était l'éminence grise ou si l'on préfère, le cerveau. Le général, d'une stature remarquable, n'était guère plus que cela. Si sa carrure de géant imposait le respect à la troupe, il ne faisait que répéter avec docilité les ordres que lui soufflait Pierre. Il aurait été incapable de la moindre initiative. Aux yeux des Africains que j'ai connus sur mon île, les dons physiques traduisaient le plus souvent la supériorité d'un individu. Ainsi leur naïveté les inclinait-elle à se soumettre à ceux d'entre eux que la naissance distinguait de la moyenne, par la taille, la beauté, la force, ou encore par quelque détail incongru, comme des yeux bleus ou verts, ou un grain de beauté en forme de soleil au front, qui signalaient son être d'exception. Etant lui-même petit, chétif, point autant cependant que Toussaint Louverture, plus jeune et mieux bâti que lui, mais se tenant très droit lui aussi, comme s'il voulait se grandir, et la tête haute, Pierre avait à sa disposition l'intelligence et la ruse, l'intuition stratégique, le don de la parole. Il lui manqua le temps pour asseoir sa naturelle autorité. En cette année que je passai, moitié par contrainte moitié consentante, à ses côtés, j'eus tout loisir d'admirer d'abord son courage – il fut de toutes les batailles et plus d'une fois blessé, laissé trois fois pour mort. Mais aussi le charisme avec lequel il défendait la cause de ses amis noirs, et la foi qui l'habitait : le destin de son peuple, pourtant encore plongé, quand je fus avec lui, dans l'ignorance et l'incertitude de son avenir, lui apparaissait en clair comme s'il avait le pouvoir de discerner au-delà des simples apparences le sens caché du temps. Dès qu'une difficulté se présentait, le général était le premier à se décourager, tandis que je ne vis jamais Pierre douter de la victoire. Il déployait une énergie extraordinaire pour rendre le moral à la troupe et d'abord à ce chef trop fragile. S'il éprouva la moindre lassitude, je n'en constatai chez lui aucun signe : il était la véritable force des esclaves. N'ayant eu de lui qu'une connaissance d'amante, charnelle et intuitive, je découvris alors son caractère, qui était sombre et grave en toute circonstance et teinté d'une nuance d'amertume – le but que Pierre s'était assigné ne laissait aucune place à la légèreté, à la douceur, à l'insouciance de l'amour. Sa personnalité subjuguait les hommes, et sur quelques paroles qu'il prononçait devant eux, si fourbus ou défaits fussent-ils, ils se relevaient dès les premiers mots vibrants de l'exorde, ramassaient leurs armes et s'il en avait donné l'ordre, seraient sur-le-champ retournés se battre. Mais elle me subjuguait aussi et je ne fus pas moins esclave qu'eux.

Je ne tardai pas à apprendre qu'il avait lui-même ordonné l'expédition qui avait coûté la vie à mon mari sur le chemin de notre plantation. C'est lui qui avait convaincu le général, sans trop d'efforts, qu'il fallait débarrasser la province de ce seigneur, d'autant plus dangereux qu'il tentait de réconcilier les partis en guerre. Farouche défenseur de la paix, rêvant d'équité et de justes partages, Julien était selon lui l'Ennemi par excellence. Celui dont on peut attendre le pire : le retour à l'ordre, à peine amélioré, de naguère, à la prétendue justice blanche, à la fraternité des races. Les harangues de Pierre auxquelles j'assistais, me permirent de mieux saisir, dans ses lignes générales, sa vision politique – partisan de la solution extrême, il rêvait d'établir à Saint-Domingue le seul pouvoir des Noirs, et de bouter hors du territoire les Blancs qu'il haïssait, à l'image de cet homme, qui avait toujours incarné à ses yeux le despotisme, l'abus des anciens pouvoirs. Fanatique au point de ne considérer la réalité qu'à travers le prisme de ses convictions, inhumain à force d'idéalisme, il reportait sur le monde, à l'échelle de la petite île, les blessures et les rancunes de son enfance. Il n'avait jamais rêvé en fait que de se venger. Je le compris peu à peu, au fil des jours passés dans l'ombre des mornes où les esclaves avaient leurs quartiers. Pierre ne livrait pas seulement un difficile combat au nom d'un avenir qu'il annonçait équitable. Il se battait tout autant pour hier – pour se venger d'un passé qui l'avait torturé et le persécutait encore. Le crime contre son père, c'était, je le crois, pour se délivrer lui-même qu'il l'avait commis.

Déplorant chaque jour la mort injuste de Julien, j'éprouvais une très grande honte de mon amour. Mais cette honte ne pouvait rien contre l'attrait puissant que Pierre exerçait sur moi. Ni sur le plaisir qu'elle ne pouvait éteindre, et enflammait au contraire, tel un brûlant aiguillon.

La horde, ainsi que j'appelais en moi-même l'ensemble des hommes qu'il conduisait, œuvrait au sud et à l'ouest de l'île mais entretenait grâce à Pierre, qui en fut toujours le messager ailé, des contacts précieux avec le Nord, où battait le cœur de la révolte noire. Ces contacts tenaient du prodige, car les obstacles étaient innombrables entre ces deux territoires, où les mornes, les marais, les rivières se dressaient sur le passage des cavaliers comme autant d'épreuves. Les routes étaient inexistantes, et les quelques chemins praticables, simples traces perdues au milieu des bois inconquis, s'arrêtaient soudain au milieu d'un champ ou de la savane, et ne menaient de fait nulle part. Pierre déjouait les pièges naturels de l'île avec une aisance qui me stupéfiait et où les esclaves eux-mêmes, acquis à la vie clandestine et plus familiers que moi avec les pistes secrètes de Saint-Domingue, ne pouvaient s'empêcher de déceler l'empreinte d'une puissance supérieure. Pierre était guidé, disaient-ils. Un zombi ou une déesse précédait ses pas. Ainsi glissait-il plus qu'il ne marchait, porté par la force inconnue qui faisait selon eux les vrais chefs, les meilleurs éclaireurs. Pour Pierre ce lien avec le Nord était capital. Tout aussi essentiel à ses yeux que sa légende de Mercure, rapide et rusé comme le vent. Il travaillait à unifier la révolte, et tenait à placer ses propres troupes sous la houlette du grand manitou noir, le vénéré Toussaint. Il partageait ses idées d'ouverture, et n'avait que méfiance pour les tentatives de division et de sécession auxquelles se livraient dans l'ensemble lieutenants et capitaines noirs. Tandis que d'autres cherchaient à conforter leur pouvoir personnel et à assurer leur propre ascension, à servir leurs intérêts, il avait un plus ample idéal. Son ambition dépassait largement celle de ces stratèges à courtes vues, aussi vaniteux qu'imprévoyants. Aussi s'obstinait-il, malgré l'éloignement, à faire passer des messages aux sections du Nord, tour à tour commandées par Biassou et par Jean-François, et à s'inscrire dans le vaste mouvement que tâchait d'orchestrer Toussaint – en forçant l'ouverture. Il était homme de négociations et de complots, homme de réflexion, homme par essence politique. Mais sous couvert d'idéal et de rêves généreux, c'était sa vengeance qu'il ressassait. Une vengeance aux couleurs pourpres de la haine.

A ses côtés, le général, doté d'un cerveau de poule, stupide, borné, et porté à tomber dans les pièges les moins élaborés de l'adversaire, se contentait de satisfaire son goût de l'uniforme et des décorations ; Pierre lui concédait l'apparat du commandement. La guérilla du Sud n'eut cependant jamais d'autre chef que lui, génial et anonyme, et le plus assoiffé de revanche de tous les grands chefs noirs. Car, bien qu'il voulût renier cette ascendance, il était mulâtre. Du sang blanc coulait dans les veines de ce fils d'esclave. Il n'avait pas seulement à venger un destin dans les chaînes, mais un autre asservissement, plus subtil, moins évident : l'humiliation qu'il avait vécue quotidiennement depuis sa naissance, il devait la vie au bourreau de ses frères de race. Au maître, qui avait usé sur sa mère du droit de cuissage, et ne l'avait selon lui jamais honorée comme elle devait l'être, comme une épouse, il voua dès son jeune âge une haine tenace. Sa mère continuait d'appartenir à cet homme, dont lui-même avait enduré l'octroi de privilèges – son éducation et son affranchissement, la chance donnée de ne pas travailler aux jardins de cannes ou aux ateliers de chauffe – comme autant d'aumônes à un pauvre. Il haïssait Julien en proportion de cette générosité qui avait été la sienne, et des faveurs qu'il avait dispensées tant à Vénus qu'à ses deux fils. Il ne pouvait pardonner. La reconnaissance qu'il aurait dû éprouver de ces attentions constantes et qui, j'en suis sûre, ne contenaient pas l'once d'une volonté d'humiliation de sa part – Julien avait trop de noblesse et de bonté pour mettre tant d'acharnement à blesser quelqu'un –, cette reconnaissance qu'il aurait dû avoir, Pierre n'en était pas seulement dépourvu. Il n'en ressentit jamais l'amorce la plus infime. Son cœur n'était que rancune. Irréversible et irrémédiable antipathie.

Sans doute l'amour profond que Pierre portait à sa mère expliquait-il sa hargne : c'était elle au fond qu'il voulait venger, parce qu'elle avait été noire. Tout entière du clan des méprisés. Vénus, plus harmonieuse et plus sage que son fils, ne pouvait rien contre cet amour-là, qui n'était qu'un contrepoint à la haine. La réponse passionnée d'un homme né et grandi pour la colère. Je ne compris qu'à la longue, après que sa mort me détacha enfin physiquement de lui, qu'en tuant son père, c'était un peu de lui-même que Pierre avait tué – la part en lui du Blanc.

Si j'éprouvais pour Pierre la plus grande attirance, je la dois à l'île même, non seulement au climat torride dans lequel nous vivions, mais à l'excès de ses contrastes.

Rien dans ma Vendée natale ne m'avait préparée à ce spectacle. Cette attirance, le crime de Pierre aurait pu y mettre fin, en briser à jamais le charme ; il n'en fut rien. Je me mis à mépriser au fond de moi le jeune homme qui avait fait assassiner son père. Je le jugeais lâche. Et, malgré ses hauts faits militaires, bien digne de figurer au panthéon des traîtres. Le traquenard qu'il avait utilisé pour prendre Julien au piège, sans se salir les mains, m'inspirait rétrospectivement autant d'indignation que le crime. Il me semblait que seul un duel face à face aurait pu sauver de l'ignominie un acte aussi cruel, et contre nature. Pierre me semblait être allé au bout du déshonneur. Pourtant, ce sentiment nouveau que je lui portais n'entama nullement son emprise. Je dois même avouer que je trouvai, dans l'abjection à aimer un homme que je jugeai désormais comme un odieux criminel, une sorte de feu. Je me sentis bien sûr coupable. Mille fois plus qu'auparavant, puisque je partageais la vie d'un assassin, et pas n'importe lequel, mais l'assassin de mon propre époux. De surcroît un traître, qui ordonnait ses crimes sans avoir le courage de les accomplir lui-même. J'aurais dû fuir, ou du moins le tenter. Mais je demeurai près de lui, non plus envoûtée désormais mais de mon plein gré.

M'ayant d'abord considérée comme un otage et une part précieuse de leur butin, les hommes comprirent vite leur méprise : j'appartenais à un seul. La jalousie aurait pu entrer en jeu avec le goût du partage. Peu de femmes habitaient en effet le campement et elles étaient à l'usage de tous. Le général puisait comme les autres dans ce harem collectif, où des négresses de tous âges, certaines en haillons, d'autres attifées de robes de bourgeoises, se disputaient les faveurs, et tâchaient d'échapper à ce qui eût été pour elles, dans la jungle retrouvée de Saint-Domingue, le pire de tous les sorts : l'abandon. Elles essayaient de plaire, et les plus âgées de servir les caprices des maîtres, avides de leurs corps de femmes. Hors leur premier usage qui était sexuel, elles remplissaient d'autres tâches comme de cuisiner le gibier et les légumes, et d'aller chercher l'eau. Je ne fis jamais partie de leur communauté. Si les hommes ne m'approchaient pas, les femmes me tenaient à distance et personne ne m'adressait la parole qu'en cas d'urgence ou de nécessité. Je ne souffris d'aucune animosité particulière, ni d'aucune persécution, encore moins de la moindre familiarité. Aucun homme n'aurait voulu de moi pour maîtresse. Aucune femme pour amie. J'étais pestiférée.

Seule Blanche parmi eux, je pensai d'abord que je leur faisais peur : mon apparence devait leur rappeler le souvenir de leurs maîtres et celui de leurs chaînes. Je voyais bien qu'ils m'évitaient. Hommes ou femmes, ils ne passaient jamais trop près de moi et ne levaient que rarement les yeux vers les miens. Ils préféraient ne pas me voir, ne pas m'entendre ; quant à me toucher, jamais l'un ou l'une d'eux ne s'y risqua. J'avais l'habitude de la solitude, mais je serais sans doute morte de tant d'indifférence et d'abandon, si Pierre n'avait pas été là, et si je n'avais chaque soir partagé sa couche. Le monde alors pouvait s'éteindre, je puisais dans mes nuits la lumière et la force. Celle, surhumaine, d'affronter les jours de silence et d'isolement. J'ai eu depuis cette époque à peu près trois fois mon âge d'alors, mais je continue de trouver, presque centenaire aujourd'hui, dans leur souvenir ému, une part considérable de ma vitalité.

Oui, les esclaves avaient peur. Non pas de mon apparence humaine, mais de ce que je représentais à leurs yeux : la forme la plus ignoble de la trahison et du malheur. Le général lui-même, si grand dévoreur de femmes, me laissait sans regrets à son stratège, à son seul et scandaleux usage. Il n'allait pas prendre le risque de capter le mauvais œil. Horrifiés par mon crime, tous ces gens semblaient pardonner le sien à Pierre, et je les soupçonnais à juste titre de le croire innocent. Son parricide ne s'inscrivait après tout que sur une longue liste de crimes, dans la rubrique des hommes blancs. Pierre était moins coupable pour eux d'avoir tué son père que glorieux d'avoir ajouté à son palmarès – donc au leur – celui du seigneur de Nayrac, l'un des hobereaux de notre modeste province. Comme sa peau était aussi noire que la leur, sans les reflets de bronze ou de cuivre qui nuancent celle de certains d'entre eux, y compris des bossales, comme Pierre était tout entier d'ébène, ils oubliaient en le voyant qu'une moitié de sang blanc coulait aussi dans ses veines. Sa carnation le purifiait en somme de son crime, ou le rejetait du moins dans les limbes : les hommes préféraient se souvenir de la Maîtresse Vénus – ainsi appelaient-ils sa mère, avec un respect où perçait la dévotion.

Cette femme arada contribuait largement au prestige de Pierre, et entretenait la légende d'un fils de roi. Si elle n'avait été reine dans son pays natal, elle l'était devenue ici où chacun la connaissait et l'adorait. Personne ne lui reprocha jamais d'avoir eu pour maître un Blanc – c'était le triste sort des Noirs, leur commun calvaire. Vénus, qui possédait les secrets des ancêtres et savait deviner l'avenir dans les dessins des feux éteints, dans l'eau renversée des jarres, dans les lignes de la main, dans les regards des humains, dans le sang des victimes qu'on tue, Vénus échappait au jugement. Elle était au-delà de la pauvre norme. Leurs familles faisaient souvent appel à elle. Elle soignait, souvent elle guérissait. Elle soulageait toujours les maux les plus graves. Elle savait insuffler le courage, et rassurer les mourants à l'heure du grand passage. Mais, c'était peut-être ce qui comptait le plus à leurs yeux, elle croyait à la vie éternelle et elle les en persuadait. Elle savait communiquer avec le monde invisible et effrayant dont elle perçait les mystères et le langage. Elle parlait avec les morts; elle leur rapportait ce qu'ils lui disaient. Comment Pierre n'eût-il pas joui lui-même de tant de prestiges acquis? Développant ses propres dons, bretteur et prêcheur, avocat des faibles, il semblait aux esclaves à la fois un héros et un apôtre – il y avait autour de son personnage, pourtant des plus laïques, une véritable aura : l'empreinte du sacré. Elle lui venait évidemment de Vénus, qui entretenait avec le ciel et l'enfer des relations interdites au commun des mortels.

La troupe le croyait un peu sorcier. Je savais qu'il ne l'était pas. Que non seulement il aurait été incapable de conjurer l'au-delà, mais qu'il condamnait en son for intérieur les pratiques de la religion. Il se défendait pour sa part d'en appeler publiquement aux dieux ou aux déesses, qu'ils fussent païens ou catholiques. Mais il ne laissait pas transparaître sa mécréance, qui l'eût sans nul doute affaibli dans le cercle des Noirs, les plus croyants de tous les êtres. Sans le lui dire, pour ne pas éveiller sa colère, je retrouvais chez Pierre la libre pensée de Julien, sinon son profond et honteux athéisme. L'éducation des philosophes que mon mari avait tenu à donner à ses fils avait sans doute ici même porté ses fruits et il est probable qu'il en eût été fier. Pierre en avait-il conscience ? Ou pensait-il avoir trouvé en lui-même les sources de sa liberté d'esprit ? Il laissait cependant courir les rumeurs de ses dons de sorcier. Cette réputation le servait. Elle le faisait craindre et estimer. Qu'il eût tué son père – ou ordonné de le faire, n'ayant point consenti à exécuter son crime de sa main – l'enveloppait de soufre. Mais ne détournait nullement de lui la troupe des hommes, enclins à interpréter son parricide comme un sacrifice. Avait-il voulu, en lui ravissant la vie, s'emparer de son âme et s'assurer ainsi sa force de maître blanc ? Ou établir un pont avec les ténèbres, afin de négocier avec les pouvoirs occultes, la victoire future du peuple noir ? Je ne sais pas exactement ce qu'ils pensaient, mais je ne les vis jamais le considérer qu'avec la plus profonde confiance. Comme un intermédiaire éclairé.

Au lendemain du crime, le général avait rajouté des galons à ses épaulettes, s'était approprié le cheval alezan de Julien et n'avait plus quitté son chapeau, signes qu'il partageait désormais un peu de la puissance qu'il lui avait volée. Il ne pouvait la laisser toute à Pierre. Moi seule étais taboue. Moi seule jugée mauvaise.

Nous ne restions jamais plus de trois ou quatre jours au même campement. Nous sillonnions la province, d'un morne à l'autre, tantôt plein ouest, tantôt remontant vers le nord, mais nous ne dépassâmes jamais ni la frontière de la Montagne Noire qui nous séparait de Santo Domingo, demeuré dans la paix, ni les horizons de l'Arcahaye, des Verrettes et de Petite-Rivière, au-delà desquels commençait le gouvernement du Cap Français. C'était pour les hommes un autre monde, presque un autre royaume, et malgré les efforts de Pierre pour modeler son action sur celle des capitaines nordistes, la troupe dont je suivais les changeants et tumultueux itinéraires, demeurait un rassemblement d'inconditionnels sudistes. Epris d'indépendance, farouchement acquis aux paysages et aux coutumes de notre province, l'autonomie que réclamaient les hommes du district du Port au Prince ne leur semblait concerner que de loin leurs frères de Dondon, des Gonaïves ou de Fort Dauphin. Autant dire des confins du diable. Ils avaient de la peine à concevoir l'échelle réelle d'un territoire, qui se réduisit longtemps pour eux à quelques carreaux de cannes bordés de routes blanches et aux toits d'essentes de leurs village de cases. D'errer ainsi librement d'un point de la plaine à l'autre, sans plus de limites, sans plus de chaînes, les grisait déjà. J'en vis pleurer certains qui découvrirent la mer au sud des Cayes. Leurs parents, nés sur le continent d'Afrique, leur avaient raconté leur enfance libre, puis leur voyage à fond de cale dans les bateaux négriers, et décrit cette mer, où ils pêchaient et où ils se baignaient jadis et qui avait été le premier témoin de leur servitude. Mais eux-mêmes, gens de la campagne, rivés aux travaux de la canne et pour la plupart créoles, c'est-à-dire nés à Saint-Domingue sur l'habitation où aurait dû se confiner leur vie, ne l'avaient jamais vue qu'en rêve. Devant les flots turquoise, où se levaient de souples vagues d'écume, ils se mirent soudain à chanter, retrouvant d'instinct, sous le soleil caraïbe, la nostalgie poignante des rengaines d'esclaves, quand le travail enfin cessait, que le jour tombait, que les tambours les appelaient à des rites et à des communions. Pierre ne chantait pas. Assis sur un des rochers rouges qui bordaient la plage, il contemplait le groupe. Puis comme eux, il porta son regard vers le large. Vers les rivages inconnus de cette Afrique qui ne cesserait jamais de hanter le Nouveau Monde.

Nous marchions le plus souvent la nuit, mais tandis que le temps passait, les troupes, moins prudentes ou moins apeurées, prirent davantage de risques – à moins que les Blancs ne fussent de jour en jour affaiblis –, et nous nous déplaçâmes à la lumière de l'aube ou du crépuscule, afin d'éviter les ardeurs du soleil. Nous montions des chevaux qui faisaient partie du butin et tirions après nous un troupeau sans cavaliers, de plus en plus important au fur et à mesure que les batailles se succédaient. Je ne fus témoin d'aucune sinon, par un curieux hasard, de la dernière. Quand les hommes partaient se battre ou porter le feu à quelque paradis oublié, qu'ils avaient jusque-là épargné, je demeurais au campement avec les femmes et les deux gardes qu'on nous laissait. J'attcndais quc le soir ramenât, dans les cris et les piaffements des montures, couverts de sang et de poussière et traînant derrière eux d'ignobles trophées de guerre, les régiments des tueurs. J'étais chaque fois effrayée et chaque fois inquiète de ne plus revoir Pierre parmi eux. Que serais-je alors devenue ? J'aurais sans nul doute été livrée à la vengeance et à la haine de tout le groupe, et sacrifiée comme le cabrit, la victime blanche dont ils buvaient le sang, au cours de leurs messes noires.

Espérais-je les voir ramener avec eux des amis, des voisins, des proches, leurs enfants ou leurs femmes, ils ne firent jamais aucun prisonnier : chacun de leurs assauts se soldait inévitablement par la mort et, hors les chevaux ou les pièces du cheptel nécessaires à notre nourriture, rien de vivant ne revenait jamais jusqu'à nous de ce monde blanc, que j'imaginais comme une forteresse assiégée et perdue pour moi-même.

Le génie de Pierre, son vrai rôle parmi la troupe de ces soldats d'occasion fut de savoir peindre à toute heure l'espoir. D'empêcher la tristesse de s'emparer des hommes et d'envahir le campement comme une épidémie de fièvre, en réduisant à néant les énergies de ces pauvres gens. Leur rendre la fierté de leur race, et le désir de la défendre ; les exhorter chaque jour ; chaque jour les exalter, afin qu'ils veuillent bien se battre, Pierre luttait pour ce défi. Sauf pour quelques enragés, assoiffés de bagarres, la plupart des hommes, aussi doux en réalité que des agneaux, montraient dans leurs regards traqués, dans leurs échines qui se voûtaient, une résignation profonde. Pierre, investi de la science vénusienne, tâchait d'éveiller dans leurs consciences l'étincelle d'une espérance. Le reste du temps, ils se montraient aussi soumis et résignés dans la révolte que jadis dans les fers.

Un matin, le jour se levait dans un ciel qui rougeoyait encore, nous dûmes accomplir un nouveau déplacement et quitter le quartier de Plaisance pour nous rapprocher, par le Fonds des Nègres, du Grand Goâve – une des régions de l'île que je connaissais le mieux pour y avoir moi-même autrefois parcouru des lieues et des lieues à cheval, en compagnie d'Arès. Des plantations nombreuses y disputaient encore la terre aux mornes sauvages, aux indomptables étendues de savanes, aux bois-debout et aux marais à crocodiles qui l'emportaient partout ailleurs sur le paysage jadis consacré aux cultures. Elles semblaient livrer un dernier combat à la nature vierge et aux esclaves-soldats. A cette vue, mon cœur se mit à battre. Je retrouvais mon passé dans les traces des pas de la jeune femme insouciante, que la guerre n'avait pas encore tout à fait effacées. Des panneaux de bois indiquant l'entrée des propriétés et le nom de la terre, certains avaient été arrachés, d'autres pendaient lamentablement, mais l'un d'eux, comme si le temps s'était soudain arrêté, annonçait fièrement Bellevue. La troupe fit halte à cet endroit. Le chemin encore bordé de haies de citronniers traversait des champs à peu près taillés, proprement séparés de rangées de bananiers et, aussi élégant et solennel qu'au jour de mon arrivée à Saint-Domingue, conduisait à une Grand-Case où, en fermant les yeux, j'aurais pu encore imaginer la véranda à colonnes, et les palmiers qui l'entouraient. Presque toutes les Grands-Cases, construites à l'identique, dans le style propre aux colonies, offraient un même cadre idyllique de vie, avec leurs terrasses orientées au sud et au nord pour permettre à leurs habitants de jouir du double passage de l'air. Nayrac, dont je rêvais en fait, et que je revoyais avec une hallucinante précision en lieu et place de Bellevue, n'était qu'à deux pas. Dissipées les brumes matinales, j'apercevais jadis de chez nous ses toits blancs et les fumées de ses chaudières qui ne cessaient jamais leur activité. Aujourd'hui éteintes, elles m'apparurent la seule anomalie de l'habitation dont Arnaudeau prétendait qu'elle était la plus belle de la province ; nous n'aimions que Nayrac, mais reconnaissions volontiers l'admirable point de vue de notre voisin le plus proche, entre les mornes et la mer. D'un côté la paraient les collines bleu-violet, de l'autre une vaste crique aux eaux turquoise, et au milieu, enserrées par ces deux joyaux, s'étendaient les plus vastes carreaux de jardins de la plaine. La canne y donnait l'image d'un océan vert. Toute cette beauté existait encore, mais privée d'âme. Le village noir semblait désert, aucun signe ne décelait une quelconque activité aux ateliers ou à la chaufferie, ou en quelque coin de la propriété. Je ne pouvais songer qu'à Nayrac. Nous étions à deux pas mais ma route s'arrêtait là. A une dizaine de lieues à peine de la maison, où gisait une part de moi-même. Le sentiment d'errer, sans foyer, sans port d'attache, me fit souffrir devant Bellevue silencieux. Qu'en était-il de Nayrac ? L'habitation dévastée ou abandonnée, que pouvait-il rester de sa beauté, de sa vie même, et des rêves des hommes qui lui sacrifièrent tant de peines ? Je songeais à Julien lâchement assassiné, à son corps sur le bord de cette même route où, un matin de janvier, il m'amenait en fringant attelage jusqu'à son domaine – son amour et sa fierté. Lui avait-on donné une sépulture, ou l'avait-on jeté dans une fosse ? J'espérais qu'on ne l'avait pas oublié sur le chemin, ou poussé du pied dans une ornière envahie par les ronces. Je m'attardai, plongée dans le désarroi, et ne compris que trop tard ce qui se déroulait autour de moi.

J'avais donné de la bride à mon cheval et tandis qu'il goûtait les herbes au pied des buissons de sapotilliers, qui bordaient la route du Cul-de-Sac au Port au Prince, en alternance avec les lataniers et les flamboyants, je rassemblai des souvenirs perdus. L'allée enchantée mais déjà en broussailles et jonchée de pierrailles, que les corvées de routes, désormais caduques, ne permettaient plus de nettoyer, se confondrait bientôt avec les jardins, eux-mêmes rendus à la savane ; les gens ne se rappelleraient bientôt plus qu'il y avait eu là une voie, construite à la romaine, au milieu de la plaine. La dense végétation me séparait de la troupe comme du groupe des femmes qui, sur l'ordre de Pierre, repartaient vers l'ouest. Les hommes allumèrent des torches dont la lueur soudaine, en ce matin calme, me tira de mes pensées obscures. Ils les lancèrent sur les premiers jardins dont les pousses s'enflammèrent aussitôt, car l'aqueduc ne devait pas distribuer l'eau comme autrefois et la canne séchait sur place. Puis ils poussèrent leurs chevaux et, dans des hurlements, se ruèrent à l'assaut de Bellevue et d'un adversaire que je crus d'abord imaginaire, semblable aux moulins à vent de Don Quichotte : rien encore ne bougeait devant eux, l'habitation dormait.

Depuis la mort de Julien, partageant la vie des femmes, recluses au campement, je n'avais plus été témoin d'une bataille. Celle-ci n'eut pas pour moi la même sombre réalité que la première, qui coûta la vie à mon mari, et au milieu de laquelle je fus prise. Elle me parut se dérouler comme un songe. Par quelle folie, Pierre, rusé stratège, donna-t-il l'ordre d'attaquer, sans préparation, et en présence du cortège des femmes, d'ordinaire reléguées au campement ? Etait-ce impulsion ? Délire ? Quelle raison inconnue de moi pouvait-elle l'avoir jeté bille en tête, par un matin sans nuages, donc sans protection, sur cette habitation déserte, en plein cœur d'un des territoires les mieux gardés de la plaine, à cause de la proximité de la capitale ? On aurait dit que le panneau Bellevue avait seul déclenché la haine de la horde. Etait-ce parce qu'il tenait encore, solidement fiché dans la terre, et que ses lettres fraîchement peintes évoquaient trop bien l'arrogance et l'entêtement politique des Blancs ? Quoi qu'il en soit – je ne possède pas la clef de ce mystère –, ils me firent l'effet de fauves affamés bondissant sur une proie assoupie. Le général montait le cheval de tête, suivi par la horde dispersée, tandis que mes yeux ne quittaient plus la silhouette de Pierre, sa chemise blanche et le sabre dont la lame brillait au soleil. De dos, dans la fumée qui montait des champs et commençait de brouiller l'horizon, je lui trouvai une ressemblance soudaine et proche du mirage, avec son père. Il me sembla que Julien se battait à sa place et tenait haut le sabre que Pierre brandissait. Qu'il bourrait le flanc du cheval de ses bottes et le guidait de sa main sûre de cavalier ; habitué aux escarpements et aux pièges de l'île, chasseur des plus émérites, il aurait su, comme lui, découpler les chiens. L'image me hanta longtemps. Car leurs deux personnes se confondirent et ne formèrent plus qu'une. Je me mis à trembler de peur, pour tous les deux ensemble, ne sachant plus lequel était déjà mort ou lequel allait mourir, dans l'intense brouillard qui se levait sur Bellevue.

Les Blancs surgirent. Armés et à cheval, en nombre supérieur à celui de la troupe noire, ils déployèrent un front devant la Grand-Case, et maintinrent un bref moment immobile leur régiment en civil, avant de se jeter à leur tour, sus à l'ennemi. La poudre des fusils se mêlant à la fumée de l'incendie qui se propageait, je ne pus plus distinguer que des montures cabrées et des corps emmêlés, qui s'empoignaient, se pourfendaient, se trucidaient, se tranchaient les têtes et les poitrines, et tombaient à terre, où les chevaux les piétinaient. Blancs ou Noirs, je ne pouvais en reconnaître aucun dans cet enchevêtrement de tueurs et de cadavres, qui avait la même couleur sang. Mon cœur battait pour un camp et pour l'autre ; il battait pour les deux hommes, que dans ma tête folle, je voyais maintenant aux prises, dans une lutte à mort, dressés l'un contre l'autre. Incapable de choisir, déchirée entre ces rivaux, dont je fus l'otage, portant au fond de moi un amour double et irréconciliable, un amour à deux faces, je n'éprouvais pas seulement de la souffrance. Mais le sentiment d'une pitié extrême.

Je me détournai. Parvenues aux collines, les négresses s'étaient arrêtées et regardaient elles aussi les hommes se battre et tomber un à un. A travers l'écran de la fumée, que pouvaient-elles apercevoir, sinon une inextricable et sanglante mêlée ? Figées sur place, elles guettèrent longtemps l'issue du combat puis, effrayées, se dispersèrent, pareilles à un essaim, dans les premiers confins du morne. De hautes flammes s'élevaient devant moi. Mon cheval hennissait, secouait violemment l'encolure. Quand elles franchirent la route et que les premières flammèches, échappées de l'incendie, vinrent lécher ses pieds, il se cabra et m'aurait sans nul doute désarçonnée si, dans un réflexe de cavalière aguerrie à la fougue des chevaux de l'île, je n'avais aussitôt repris le dessus, et tourné la tête de l'alezan vers l'autre côté de la plaine. Je le lançai sans hésiter au galop, dans la direction opposée à Nayrac, puis rejoignis la route qui, au-delà de Bellevue en feu, menait tout droit au Port au Prince.

Parvenue à la maison de Vénus, ma brusque apparition après une si longue absence, hirsute, les cheveux et les sourcils roussis, les vêtements couverts de cendres, provoqua plus de peur que de joie. Clio et Thalie s'enfuirent en me voyant, emportant avec elles vers l'étage la petite fille blonde, presque un ange, qui volait dans leurs jupes de marche en marche. Arès me fixait, en essayant sans doute de reconnaître dans cette sauvagesse, aux yeux vides, échappée de l'enfer, la maîtresse avec laquelle il parcourait jadis la campagne et dont les mains et le visage, qu'elle protégeait avec un soin jaloux, étaient cuits par le soleil, et nus sous la cendre. Quant à Vénus, elle fit preuve de son habituel sang-froid – sans demander d'explications, elle m'entraîna vers la table où le café fumait encore et m'en servit dans une tasse où elle versa de l'alcool de sucre, de quoi ragaillardir un mort. Je remarquai alors que sa chevelure drue, bouclée et feutrée comme la laine, jadis d'un noir de jais, se striait de mèches blanches. Des rides plissaient la peau autour des lèvres et des paupières comme un parchemin qui sèche. Encore belle, Vénus vieillissait. Le corps superbe et plein d'arrogance, son visage portait les blessures de la mort des siens. Aucun homme ne devait réchapper du massacre dont j'avais été le témoin, de sorte que Pierre disparut au milieu d'eux, englouti par l'Histoire, comme son père et son frère. Vénus portait le deuil. Assises face à face en silence, je m'aperçus que nous n'étions pas rivales. Meurtries et malheureuses l'une et l'autre, il n'y avait plus d'homme pour nous guider, ni pour nous séparer. Les murs m'étouffaient. La chaleur m'accablait. Et l'odeur familière où le musc se mêlait aux épices et à je ne sais quelles fleurs grasses des tropiques, cette odeur qui irradiait de la chambre de Vénus et se communiquait à toute la maison, cette odeur de stupre et de moisissure, d'amour et de mort emmêlées, me portait au cœur. Je ne pouvais la supporter. Je crois qu'elle m'aida à prendre la décision dont je fis aussitôt part à Vénus, sur une impulsion soudaine et qui ne laissait aucune place au doute : je partirais. Elle ne répliqua point, hocha seulement la tête. Nous étions libres désormais. Nos destins se séparaient.

Je montai à l'étage, et retrouvai ma fille. Au moment où je la serrais contre moi, je mesurai tout ce que la vie me donnait : une chance extraordinaire. Mon enfant vivait. Elle ne bouda pas nos retrouvailles. Elle appuya contre la mienne sa petite joue fraîche et rose puis m'embrassa, et se mit à rire devant mon visage barbouillé de poussière et de larmes. Clio et Thalie riaient avec elle. Les deux jeunes filles, telles le reflet d'une même personne, avec leurs yeux ronds et leur sourire candide, fidèles aux couleurs qui aidaient à les distinguer dans leur enfance, l'une au jaune, l'autre au bleu, me parurent aussi innocentes que l'enfant de deux ans dont je tenais la main. De minuscules pattes d'oie soulignaient leur regard et je les vis alors, telles qu'elles seraient des années plus tard, s'il leur était donné de vivre : deux petites vieilles, jumelles inséparables, plissées, ratatinées, défroissant leurs jupons impeccables, l'un jaune, l'autre bleu, de leurs mains noires de squelettes aux ongles longs. Je les embrassai avec affection mais je me détachais déjà. Plus rien ne me retenait sur l'île, pas même le souvenir des années heureuses.

Je dormis un jour et une nuit. A mon réveil, j'envoyai Arès au port pour prendre des nouvelles. De rares navires accostaient encore au Port au Prince. La réputation jadis faste de Saint-Domingue décourageait les candidats au commerce et aux voyages. Les quais étaient à peu près déserts. Des aventuriers y cherchaient des occasions pour des larcins faciles, en cette époque de troubles et de désordres. Des rixes éclataient souvent, aux dires d'Arès, dont la peine de me voir partir se lisait sur le bon visage. Son regard sombre, chargé de regrets, sinon de reproches, se grava dans ma mémoire. Ma gorge se serre en y pensant, le remords creuse dans ma poitrine un sillon que rien ne comblera. Mais ma vie était ainsi faite de déchirements et de départs. Quand ma conscience de vieille femme agite son passé, qu'elle y retrouve intact le mal qu'elle y a fait, elle y croise le regard embué d'Arès. Que ne l'ai-je emmené avec moi ? Pourquoi l'ai-je laissé sur l'île, quand il ne voulait que demeurer près de moi, mon esclave à vie, ce pour quoi Julien l'avait missionné. Il me rendit ce jour-là un dernier service : il trouva pour moi une place sur une goélette franche. Elle apportait de la métropole du matériel de guerre et des marchandises de première nécessité, que l'émissaire de la République réclamait à cor et à cri depuis des lustres, et qui arrivait à point nommé pour me ramener en France. Je n'hésitai pas. Je montai à son bord dès l'aube, avec ma fille. Nous voyageâmes sans bagages, dans le dénuement le plus extrême. Je ne garde aucun souvenir de la traversée. Je la passai presque tout entière à dormir, sans rêver.

Le Roi venait d'être guillotiné. Dans tout le pays, la Terreur se déchaînait. Si j'avais pu la croire l'apanage de l'île, je me trompais. Les horreurs se succédaient sur le continent ; les crimes, les faux procès, les exécutions sommaires et ordonnées en masse, infligeaient à la mère patrie un visage de Gorgone et des doigts crochus de sorcière. Eussé-je voulu rejoindre le château de ma famille aux Essarts, que la guerre de Vendée m'en aurait empêchée : ma région natale était à feu et à sang, livrée aux « colonnes infernales » – ainsi appelait-on les troupes qui brûlaient sur leur passage les champs et les villages.

De famille, je n'avais plus en fait que le souvenir des quatre Noirs, silhouettes immobiles, qui m'avaient accompagnée à mon départ, et dont je me sentais à la fois la mère, la sœur, l'épouse et l'enfant. Orpheline d'Arès, de Clio et de Thalie, orpheline de Vénus, mais aussi de Julien, de Pierre, je me sentais dépossédée. Non seulement de mes biens, mais de mes amours. Je pleurais sans larmes un passé mort. Des gens précieux, une vraie famille. Comment expliquer cela à mes parents ? Comment leur faire partager ma détresse et mon attachement à un monde qu'ils méconnaissaient et sur lequel peut-être ils exprimeraient des jugements, dont le seul énoncé me causerait de la peine ou de la révolte. Je préférais me taire. Demeurer seule, détachée de tout lien. Et même passer aux yeux du nouvel état civil pour morte – ce que j'étais déjà, en vérité. Toute ma vie reposait à Saint-Domingue. J'espérais que l'île retrouverait un jour le paysage du paradis. Quand je songeais à la paix, non seulement des hommes sur terre, mais à celle que promettait Vénus quand la mort ouvrait les portes d'au-delà, je voyais une mer d'un bleu translucide, qu'entouraient des rochers rouges et du sable blanc; dominées par des mornes tantôt verdoyants sous le soleil, tantôt bleus sous la lune, des cannes à sucre balançaient sous le vent leur chevelure d'ange; au loin une maison se dessinait avec une terrasse. J'entendais tout doucement, comme lorsqu'ils accompagnaient l'agonie des morts, battre les tambours aradas et congos. S'il m'arrivait alors d'y croire à cette paix éternelle, ce n'était que par faiblesse et par nostalgie. Au fond de moi, je regrettais l'île; je lui avais tourné le dos, je lui en avais voulu de ses violences, je l'avais reniée à cause de ses crimes, je l'avais quittée sans rien emporter d'autre que des souvenirs, mais je n'ai jamais cessé de la regretter. Quand je songe à elle, je souffre, et je dois à la vérité de dire que j'en suis amoureuse comme aux premiers jours.

Instruite par l'expérience, convaincue que l'Histoire est folie, je décidai froidement de me tenir à l'écart de tous les désordres, de ne point rappeler mes anciens privilèges d'aristocrate aux colonies, et d'adopter un parfait conformisme républicain. J'avais vu clair en moi au cours des nuits sans fin du *Fédéré*, en route vers la France. Du jour où je posai le pied sur le quai du port de Bordeaux où nous accostâmes, je m'employai à cette tâche : d'abord, simplement, survivre.

Je peux dès lors résumer en quelques lignes mon existence, car les quelque quarante années qui suivirent mon retour n'ont guère compté que pour entretenir cette flamme. Je n'ai vécu si vieille que par amour. Or, je vais mourir de cet amour qui m'a fait vivre. Je l'ai trahi malgré moi.

Sans ressources, me souvenant du nom de notre ancien correspondant à Bordeaux, qui réceptionnait notre sucre, se chargeait de le transformer en blanc pour l'adapter au goût raffiné de la métropole, avant de le vendre, je décidai d'aller le trouver et de lui demander conseil. Avec un peu de chance, il lui resterait peut-être un solde à devoir à la veuve de Julien Nayrac. Mais lorsque j'arrivai devant l'hôtel de monsieur de F., admirable bâtisse qui, à en juger par la sévérité et l'écrasante fierté de l'architecture, devait dater du règne du Roi-Soleil, les volets étaient fermés. Aucun attelage ne piaffait devant la porte cochère, peinte en vert, haute comme l'entrée d'une citadelle, et qui me donna l'impression de fermer un tombeau. Je sonnai cependant. Au bout d'un long moment, qui faillit mettre un terme à mon espoir, et alors que je m'apprêtais à retourner au port afin d'y chercher une occasion d'échapper à la misère, la porte s'ouvrit. Un domestique sans livrée, arborant une cocarde de la nation sur une veste aussi vieille et peu reluisante que sa personne, me fit entrer. Je traversai une enfilade de salons, étrangement dépourvus de meubles, et dont l'atmosphère sinistre s'apparentait pour moi à celle d'une crypte. Dans le dernier salon qui avait dû servir autrefois de cabinet, assis au milieu de bibliothèques nues, sur un fauteuil de reps aux coussins déplumés, un vieil homme me reçut. Ayant écouté sans m'interrompre le bref résumé de mes malheurs, il m'expliqua à son tour les siens. Il n'était pas moins à plaindre que moi. Ayant d'abord abandonné sa particule pour tenter de sauver ce qu'il pouvait de sa fortune, l'une des plus belles de la Gironde avant la Révolution, monsieur F. était pourtant aussi totalement ruiné que les anciens planteurs dont il assurait jadis le fructueux négoce. Sa femme et son fils guillotinés, il n'avait plus que des condoléances à m'offrir. Je devinai que ma jeunesse l'irritait : reclus dans son hôtel, il attendait la mort comme une délivrance. Tandis que je prenais congé, il me conduisit pourtant à une écritoire comme à une relique et en tira une liasse de billets. « Ils ne valent plus grand-chose, me dit-il, mais c'est tout ce qui me reste. Ils vous seront plus utiles qu'à moi. » Je dois à la pitié de ce vieil homme d'avoir pu nourrir mon enfant les premiers jours de mon retour en France, et de n'avoir pas moi-même péri de faim. Sur les conseils que me prodigua son domestique, qui gardait malgré son âge un pied solidement ancré dans la vie, je me présentai dès le lendemain aux meilleures maisons de la ville et y proposai mes services. Je savais lire et écrire, j'avais un langage soigné et de bonnes manières, je pouvais soutenir une conversation : pourquoi ne m'offrirais-je pas comme lectrice aux nouvelles reines de Bordeaux ?

La Grand-Case m'apparut un monde modeste en comparaison du luxe tapageur que je découvris. Une classe de patriotes enrichis occupait en effet les hôtels somptueux que les familles nobles avaient abandonnés, et y entretenait une pléthore de domestiques, sans doute fiers d'y travailler et qui faisaient preuve d'une même arrogance. Lorsque je vins successivement quémander une place, on me mit d'abord à la porte. Combien de portiers me rirent-ils au nez ! Mon enfant dans les bras, avec ma robe sale et mes cheveux défaits, je ne pouvais guère inspirer confiance. On me prenait pour une mendiante ou une fille des rues ; la ville en regorgeait. Je ne me laissai pas décourager. Eussé-je dû pour survivre m'engager comme femme de chambre, emploi plus conforme à mon aspect misérable, que j'eusse à peine hésité. J'étais prête à tous les sacrifices pour nourrir ma fille. Point du tout préparée à ce métier qui exige des compétences, je n'aurais su toutefois ni repasser le linge, ni préparer le bain, ni lacer adroitement le corset, ni coiffer les cheveux, ni réparer les accrocs de la dentelle, ni fixer les plumes au bonnet. « Vous ne savez donc rien faire ! » m'aurait dit la gouvernante exaspérée, avant de me renvoyer. Et elle me le disait en effet dans les cauchemars que me donnaient les refus réitérés des concierges à me laisser plaider ma cause. Comme je pouvais compter en revanche sur une éducation et des qualités de voix auxquelles avaient sévèrement veillé les religieuses de mon enfance, j'insistai. Mon obstination me récompensa.

La chance me servit. Me présentant un jour à un hôtel où les propriétaires venaient tout juste d'aménager, il se trouva qu'on y engageait à tour de bras. J'y entrai en même temps que les meubles, au milieu d'une foule de cuisiniers, de marmitons, de lingères, de chambellans, de valets et de servantes, de cochers et de postillons, qui allaient assurer le service des maîtres de maison. L'on m'accepta avec ma fille dont je ne voulais pas me séparer, pour remplir les fonctions de dame de compagnie. Je me glissai avec soulagement dans ce nouveau personnage, qui me permettait à la fois de gagner ma vie et de tenir mon rang.

Enrichi dans l'achat des biens nationaux, le couple qui m'accueillit, dont l'âge devait correspondre à peu près au mien, menait en effet grand train. Son luxe me stupéfia ; je ne m'y habituai jamais tout à fait. Non qu'à Saint-Domingue j'aie jamais manqué de quoi que ce fût, non même que je n'y eusse joui d'avantages considérables, mais le faste de ces Bordelais dépassait les rêves les plus fous. Lui, sobre et vêtu de noir comme les députés du Tiers, les cheveux plats et sans poudre, n'entrait et ne sortait jamais de l'hôtel sans qu'une nuée de quémandeurs l'assaille ; il accordait quotidiennement des audiences comme jadis les grands seigneurs, et distribuait des prébendes. Autour de lui, l'argent pleuvait. Elle, dans des toilettes somptueuses qu'elle ne portait jamais plus de deux fois, passait pour son principal trésor ; l'ornement le plus précieux de l'hôtel, dont la décoration surchargée de dorures, de marbres et de lambris donnait l'exacte mesure de leur fortune infinie. D'une beauté qui fanait déjà, elle aimait paresser au lit avant de se parer ; j'entrais dans sa chambre vers midi quand, rassasiée d'un jus de citron et de quelques pralines, le dos soutenu par une pile d'oreillers en dentelle, elle écoutait la première lecture de la journée – celle des journaux. D'abord hésitante, maladroite dans le choix des rubriques, je compris que la politique l'intéressait ; elle y voyait la couleur du ciel, y interprétait le beau temps ou les nuages, et n'éprouvait jamais sans frissonner la menace des orages. Comme la mienne, sa vie avait un jour basculé à cause de la politique, quoique en sens inverse. La Révolution avait fait sa fortune. Mais, malgré l'admiration et la confiance qu'elle vouait à son époux – artisan qui s'était lui-même hissé au rang de satrape –, elle craignait chaque matin le retour à l'ordre ancien. Pour elle, il n'avait pas toujours été faste.

Issue du peuple et ne le cachant pas, elle déployait un goût immodéré pour les robes à l'antique, les shawls anglais et les bottines à lacets. Coiffée, comment l'oublier ?, tantôt à la Titus, tantôt à la Caracalla, elle me demandait souvent mon avis avant de convoquer sa couturière et de me donner à lire après dîner, des pages entières du *Cabinet des Modes*, qui commentait les entichements du jour, la guerre du satin et du velours, la rivalité de la taille et des seins, et les nouvelles transparences. La mode qui allait bientôt prôner les « belles impures » était sa grande affaire. Elle tenait le moyen de sa revanche : éblouir le monde. Et par là illustrer la réussite brillante de son couple. Cet orgueil me plut, je le jugeai brave ; aussi, tandis que les jours passaient et que leur cours inexorable me séparait de mes souvenirs, décidai-je de l'aider de mon mieux dans cette tâche. Je m'attachai peu à peu à elle, et quoique pour des raisons différentes des miennes, elle me voua une affection d'une fidélité exemplaire, que nul n'aurait pu prévoir. C'est que nous étions, je crois, aussi seules alors l'une que l'autre – son mari la délaissait – et, sous des allures fort opposées, l'une et l'autre complémentaires. Elle me communiquait un peu de son inépuisable énergie et de sa volonté d'optimisme. Il me semble que j'adoucissais un peu ses mœurs, des plus volcaniques, et que je contribuais à assurer sa revanche sociale – mes conseils la servaient. Elle me dit souvent que je savais ce qui était bon pour elle. Que ne l'ai-je pas su d'abord pour moi-même !

Lorsque ses amies lui rendaient visite, elle tenait à ce

que j'assiste à leurs conversations. Elle puisait dans leur pépiement ininterrompu, pour moi tellement étrange – car à Saint-Domingue je n'eus jamais d'amie –, non seulement les potins pour amuser son mari, mais une source d'informations précieuses. Grâce à elle, celui-ci connaissait par le menu la vie privée des gens auxquels il avait affaire, leurs défauts, leurs faiblesses. Il pouvait en jouer à bon ou mauvais escient, que lui en importait ! Du moment qu'il se montrait à son avantage et lui livrait le compte rendu de ses victoires. Elles étaient aussi les siennes. Elle poursuivait la nuit, sans moi, au théâtre, à l'opéra, à des soupers et à des bals où je ne l'accompagnais pas, sa carrière. Cette femme si courageuse et entreprenante avait gagné sa bourgeoisie ; elle luttait chaque jour pour la défendre. Elle se battait aussi pour garder des privilèges que l'âge menaçait, sa beauté et sa jeunesse. Je la trouvais émouvante et l'admirais malgré ses emportements et ses rudesses. Elle ne fut jamais vraiment policée. Ce qui émanait d'elle, c'était à s'y méprendre la force sauvage et nue d'une Vénus. Elle ne raisonnait pas. Elle avait des intuitions qu'elle appliquait. Je ne lui connus qu'une lubie, aussi violente que le penchant de Vénus pour les prédictions et les sacrifices : le culte de la liberté. Elle usait et abusait du mot. Il lui servait de tout, non seulement à paraître à demi vêtue, sous des voiles d'une légèreté exquise, mais comme prétexte à des mœurs qui ne l'étaient pas moins. Tandis qu'elle me confiait, avec une insouciante impudeur, ses aventures, je songeais à mon histoire – lui aurait-elle seulement paru coupable, si j'avais osé et désiré la lui raconter, ce que bien sûr je ne fis jamais ? Ses amours pourtant réveillaient les miennes, que je tâchais en vain de garder endormies dans ma mémoire, pour ne plus souffrir de leur douloureuse absence. A ces moments-là, j'avais envie de parler et d'ouvrir mon cœur. De libérer moi aussi ma conscience. Je devinais qu'elle ne serait pas un juge sévère, et comprendrait au contraire les sentiments que j'avais éprouvés. Devant cette femme épanouie et passionnée, qui s'adressait à moi avec tant de franchise, mon secret me pesait. Mais je ne le divulguais pas. Je pensais qu'il me fallait avant tout, sans faiblir, sans rendre les armes, protéger ma fille.

Les années passèrent. Au-dehors, les fracas continuaient. La Vendée capitula deux ans après la mort de la Reine. Puis les régimes se succédèrent, mettant une fin définitive à la Terreur mais non point aux guerres. Le Directoire puis le Consulat les portèrent exclusivement aux frontières. A l'intérieur, le pays vivait en paix. Je n'entrepris aucune démarche pour retrouver ma famille. Je ne savais même pas si mes parents étaient encore de ce monde; pour eux, j'étais sans doute morte et enterrée à Saint-Domingue. La nouvelle de la naissance de ma fille leur était-elle seulement parvenue? L'exil et les violences que j'avais traversées avaient creusé entre nous un fossé infranchissable. Je n'avais nulle envie de renouer avec un trop lointain passé. Déjà Saint-Domingue, colonie française, vivait ses derniers soubresauts. J'en lus chaque matin, la voix cassée par l'émotion, le récit de la brûlante agonie. Les journaux relataient surtout les faits de guerre et promulguaient des louanges aux généraux partis à sa reconquête, ceux-là mêmes qui allaient bientôt s'en revenir défaits. L'issue était pour moi certaine, j'attendais seulement de trouver ici le nom d'un site familier, là une carte qui me parlait bien mieux que de longs commentaires. Je guettais l'apparition de noms qui m'étaient chers et que je n'avais pas cessé de me répéter depuis mon départ, incapable malgré mes efforts de me détacher de mon île et d'abandonner le souvenir de ma vraie famille. La mort de Toussaint Louverture me toucha plus que le sacre de l'Empereur qui l'avait fait emprisonner au fort de Joux et dont là-bas, un homme noir singeait désormais les fastes et l'autorité. Je m'enfermais davantage en moi-même.

Ma fille grandissait. Un teint de lait et des boucles noires, une bouche couleur cerise, elle fut toujours d'une beauté singulière. Je lui donnais moi-même les rudiments de son éducation. Mais sans la générosité du maître et de la maîtresse de maison, qui choisirent pour elle le meilleur pensionnat de Bordeaux et lui permirent d'y poursuivre sa formation, je n'aurais pu la mener à ce degré de perfection. Enjouée, rieuse, avec dans tous les gestes une grâce où j'étais seule à distinguer un mystérieux, un inimaginable héritage, elle sut danser, chanter, jouer au piano, composer des poèmes et peindre des aquarelles – tout ce qui distingue la jeune fille du monde du commun des mortels. Son innocence et sa vraie gentillesse lui attachèrent les gens – au pensionnat comme à la maison, elle n'eut jamais que des amis. Ses bienfaiteurs, n'ayant pas d'enfant, avaient tellement succombé à ses charmes qu'ils la rappelaient tous les étés près d'eux. Elle irradiait sa jeunesse dans leur hôtel. Pourtant sa joie pouvait d'un coup disparaître. Alors qu'elle jouissait d'une santé parfaite, de soudaines migraines s'emparaient d'elle et la forçaient à garder la chambre, plongée dans un état de prostration et paralysée de souffrance. Nous craignions tous ces crises. Elle trouvait du repos dans la nuit profonde que je faisais en tirant les rideaux et en fermant les volets sur le jour. M'asseyant près d'elle, je lui chantais à voix basse les rengaines créoles qu'elle entendait à Saint-Domingue. La douceur de ces berceuses avait imprégné sa mémoire. Elles avaient encore le pouvoir de la consoler.

Je vieillissais. Des hommes passèrent dans ma vie, qui me donnèrent du plaisir et furent des aventures sans lendemain. Ils m'aidèrent à supporter la solitude et à me souvenir que j'étais une femme. Je séduisis longtemps. La volupté m'emportait malgré moi, chaque fois, dans les bras de ces amants qui m'étaient indifférents. Bien que des occasions m'en fussent données, je ne me remariai pas... Je n'ai plus le temps de donner des détails de ma vie ; ils sont du reste sans importance. Le dénouement approche, il me faut me hâter. Et tâcher de ne point différer mon aveu par trop de parenthèses. J'ai essayé de tout dire, de tout expliquer. Il faut que j'ose enfin conclure. J'ai peur de manquer de courage.

Le maître de maison mourut au cours d'un de ses multiples déplacements dans Bordeaux, d'une attaque d'apoplexie. Puis son épouse à son tour tomba malade. Je ne quittai pas son chevet. Je ne sais quelle tumeur que les médecins lui avaient trouvée la fit souffrir mille maux ; aucun ne sut atténuer son calvaire. A Saint-Domingue, les Noirs auraient chanté pour elle et sacrifié une poule ou une chèvre pour tenter de libérer son âme plus vite – mais elle était prisonnière de notre science exacte. Elle résista jusqu'à la dernière heure, avec une énergie qui refusait d'abdiquer et un goût de la vie intact dans sa misère. Si son esprit voyage quelque part dans le monde, ainsi que le croyait Vénus, reviendra-t-il me dire que je me trompe, si j'affirme qu'il est toujours rebelle et toujours curieux, enthousiaste et sincère ? Il me soufflera le courage dont je manque. J'ai besoin de son aide, je me sens si seule maintenant. Ma famille est loin. Et qui sait ce que sont devenus les survivants de l'île ancienne ?

Avant de mourir l'un et l'autre, mes protecteurs avaient marié ma fille au fils d'un de leurs amis, jeune officier d'Empire. Ils avaient racheté pour elle une partie des terres que la famille de son fiancé avait perdues dans l'aventure des assignats, en Aquitaine, et elle y fait aujourd'hui, avec une part de sa dot, construire une maison qu'elle veut appeler Belle-Isle. Elle m'écrit dans une lettre que son histoire commence le même jour et à bord du même navire. Amoureuse de son mari, heureuse de son sort, elle va être mère à son tour. J'appréhende ce jour.

Une génération chasse l'autre, dit-on. Je vais bientôt mourir. Mais ce n'est pas la mort que je crains – je l'apprivoise depuis longtemps. C'est la clarté du jour. Je n'ai jamais parlé à ma fille, à qui je dédie ce testament. Il contient la vérité qui fut la mienne ; mon secret lui appartient de droit. Mon corps ne souffre plus. Pourtant je tremble, j'ai peur. Et si ma fille, en me lisant, en venait à me haïr ? Et si son enfant, mon petit-fils ou ma petite-fille... ?

Le manuscrit s'arrêtait là. A cette phrase en suspens. L'hôte confirma à Jean Camus qu'il n'avait changé que peu de choses à l'original : il l'avait transcrit dans un souci de fidélité. La narration était intacte, telle qu'écrite jadis par une vieille femme sur le point de mourir. A quelques pages de la fin, l'écriture trahissait clairement la fatigue, lui dit-il, et de fait, les derniers mots tremblaient.

Jean Camus exprima, avec son étonnement, son opinion d'éditeur : il n'y avait selon lui rien de pire qu'un récit laissé en état d'inachèvement, et qu'une fin tronquée. Toute histoire, vraie ou fausse, exige un dénouement. Non en points de suspension ou d'interrogation, mais solide et clair. Un bon dénouement. La dernière page, fâcheusement interrompue et énigmatique, le laissait sur sa faim. Il aurait souhaité, remontant le temps, avoir le pouvoir d'entrer dans la chambre où se mourait la dame qui venait de raconter sa vie et, revêtu de la soutane de son confesseur, l'assister dans ses derniers instants, pour l'entendre lui confier enfin son secret. Pour connaître le fin mot de son histoire. Il douta cependant qu'il se fût trouvé près d'elle un prêtre. Il lui imaginait une mort païenne et solitaire. Lui-même n'était guère croyant, mais il pensait que la présence d'un individu, religieux ou laïque, capable d'écouter d'une oreille sereine l'aveu des fautes ou des regrets, ou celui de la peur du monde inconnu qui s'ouvrait grand devant soi, adoucit l'épreuve, et facilite le passage. Il fallait plus de cran que Jean Camus n'en avait pour accepter de mourir sans amitié ni pardon. L'héroïne s'était-elle éteinte sitôt après avoir posé sa plume ? Sans avoir livré son secret à sa fille ? Dans le remords de ce qu'elle avait vécu, dans l'angoisse de ce qui l'attendait encore ? Catholique, elle avait dû trembler en pensant à l'enfer. A moins qu'ayant perdu la foi à Saint-Domingue, ainsi qu'elle l'avait dit, sous la double influence des Lumières et des tropiques, son enfer ne fût d'ignorer la destinée de sa descendance, et son calvaire de l'imaginer. Camus croyait qu'elle avait la religion de l'amour. Sa fille et l'enfant de sa fille furent sa dernière pensée.

Les deux hommes apportèrent leurs chaises sur la terrasse où le chat somnolait, fidèle à son poste. Ils demeurèrent là, malgré la fraîcheur matinale, sans plus échanger une parole. Camus songeait au livre qu'il publierait ; l'image des femmes qu'il avait aimées se confondait avec celle de la mémorialiste. Il en vint à évaluer l'absence d'amour où il vivait désormais. Devant eux, silencieux, l'ancien domaine qu'avait permis de racheter jadis un généreux mécène bordelais, paraissait d'autant plus terne sous la lumière crue : dépouillé de la splendeur de son passé, réduit à un jardin d'herbes folles, à un potager flanqué d'une serre et à de maigres pâturages, il était en lui-même une évidente conclusion à l'histoire. C'était là qu'elle trouvait sa fin, en aval de ces collines bleues, aussi râpées qu'un vieux velours. A Belle-Isle, le temps semblait dériver d'un lointain caprice. Le siècle s'arrêtait à son portail rouillé.

Jean Camus prit congé ; au moment de partir, son hôte lui remit un dossier cacheté où figurait, lui dit-il, un document susceptible d'apporter un dénouement au récit de son aïeule : l'aveu, longtemps différé, de ce secret qu'elle n'avait jamais eu la force de révéler. La vie s'en était chargée pour elle. De retour à Maguelonne, il rompit le cachet et trouva, pliée en quatre dans l'enveloppe, une lettre manuscrite. C'était un acte officiel émanant du tribunal d'Albi, à en-tête du procureur général. Adressé au gendre de la narratrice – l'époux de sa fille – dont, par la même occasion l'éditeur découvrait nom et prénom, il entérinait un désaveu de paternité. L'amour coupable que la mémorialiste n'avait jamais renié, et que sa propre fille dut ignorer jusqu'à la naissance de son enfant, cet amour interdit dont elle avait cultivé sa vie durant le souvenir et le mystère, trouvait une issue brutale. Sans la douceur, sans la passion du cœur.

« Monsieur l'officier,

Le tribunal a pris acte de votre lettre du 6 mars 1822. J'ai l'honneur de vous informer que la Cour a donné un avis favorable à votre requête en désaveu de paternité, touchant la naissance de Marie Sophie Le Tourneur, née de Félicité Julie Nayrac, votre épouse légitime, et de vous-même, requérant, Adolphe Augustin Le Tourneur. L'attestation contenue dans le rapport du docteur Maurice Albert selon laquelle l'enfant de votre couple est, de peau et de traits, noire, outre qu'elle justifie votre demande, a paru à la Cour suffisamment dirimante, pour vous ouvrir droit à un légitime divorce.

Soyez assuré, monsieur l'officier, de ma plus vive considération. »

Cet ouvrage a été réalisé par la
SOCIÉTÉ NOUVELLE FIRMIN-DIDOT
Mesnil-sur-l'Estrée
pour le compte des Éditions Grasset
en août 1998

Imprimé en France
Dépôt légal : août 1998
N° d'édition : 10844 - N° d'impression : 43725
ISBN : 2-246-53701-4